나의 첫 문학 수업

문학을 열다
5

나의 첫 문학 수업

문학을 열다 5 – 세계 명작 소설 베스트

초판 1쇄 발행 2020년 09월 10일
초판 16쇄 발행 2024년 04월 15일

글 오 헨리·헤르만 헤세·알레르 카뮈 외 **그림** 에토프
발행처 주식회사 스푼북 **발행인** 박상희 **총괄** 김남원
출판신고 2016년 11월 15일 제2017- 000267호
주소 (03993) 서울시 마포구 월드컵북로6길 88-7 ky21빌딩 2층
전화 02- 6357- 0050(편집) 02- 6357- 0051(마케팅)
팩스 02- 6357- 0052 **전자우편** book@spoonbook.co.kr

ISBN 979 - 11 - 6581 - 031 - 3 (44800)
ISBN 979 - 11 - 6581 - 026 - 9 (세트)

나의 첫 문학 수업

문학을 열다

5

세계 명작 소설 베스트

오 헨리·헤르만 헤세·알베르 카뮈 외 글 | 에토프 그림

스푼북

들어가며

세계의 다양한 문학 작품을 우리말로 번역하는 작업이 활발히 이루어지고 있습니다. 국가 간 교류가 차츰 증가하면서 그간 다양한 이유에서 세계 상호 간에 어설프게 닫혔던 관심의 빗장이 조금씩 풀리기 시작하였고 이와 맞물려 다양한 국적의 문학 작품이 소개되는 동시에 번역도 차츰 활발해지고 있습니다. 세계 문학은 '지성 일반'과 '언어'는 물론, 이 양자를 아우르는 인간과 사회의 교양(敎養, bildung) 전반을 형성하는 데 지대한 역할을 수행합니다. 세계 문학 작품의 번역은 인간 상호 간의 이해를 통해, 타자의 언어-문화-사회-역사의 경험을 본격적인 토론의 장으로 이끌고 와 우리들 앞에 한 아름 펼쳐놓으며, 새로운 의사소통의 양식을 고안하고 새로운 경험의 세계로 우리를 초대합니다. 타자를 개입시키고 또한 타자의 개입을 통해, 우리의 문학과 우리의 사유를 살핀다는 측면에서, 세계 문학은 전적으로 타자의 것인 언어-문화와의 본격적인 교류를 전제할 뿐만 아니라, 타자의 언어-문화를 우리의 언어-문화와 대면하게 하는 충돌의 순간들을 빚어냅니다. 이 충돌의 순간은 명작들에서 얻어질, 가장 넓은 세계를 경험케 하는 풍성하고도 매혹적인 순간이며, 바로 이 넓은 세계를 우리가 가장 집약적인 방식으로 상상을 도모하는 순간입니다. 그뿐만 아니라 이 순간은, 헤르만 헤세가 말했듯이, "과거에 많은 민족의 작가와 사상가들의 작품 폭에서 우리에게 남겨진 사상, 경험, 상징, 환상 및 이상의 무한한 보물들과 점진적으로 친숙해지는" 순간이기도 합니다.

세계 문학은 번역에 의해서, 즉 번역이라는 활동 속에서 존재합니다. 매우 평범한 지적이지만, 인류 공통의 고유한 지적 자산으로 여겨진 세계 각지의 위대한 문학 작품이 우리를 방문하는 것은 바로 번역을 통해서입니다. 번역은 타자의 문학에 대한 보편적인 관심과 그들 문학의 고민과 역사를 우리에게 노출하기 때문입니다. 세계 문학이 한 시대의 위대한 창작물의 총체라고 한다면, 세계 문학의 번역은 이 소중한 창작물을 외부의 세계에 내놓을 유일한 방식입니다. 이러한 의미에서 번역은 어쩌면 창작의 민얼굴 자체라고 해야 할지도 모르겠습니다. 가만 들여다보면, 우리가 읽는 것은, 엄밀히 말해, 안톤 체호프, 알베르 카뮈나 토마스 만의 작품이 아니라, 안톤 체호프, 알베르 카뮈나 토마스 만이 공들여 집필한 위대한 작품들의 한국어 번역이기 때문입니다. 번역을 통해 개별 문학들 사이에 국제적 순환의 고리가 형성됩니다. 바로 이 순환의 고리가 활성화되고 또 원활하게 회전할 때 세계 문학은 자신의 이상과 가치를 구현합니다.

보편적인 가치를 지닌 세계의 뛰어난 작가들의 작품을 한국어로 번역하여 소개하는 작업이 매우 가치가 있는 일이라면, 세계 문학에 대한 독서 체험 역시 귀중하기는 매한가지일 것입니다. 세계의 명작들이 고유한 사상을 발현하고 보편적인 가치를 확산하는 것은 결국 우리의 독서를 통해서이기 때문입니다. "세상은 당신이 생각하는 것보다 훨씬 광범위하며 그 세계는 책에 의해 움직이고 있다."라고 프랑스의 철학자 볼테르가 말했듯, 독서는 세계를 파악하고 대면하는 지름길이며, 이와 동시에 한 개인의 삶에 낯설고 기이한 경험을 끊임없이 선사합니다. 세계 문학을 읽어야 하는 이유가 바로 여기에 있습니다. 독서는 한 개인이 책이라는 매개를 통해 타자의 문화와 사유에 접속하고자 터놓은 작은 길일 뿐만 아니라, 세계 전반에 대한 인식이 더 넓어진다는 점에서 볼 때, 독서는 또한 길 자체의 확장이나 길의 다양한 포개어짐도 의미합니다. 때로는 좁고 때로는 깊거나 넓기도 하며, 종종 서로 갈라지고, 간혹 교차하기도 하는, 독서가 뚫어 놓은 저 다양한 종류의 길 위에서, 우리는 세계를 이해할 보편적 가치와 다양한 경험의 세계로 우리를 안내해 줄, 교양의 통로를 목도하게 됩니다. 명작이 세계에 자신의 이름을 남기는 것은 바로 독서를 통해서라고 한다면, 독서는 일방적인 수용이나 수동적 이해가 아니라, 오히려 명작의 진가를 증명하는 적극적인 참여이자 주관적인 활동입니다. 여기 소개된 작품들 하나하나가 세계 문학의 저 개성 가득한 길 각각이며, 세계 문학이 낳은 역사적 현장이자 그 결실입니다.

조재룡(문학 평론가, 번역가, 고려대학교 교수)

교양으로 인도하는 여러 길 가운데서 가장 중요한 것 하나는 세계 문학을 공부하는 것이다. 다시 말하면 과거에 많은 민족의 작가와 사상가들의 작품 폭에서 우리에게 남겨진 사상, 경험, 상징, 환상 및 이상의 무한한 보물들과 점진적으로 친숙해지는 일이다.

_헤르만 헤세

차례

일러두기

1. 표기는 원문에 충실히 따르는 것을 원칙으로 하되, 띄어쓰기는 최대한 현행 표기법을 따랐습니다. 단, 작품의 분위기에 영향을 준다고 판단되는 방언이나 구어체 표현, 의성어, 의태어 등은 그대로 두었습니다.
2. 책 제목, 장편 소설은 《 》, 단편 소설, 연극·잡지·노래 제목은 〈 〉로 표시하였습니다.
3. 부가적으로 설명이나 단어 풀이가 필요하다고 판단한 경우에는 각주로 설명을 붙여 놓았습니다.
4. 작품의 말미에 밝혀 둔 작품 출처는 저작권사의 요청으로 인한 것입니다.

자노와 콜랭

볼테르(Voltaire, 1694~1778)

파리에서 유복한 공증인의 아들로 태어나 예수회 학교에서 수학했다. 본명은 프랑수아-마리 아루에(François-Marie Arouet)이다. 비극 〈오이디푸스〉가 1718년 큰 성공을 거두고, 이때부터 볼테르라는 필명을 사용했다. 생전에는 많은 비극 작품으로 17세기 고전주의의 계승자로 인정받았지만, 오늘날에는 18세기의 대표적 계몽사상가로 더 많이 알려져 있다. 프랑스 사회를 비판하는 저술 활동 때문에 정부의 반감을 사서 오랜 시간 스위스의 제네바와 스위스와 프랑스의 접경인 페르네 지방에서 머물렀다. 1778년 〈이렌〉의 상연을 위해 고국으로 돌아왔다가 같은 해 숨을 거두었다. 대표작으로 《관용론》《철학편지》 등의 작품이 있다.

이수아르는 오베르뉴[1] 지방에 있는 대학과 냄비로 유명한 마을이다. 여러 믿을 만한 사람들이 이곳, 이수아르의 학교에서 자노와 콜랭을 보았다고 했다. 자노는 명망 있는 노새 장수의 아들이었고, 콜랭은 근방의 선량한 농부의 아들이었다. 콜랭의 아버지는 노새 네 마리로 농사를 지었는데, 토지세와 그 부가세, 상납금, 소금세, 인두세, 그리고 소득세 같은 각종 세금을 내고 나면 연말에는 남는 게 거의 없을 정도로 벌이가 시원치 않았다.

자노와 콜랭은 오베르뉴 사람치고 꽤 미남이었다. 그들은 서로를 무척 좋아했고, 허물없이 친한 사이였다. 또 오래된 친구들이 시간이 흐른 뒤 더 넓은 세상에서 만났을 때 함께했던 옛날을 즐겁게 회상하는 것과 같은 깊은 친밀감이 있었다.

자노와 콜랭의 공부가 끝나 갈 무렵, 재단사가 자노에게 정장을 한 벌 가지고 왔다. 그것은 세 가지 색의 벨벳으로 만들어진 옷이었고 리옹에서 만든 아주 근사한 조끼도 있었다. 옷은 드 라 자노티에르, 즉 자노 앞으로 보낸 편지와 함께 도착했다. 콜랭은 자노의 양복이 마음에 들었지만 질투를 하지는 않았다. 그러나 자노의 거만한 태도는 콜랭의 마음을 상하게 했다. 자노는 그때부터 공부를 그만두고, 거울만 들여다보며 세상 사람들을 업신여기기 시작했다.

며칠 후 한 시종이 두 번째 편지를 가져다주었다. 드 라 자노티에르 앞으로 온 편지였다. 편지에는 파리로 돌아오라는 아버지의 명령이 담겨 있었다. 파리

---

1 오베르뉴(Auvergne) 프랑스 중남부에 위치한 지방.

문학을 열다: 세계 명작 소설 베스트

로 향하는 마차에 오른 자노는 콜랭에게 우월함을 뽐내는 듯한 미소를 지으며 손을 내밀었다. 콜랭은 자신의 초라함을 느끼며 눈물을 흘렸고, 자노는 화려한 영광 속에 길을 떠났다.

궁금증 많은 독자들은 우선 자노의 아버지인 자노 씨가 사업을 통해 단번에 엄청난 부자가 되었다는 사실을 알아야 할 것이다. 어떻게 그렇게 큰 부자가 될 수 있었냐고? 그건 그들이 운이 좋았기 때문이다. 자노 씨는 꽤 준수한 용모를 지녔고, 그의 부인 역시 그랬다. 게다가 그녀는 여전히 젊음의 산뜻함까지 가지고 있었다. 그들은 자신들을 파산에 이르게 한 어떤 일 때문에 파리로 향했다. 인간의 삶을 멋대로 흥하게도, 망하게도 하는 운명은 그들 부부를 군(軍) 병원 소유주의 부인에게 소개했다. 군 병원 소유주는 매우 재능 있는 남자였고, 대포 한 대가 10년간 죽인 것보다 더 많은 수의 군인을 본인은 1년 만에 죽였다고 자랑할 수 있는 부류의 사람이었다. 자노 씨는 군 병원 소유주 부인의 마음에 들었고, 자노 씨의 아내는 그 남편의 환심을 샀다. 자노 씨는 곧 기업의 일원이 되었고, 다른 사업에도 관여했다. 사람이 물줄기를 타면 큰 노력 없이 가만히 있기만 해도 물을 타고 저절로 내려가게 되는 법이다. 이처럼 사람들은 때로 어렵지 않게 큰돈을 벌기도 한다. 강기슭의 거지들은 돛을 활짝 펴고 항해하는 당신을 놀란 눈으로 쳐다볼 것이다. 그들은 당신이 어떻게 그런 성공을 거둘 수 있었는지 상상도 못 하면서 당신을 질투하고, 당신을 험담하는 쪽지를 돌리기도 할 테지만 당신은 그 쪽지를 읽어 볼 일도 없을 것이다. 이것이 바로 자노와 곧 드 라 자노티에르 씨가 된 자노의 아버지에게 일어난 일이다. 자노의 아버지는 6개월 후, 후작의 작위를 사서 드 라 자노티에르 후작이 된 다음, 이수아르에서 학교에 다니는 아들을 파리로 불러들여 파리의 사교계에 진출시키려고 했다.

언제나처럼 다정한 콜랭은 그의 옛 친구 자노에게 축하 편지를 썼다. 하지만 어린 후작은 답장하지 않았다. 콜랭은 무척 마음이 아팠다.

어린 후작의 부모는 먼저 아들에게 선생님을 구해 주었다. 그 선생님은 기품 있는 사람이었지만, 아는 게 없었기 때문에, 학생에게 아무것도 가르쳐 줄 수 없었다. 후작은 그의 아들이 라틴어를 배우기를 바랐지만, 부인은 원치 않았다. 그들은 괜찮은 작품들을 써서 유명해진 어느 작가에게 조언을 구하기 위해 그를 저녁 식사에 초대했다. 후작은 이렇게 이야기를 시작했다.

"선생님은 라틴어를 잘 아는 분이고, 궁정의 사람이시니……."

작가가 익살스럽게 대답했다.

"제가 라틴어를 안다고요? 천만에요. 라틴어라고는 한마디도 모르는걸요. 라틴어를 몰라서 차라리 다행이라고 생각해요. 외국어와 모국어를 둘 다 배우느라 정신을 혼란스럽게 하지만 않으면 모국어를 더욱 완벽하게 익힐 수 있으니까요. 여성들을 보세요. 남성들보다 훨씬 더 재치 있게 말하고 글도 열 배는 더 근사하게 쓰지요. 이건 여성들이 라틴어를 배울 필요가 없기 때문이에요."

"봐요, 내 말이 맞잖아요!"

부인이 말했다.

"저는 제 아들이 지성 있는 사람이 되어 출세하기를 바라죠. 아들이 라틴어를 배운다면 보나 마나 아이는 출세할 기회를 놓치게 될 거예요. 생각해 보세요. 라틴어로 공연되는 연극이나 오페라를 본 적이 있나요? 법정에서 변호사들이 라틴어로 변호하나요? 사랑을 속삭일 때 라틴어로 말하는 사람이 있나요?"

부인의 말에 혼란스러워진 후작은 결국 어린 후작의 시간을 키케로[2], 호라티우스[3], 베르길리우스[4]에 낭비하지 않기로 결정했다. 후작은 말했다.

"그렇다면 우리 아들은 무엇을 배워야 할까요? 어쨌든 이 아이는 무언가를 배

---

2 키케로(Cicero) 고대 로마의 정치가·학자·작가로 《국가론》《법률론》《의무론》《우정론》 등을 썼다.
3 호라티우스(Horatius) 고대 로마의 시인으로 풍자시·서정시로 유명하며, 《시론》을 썼다.
4 베르길리우스(Vergilius) 고대 로마의 시인으로 로마의 건국과 사명을 노래한 민족 서사시 〈아이네이스〉를 썼다.

위야만 해요. 지리학을 가르치는 건 어떨까요?"

선생이 대답했다.

"그게 무슨 도움이 될까요? 후작이 그의 영토로 가고자 할 때 마부들이 그 길을 모르겠어요? 그들이 길을 잘못 들지는 않을 겁니다. 여행을 하기 위해 사분의[5]가 필요하지는 않지요. 그것 없이도 우리는 아주 편리하게 오베르뉴에서 파리로 갈 겁니다. 우리가 어느 위도에 있는지까지는 알 필요도 없어요."

아버지가 말했다.

"그렇군요. 하지만 누군가가 멋진 과학 이론에 관해 이야기하는 걸 들은 적이 있습니다. 아마 천문학이었을 거예요."

"천문학이라니, 세상에!"

선생이 말했다.

"사람들의 행동이 별에 영향을 받는다고 생각하십니까? 그리고 후작님이 어렵게 일식을 계산할 필요가 있을까요? 이미 달력에서 표시된 일식일을 찾아볼 수 있는데 말입니다. 그뿐입니까? 달력은 이동 축일[6], 달의 나이, 심지어 유럽 공주들의 나이까지 알려 주는데요."

부인은 선생의 의견에 전적으로 동의했다. 어린 후작은 뛸 듯이 기뻐했고 그의 아버지는 여전히 갈팡질팡했다.

"그렇다면 아들에게 무얼 가르쳐야 할까요?"

후작의 물음에 그의 친구가 조언했다.

"호감을 사는 법, 그것을 배우면 아드님은 모든 것을 얻게 될 거예요. 그의 어머니에게 배울 수 있는 기술이죠. 아무 힘도 들이지 않고 쉽게 배울 수 있을 거예요."

---

5 사분의 90도의 눈금이 새겨져 있는, 부채 모양의 천체 고도 측정기이다. 18세기까지 쓴 것으로, 한 변은 수직이 되도록 고정하고, 부채꼴의 중심점과 천체를 연결하는 선을 눈금으로 읽어 천체의 높이를 잰다.
6 이동 축일 교회 축일 가운데에 해마다 날짜가 바뀌는 축일.

부인은 그 무식한 아첨꾼을 감싸고돌며 말했다.

"선생님, 역시 선생님은 세상에서 가장 현명한 사람이에요. 제 아들은 선생님께 모든 걸 배울 거예요. 하지만 제 생각에 아이가 역사를 좀 배우는 건 나쁘지 않을 것 같아요."

그가 대답했다.

"세상에, 부인. 그런 걸 배워서 뭘 하겠어요! 현재 일어나는 일들에 관해 배우는 게 훨씬 더 유용하고 즐겁죠. 모든 지나간 역사들은, 어떤 현자가 말했듯, 진부한 우화에 지나지 않아요. 현대인에게는 해결할 수 없는 혼돈만 줄 뿐이지요. 샤를마뉴[7]가 프랑스에 열두 귀족을 임명했다는 것과 그의 후계자가 말더듬이였다는 사실이 대체 부인의 아드님과 무슨 관계가 있습니까?"

"지당하신 말씀입니다!"

선생이 소리쳤다.

"사람들은 쓸모없는 지식 더미로 아이들의 정신을 질식시켜요. 하지만 제 생각에 불합리한 학문 중에서도 특히 천재성을 짓밟을 가능성이 높은 게 바로 기하학이에요. 이 우스꽝스러운 학문은 사물의 면, 선, 점 따위의 것들에 대해 이야기하지요. 자연에는 있지도 않은 것들 말이에요. 인간은 상상으로 원과 그 원을 지나는 직선을 가로지르는 10만 개의 선을 생각할 수 있겠지만, 실제로 그 상상의 선은 지푸라기 하나만도 못하죠. 기하학은 사실, 질 나쁜 농담에 지나지 않아요."

신사와 부인은 선생이 하려는 말을 잘 이해하지 못했지만, 어쨌든 그의 의견에 전적으로 동의했다.

선생은 이야기를 계속했다.

"후작 같은 고귀한 분은 쓸모없는 공부에 머리를 낭비하면 안 됩니다. 만약 언젠가 기하학이 필요하다면, 예를 들어 영지의 도면을 설계하기 위해서 말이

---

7 샤를마뉴(Charlemagne) 프랑크 왕국의 왕이며 서로마 제국의 황제. 게르만 민족을 통합하고 영토를 확대했다.

에요, 돈을 주고 기하학자를 고용하면 되지요. 만약 후작께서 가문의 유물에 관해 아주 오래된 역사까지의 족적을 추적하고 싶다면 베네딕트회 수도사를 보내면 됩니다. 그건 예술 분야에서도 마찬가지이지요. 나리는 다행스럽게 화가로도, 음악가로도, 건축가로도, 조각가로도 태어나지 않았어요. 하지만 관대한 후원으로 모든 예술을 번영시킬 수 있지요. 의심할 바 없이, 직접 예술을 하기보다는 후원을 해서 예술을 지지하는 편이 좋습니다. 후작님은 취향을 가지는 것으로 충분합니다. 예술가들이 후작님을 위해 모든 일을 할 테니까요. 사람들이 말하길, 고귀한 사람들, 그러니까 부유한 사람들은 아무것도 배우지 않고도 모든 걸 알고 있다고 합니다. 왜냐하면 사실 그들은 오랫동안 이런저런 명령을 하며, 어떤 것에 돈을 지불할지 판단해 왔기 때문입니다."

아첨꾼 백치는 계속해서 말을 이어 갔다.

"부인께서 정확히 지적하셨듯, 인간의 삶에 가장 멋진 결말은 사회적으로 성공하는 것이지요. 과학 공부에 정진하는 것으로 성공을 거둘 수 있을까요? 교양 있는 사람들의 모임에서 기하학에 관해 얘기하는 걸 누가 상상이나 할까요? 점잖은 신사에게는 오늘 해와 함께 뜨는 별이 어떤 것인지 절대 묻지 않을걸요? 대체 누가 저녁 식사 시간에 장발왕 클로디옹[8]이 라인강을 건넜는지 아닌지에 대해 이야기하겠습니까?

"아니요. 절대 그럴 리 없죠!"

매력적인 드 라 자노티에르 후작 부인이 소리쳤다.

"내 아들은 지리멸렬한[9] 수업들로 재능을 망가뜨리지 않을 거예요. 하지만 그렇다면, 우리는 이 아이에게 무엇을 가르쳐야 할까요? 남편이 말했듯, 젊은 귀족은 적절한 때에 빛을 발할 수 있어야 하는데 말이에요. 예전에 어떤 신부님이 말

---

8 클로디옹(Clodion) 428년경 프랑크족을 이끈 지도자. 머리카락이 특히 길었기 때문에 '장발왕'이라는 별명을 가졌다.
9 지리멸렬하다 이리저리 흩어지고 찢기어 갈피를 잡지 못하다.

쏨하신 멋진 학문이 있었는데, 이름을 잊어버렸네요. '비(b)'로 시작하는 거였는데…….'

"비(b)라고요? 식물학(botanique)의 한 분야는 아닌가요?"

"아니요, 그건 아니에요. '비(b)'로 시작하고 '온(on)'으로 끝나는 단어였어요."

"아, 알겠습니다. '블라종(blason)[10]' 말씀이죠? 사실 그건, 아주 깊이 있는 학문이에요. 하지만 사람들이 마차의 커튼에 문양을 칠하는 관습을 버린 이후로는 유행이 끝나 버렸답니다. 정말 유용하고 세련된 학문이었는데 말이에요. 아주 무궁무진한 세계였죠. 하지만 오늘날에는 심지어 이발사도 문장을 가지지 않은 사람이 없어요. 아시다시피 너무 흔한 것은 덜 추앙받게 마련이죠."

결국 여러 학문의 장점과 단점을 따져 본 후, 그들은 어린 후작에게 춤을 가르치기로 결정했다.

모든 일을 관장하는 자연은 자노에게 한 가지 천재적인 재능을 주었는데, 그 재능으로 인해 자노는 날로 발전하여 곧 대단한 성공을 거둘 수 있었다. 그것은 쾌활하게 통속가요를 부르는 것이었다. 그의 축복받은 젊음과 뛰어난 재능 덕분에 그는 가장 장래가 유망한 청년처럼 보였다. 그는 여인들에게 사랑받았고, 그의 머릿속은 그의 여인들에게 바칠 노래들로 가득했다. 그는 어떤 노래에서는 '바쿠스와 사랑'이라는 구절을, 다른 노래에서는 '밤과 낮'이라는 구절을, 또 다른 노래에서는 '매력과 놀라움'이라는 구절을 훔쳐 왔다. 그러나 그의 가사에는 어딘가 넘치거나 모자라는 구석이 있었기 때문에 그는 한 곡에 대략 20루이[11]씩을 주고 교정을 받았다. 후에 그는 문학 연대기에 라 파르, 데 쇨리외, 데 아밀통, 데 사라생, 데 브아튀르 같은 작가들과 동급의 작가로 기록되었다.

후작 부인은 자신이 재능 있는 청년의 어머니라는 사실을 믿어 의심치 않았고, 파리의 재주 많은 청년들을 초대해 저녁을 대접하곤 했다.

---

10 블라종 문장학. 중세 유럽 귀족 사회에서 쓰여 온 문장(紋章)의 기원이나 기호 같은 것을 연구하는 학문.
11 루이 17~18세기 프랑스에서 사용된 화폐 단위.

자노는 곧 분별력을 잃었다. 그는 알지도 못하는 것에 대해 말하는 기술과 모든 것을 엉망으로 하는 법을 완벽하게 익혔다. 그가 말하는 것을 보며, 그의 아버지는 그에게 라틴어를 가르치지 않은 것을 후회했다. 그가 라틴어를 배웠더라면 괜찮은 관직을 사 줄 수도 있었다고 생각했기 때문이다. 더 고결한 정신을 가진 어머니는 그의 아들이 군대에서 연대 하나를 맡을 수 있도록 힘썼다. 그러는 동안, 그는 사랑에 빠졌다. 사랑은 종종 연대 하나보다 훨씬 값진 것이기도 하다. 부모의 사치스러운 생활 때문에 돈이 점점 바닥나는 동안 자노 역시 낭비하는 삶을 살았다.

그들의 이웃에 한 품위 있는 젊은 과부가 살았다. 매우 가난한 과부는 드 라 자노티에르 부부의 돈을 탐냈고, 재산을 가로채기 위해 그들의 아들과 결혼하고자 했다. 그녀는 어린 후작을 자신의 집으로 끌어들여 사랑을 나누었고, 그녀가 그에게 관심을 가지고 있다고 생각하도록 만들었다. 그렇게 서서히 자노에게 접근하면서, 별다른 어려움 없이 금세 그의 마음을 사로잡았다. 과부는 때로는 그를 칭찬했고, 때로는 그에게 조언을 해 주기도 했다. 또한 그녀는 곧 자노의 부모와 가장 친한 친구가 되었다. 과부가 아들에게 청혼하자, 눈이 먼 부모는 그녀의 청혼을 기쁘게 받아들였다. 그들의 하나뿐인, 사랑하는 아들을 그들의 가장 친한 친구에게 주기로 한 것이다. 어린 후작은 그가 사랑하는, 그리고 그를 사랑해 주는 여자와 결혼을 앞두고 있었다. 친구들과 친척들이 결혼을 축하했고, 예복과 축가가 준비되는 동안, 그들은 결혼 서약서를 쓰려 하고 있었다.

그러던 어느 날 아침이었다. 어린 후작은 그에게 사랑과 존경, 그리고 우정을 모두 줄 매력적인 여인 앞에 무릎을 꿇고 있었다. 그들은 다정하고 충만한 대화를 나누며 다가올 행복을 즐겁게 맛보고 있었다. 그들이 행복한 삶을 어떻게 만들어 갈지 이야기하고 있을 때, 갑자기 어머니의 하인이 완전히 겁에 질린 얼굴로 나타났다.

하인은 말했다.

"큰일 났어요. 집행관들이 주인님 댁으로 와서 모든 걸 가져갔어요. 모든 게 채권자들의 손에 넘어갔대요. 그리고 체포 이야기도 했어요. 저도 제 몫을 받기 위해 최선을 다할 거예요."

후작이 말했다.

"잠깐만, 대체 무슨 일이 일어난 건지 알아봐야겠어요."

"네, 가서 그 악당들을 혼내 주세요. 어서요."

과부가 말했다. 젊은 후작은 재빨리 집으로 향했다. 하지만 그의 아버지는 이미 감옥에 갇힌 후였고, 하인들은 그들이 챙길 수 있는 것은 몽땅 챙겨 달아난 뒤였다. 어머니는 혼자였다. 어머니는 도와주는 사람도, 위로해 주는 사람도 없이 홀로 슬픔에 빠져 있었다. 그녀에게 남은 것은 부유했던 삶과 자신의 미모, 잘못한 일들, 그리고 무지막지한 낭비벽에 대한 기억뿐이었다.

어머니의 곁에서 한참을 함께 울고 난 후, 아들이 말했다.

"너무 슬퍼하지 마세요. 신부는 저를 정말로 사랑해요. 그녀는 부유하지는 않지만 관대하지요. 제가 당장 그녀를 데려올게요."

과부의 집으로 돌아간 그는 젊은 장교와 마주 보며 친밀하게 대화를 나누는 그녀를 발견했다.

"어머나! 자노티에르 씨, 당신이군요. 여긴 무슨 일이죠? 당신도 엄마를 버린 건 아니죠? 어서 그 불쌍한 부인 곁으로 돌아가세요. 그리고 그분에게 제가 잘 지내기를 바란다고 전해 주세요. 아, 마침 제가 하녀를 찾고 있는데, 그분을 우선적으로 고려할 수도 있겠네요."

그리고 장교가 말했다.

"젊은이, 체격이 꽤 좋군. 내 중대로 들어오고 싶다면 내가 괜찮은 조건으로 받아들여 주지."

아연실색한 후작은 마음속으로 화를 삭이며 그의 옛 선생을 찾아갔다. 그는 선생에게 뼈아픈 사연을 털어놓으며 조언을 구했다. 선생은 그와 마찬가지로 아이들을 가르칠 것을 제안했다.

"세상에! 저는 아는 게 아무것도 없어요. 당신이 저에게 아무것도 가르치지 않았는걸요. 당신은 제 불행의 첫 번째 원인이에요."

후작은 흐느껴 울었다. 그때 마침 그 자리에 있던 한 사람이 말했다.

"소설을 쓰세요. 파리에서는 괜찮은 수입을 얻을 수 있어요."

절망한 청년은 어머니가 다니는 교회의 신부에게 달려갔다. 그는 아주 명성 있는 테아티노회[12] 신부로, 상류층 여인들만 상대했다. 그는 후작을 발견하자마자 달려왔다.

"오, 세상에! 후작님! 마차는 어떡하고 혼자 오십니까? 고귀한 후작 부인은 잘 지내시지요?"

불쌍한 청년은 그의 가족에게 닥친 불행을 고백했다. 그의 이야기가 계속될수록 신부의 표정이 점점 더 엄격하고, 무심하며, 위압적으로 변해 갔다.

"이보게, 이게 바로 신의 뜻이네. 신은 자네에게 재물이 결국 마음을 망가트리기만 한다는 것을 알려 주고 싶었던 모양이군. 신은 어머니를 가난하게 만드는 은혜를 베푸신 거야."

"네, 신부님."

"다행이군. 그녀는 결국 구원을 받을 걸세."

"하지만 신부님, 이 세상에서 당장 도움을 받을 수는 없는 건가요?"

"안녕히 가시게. 궁중의 부인이 나를 기다리고 계시네."

후작은 실성할 지경이었다. 그의 모든 친구들은 과부, 옛 선생, 신부와 다를 바 없이 그를 대했고, 후작은 반나절 만에 그가 평생 배운 것보다 더 많이 세상을 알게 되었다.

그가 완전한 절망에 빠져 있을 때, 구식 마차 한 대가 그의 눈에 들어왔다. 가

---

12 테아티노회 로마 가톨릭교도의 도덕성을 향상시키기 위해 1524년 이탈리아에 설립된 수도 성직자회.

죽 커튼을 친 마차는 수레 같아 보이기도 했는데, 마차의 뒤로 엄청난 짐을 실은 짐수레 네 대가 따라가고 있었다. 마차에는 촌스러운 차림의 청년이 타고 있었다. 동그란 얼굴에, 온화하고 유쾌한 분위기를 풍기는 사람이었다. 그의 옆에는 그을린 얼굴에 호감형의 인상을 가진 부인이 마차의 움직임에 흔들거리며 앉아 있었다. 그들이 탄 마차는 멋쟁이들의 마차처럼 빠르게 달리지 않았기 때문에 마차 속 남자는 슬픔에 빠져 그대로 굳어 버린 후작을 알아볼 수 있었다. 남자는 소리쳤다.

"세상에! 자노잖아?"

그 소리를 들은 후작이 눈을 떴고, 마차가 멈춰 섰다.

"정말 자노군! 자노!"

그 조그맣고 통통한 남자는 단숨에 마차에서 뛰어내린 다음 달려가 그의 옛 친구를 끌어안았다. 콜랭이었다.

자노는 수치심과 슬픔으로 뒤덮인 얼굴을 떨구었다.

"자네는 날 버렸지."

콜랭이 말했다.

"하지만 난 자네가 아무리 위대한 사람이 된다고 해도 언제나 자네를 사랑할 거라네."

감동한 자노는 울면서 자신의 이야기를 털어놓았다. 콜랭이 말했다.

"내가 머무는 여관이 있어. 그곳으로 가세. 자, 내 아내에게 인사해. 우리 함께 저녁을 먹자고."

세 사람은 걸었고, 짐마차가 그들을 뒤따랐다.

"이 짐은 다 뭔가? 다 자네 부부의 물건인가?"

"그래, 나와 아내의 것이지. 우리는 이제 막 이곳에 도착했거든. 나는 양철과 구리를 만드는 회사의 대표라네. 나는 사람들에게 필요한 모든 물건을 파는 부유한 도매상인의 딸과 결혼했어. 우리는 아주 열심히 일하고, 신도 우리를 축복하시지. 하지만 특별히 변한 건 없어. 우리는 아주 행복하다네. 우리가 자네를 돕겠네. 후작 노릇은 이제 그만하게. 세상의 모든 권세보다 소중한 건 좋은 친구니까. 나와 함께 가세. 내가 자네에게 사업을 가르쳐 주겠네. 그리 어렵지 않다네. 우리와 함께 즐겁게 지내게나."

자노는 고통과 기쁨, 감사와 수치심이 교차하는 격렬한 감정을 느꼈다. 그는 속으로 중얼거렸다.

'내가 소중하게 생각했던 친구들은 모두 나를 배신했어. 하지만 내가 경멸했던 콜랭만이 남아 나를 돕는구나. 나는 인생의 참된 교훈을 얻었어!'

콜랭의 선한 영혼은 자노의 마음에 있는 좋은 천성의 싹을 틔웠다. 아직 세상에 짓밟히지 않은 싹이었다. 하지만 자노는 그의 부모를 버릴 수 없었다.

"우리가 자네의 어머니를 돌보겠네."

콜랭이 말했다.

"그리고 감옥에 있는 아버지는 말일세, 채권자들이 아버지가 가진 게 없다는 걸 알면 협상을 해 줄지도 모르네. 내가 아는 게 좀 있으니 최선을 다해 돕겠네."

콜랭은 자노의 아버지를 감옥에서 꺼내기 위해 할 수 있는 모든 일을 했다. 자노는 부모님과 그들의 고향으로 돌아와, 그들이 이전에 하던 일을 다시 시작했다. 그는 콜랭과 같은 성품을 가진 콜랭의 여동생과 결혼했고, 매우 행복하게 살았다.

자노의 아버지와 어머니, 그리고 아들 자노는 진정한 행복은 허영으로 얻을 수 없다는 사실을 깨닫게 되었다.

(1764년)

번역 김이슬

뚱뚱한 신사: 마차를 타고 떠난 남자 이야기

워싱턴 어빙

워싱턴 어빙(Washington Irving, 1783~1859)

19세기 미국 낭만주의 문학의 대표적 소설가인 워싱턴 어빙은 1802년부터 극평이나 풍자 기사를 신문에 기고했다. 1809년 경쾌하고 유머러스한 작품《뉴욕사(史)》로 일약 유명해졌다. 또 다른 대표작은 영국의 전통과 미국의 전설을 그린《스케치북》으로, 이 작품을 통해 워싱턴 어빙은 국제적인 명성을 얻게 되었다. 말년에는 전기, 여행기 등 주로 역사에 상상력을 더한 로맨틱한 소재의 작품을 저술했다.

"박살이 나더라도 덤비리라!"

– 《햄릿》 중

비가 오는 우울한 11월의 일요일이었다. 나는 여행을 하다 몸이 살짝 안 좋아져 일정을 미루고 쉬어 가기로 했다. 나아지긴 했으나 아직 열 기운이 남아 있었으므로 더비라는 작은 마을의 한 여관에 온종일 머물렀다. 비 오는 일요일에 시골 여관에 갇혀 있다니! 겪어 보지 않고는 내 상황을 이해할 수 없을 것이다.

창문에 빗방울이 후드득 떨어졌고 교회 종소리가 우울하게 울려 퍼졌다. 바깥이라도 구경할까 싶어 창가로 다가갔으나 눈에 띄는 것은 없었다. 침실 창문으로는 기와지붕과 굴뚝이 보였고, 응접실 창문으로는 마구간 앞마당이 한눈에 들어왔다. 비 오는 날의 마구간 앞마당은 정말이지 꼴 보기 싫었다. 마당에는 빗물에 젖은 지푸라기가 여행객들과 마구간 소년들 발길에 채어 정신없이 흐트러져 있었다. 한쪽에 고인 웅덩이 가운데에는 가축 똥이 수북했다. 짐수레 밑에는 비에 홀딱 젖은 닭들이 모여 있었다. 그중 수탉 한 마리는 유독 처량하고 기운이 없어 보였다. 풍성한 꼬리가 빗물에 엉겨 붙어 한 가닥 깃털처럼 얇아진 데다 등에서는 빗물이 뚝뚝 떨어졌다. 짐수레 근처에는 소 한 마리가 우직하게 비를 맞으며 반쯤 감긴 눈으로 되새김질을 하고 있었는데 가죽에서 김이 모락모락 피어올랐다. 눈이 흐리멍덩한 말 한 마리가 마구간의 적막함을 이기지 못해 유령 같은 머리를 자꾸만 밖으로 내밀었고 그럴 때마다 처마에 달린 빗방울이 머리에 떨어졌다. 짧은 줄에 묶여 심통이 난 똥개는 이따금 끙끙거렸다. 단정치 못한 식모가 나무 덧신을 신고서 날씨만큼이나 찌뿌둥한 표정으로 마당을 이리저리 돌아다녔다. 말하자면 모든 것이 울적하고 쓸쓸했다. 웅덩이 근처에서 꽥꽥 소리를 내며 목을 축이는 오리 떼만이 활기차 보였다.

외롭고 기분이 축 처졌다. 뭔가 재미있는 일이 필요했다. 도저히 방에만 있을 수 없어 방을 나와 손님방이라 불리는 곳으로 내려갔다. 보통 여관들은 이러한 공용 공간을 마련해 여행객들을 맞이했다. 이 여행객들로 말하자면 돈을 좇는 기사(騎士)들로, 이륜마차나 사륜마차를 타고, 아니면 직접 말을 몰고 전국을 누볐다. 내가 보기에는 이들이야말로 옛 기사의 계승자라 할 수 있다. 창이 채찍으로, 방패가 상품 견본집으로, 갑옷이 외투로 바뀌었을 뿐, 옛 기사처럼 방랑하며 모험하는 삶을 살기 때문이다. 기사가 아름다운 여인의 매력을 칭송하듯, 이들은 이곳저곳을 떠돌며 부유한 상인이나 제조사의 명성을 널리 알린다. 그리고 언제든 흥정에 응한다. 이제는 결투 대신 거래가 유행하는 시대이니까. 결투의 시대였더라면 지친 기사들의 갑옷이나 칼, 입을 벌린 투구 같은 싸움 장비가 밤마다 여관방에 즐비했겠지만, 요즘 손님방에는 모직 외투를 비롯해 온갖 채찍, 박차[1], 각반[2], 기름 먹인 천으로 싼 모자와 같이 오늘날 기사에게 필요한 장비가 가득했다.

대화할 상대를 기대했던 나는 실망하고 말았다. 두세 명 정도가 손님방에 있기는 했으나 그들과는 끝내 말을 섞지 못했다. 한 사람은 아침 식사를 막 마치고서 버터와 빵에 대해 불평하며 여관 직원에게 성질을 부렸다. 다른 사람은 각반 단추를 채우면서 구두를 제대로 닦지 않은 구두닦이에게 험한 말을 쏟아 냈다. 또 다른 사람은 손가락으로 식탁을 두들기며 창문에 흐르는 빗줄기를 물끄러미

---

1 박차 말을 몰 때 구두 뒤축에 다는 보조 장비. 끄트머리에 달린 톱니바퀴 모양의 쇠붙이로 말의 배를 차서 빨리 달리게 하는 물건이다.
2 각반 무릎 밑에서 발목까지 다리를 감싸는 헝겊 보호대.

바라보았다. 다들 굳은 날씨에 물든 것처럼 언짢아 보였고, 아무 인사도 없이 한 명씩 방을 나가 버렸다.

나는 천천히 창가로 다가가 교회에 가는 무리를 구경했다. 우산을 쥔 여자들이 속치마를 종아리까지 걷어들고서 조심히 걸음을 옮겼다. 종소리가 울려 퍼지고 어느새 거리는 조용해졌다. 다음으로는 맞은편에 보이는 상인의 딸들을 훔쳐보았다. 그녀들은 일요일에만 입는 옷을 망칠까 봐 집 안에 머물렀으나 여관 손님들의 시선을 끌려고 창문 앞에서 한껏 매력을 과시했다. 그러나 얼마 안 가 조심성 많은 상인의 아내가 심각한 표정으로 딸들을 불러들이는 바람에 마지막 남은 눈요깃거리마저 없어지고 말았다.

'이제 뭘 하며 기나긴 하루를 보낸담?'

불안하고 외로워졌다. 여관이란 곳은 따분한 하루를 열 배는 더 따분하게 만들었다. 날짜 지난 신문들, 맥주 냄새와 담배 연기, 이미 다섯 번도 넘게 읽은 시시한 책들은 비 오는 날씨보다도 고약했다. 철 지난 〈레이디스 매거진〉을 읽고 있자니 지루해 죽을 맛이었다. 나는 야심 찬 여행객들이 유리창에 끄적이고 간 특색 없는 이름을 하나하나 눈으로 읽었다. 대대손손 영원할 스미스 가문, 브라운 가문, 잭슨 가문, 존슨 가문, 이 밖에 온갖 가문에서 태어난 아들들의 이름이었다. 창문에는 어딜 가나 보이는 따분한 시 구절도 쓰여 있었다. 나는 그것들을 몇 개 읽기도 했다.

시간은 더디고 우울하게 흘러갔다. 하늘에는 갈기갈기 찢겨 지저분해 보이는 구름이 느리게 움직였다. 비마저도 재미없게 내리고 있었다. 단조롭고 지루한 빗소리가 타닥타닥 이어질 뿐이었다. 이따금 누군가 지나갈 때면 우산 위로 빗방울이 후드득 떨어지는 소리가 상쾌한 소나기를 떠올리게 해 그나마 활기를 불어넣었다.

오전 중에 승합 마차가 경적을 울리며 지나가는 것을 보았을 때는 (너무 흔한 표현이기는 하지만) 속이 꽤 후련했다. 몸을 웅크리고 무명 우산을 쓴 승객들이 한

꺼번에 내리면서 잠시 소란이 벌어졌고, 비에 젖은 그들의 외투에서 김이 피어올랐다.

마차 소리에 떠돌이 소년들과 개들, 빨간 머리 마부, 눈에 띄지 않는 구두닦이, 여관 근처를 어슬렁거리는 부랑자들이 거리에 쏟아져 나왔다. 하지만 북적거리는 것도 잠시, 마차가 사라지자 소년들과 개들, 마부와 구두닦이가 모두 원래 있던 곳으로 슬금슬금 돌아갔다. 거리는 다시 조용해졌고 비는 계속 추적추적 내렸다. 비는 좀처럼 멈출 기미가 보이지 않았다. 바깥 날씨를 알리는 청우계 바늘은 '비 내림'을 가리켰다. 여관 여주인이 키우는 삼색 고양이가 난롯가에 앉더니 앞발로 귀와 얼굴을 훑었다. 연감을 펼쳐 보니 이번 달은 첫날부터 말일까지 '이-무렵-큰비-예상'이라는 불길한 예측이 적혀 있었다.

기분이 더욱 침울해졌다. 시간이 멈춰 버린 것만 같았다. 똑딱거리는 시계조차 거슬렸다. 그러다 마침내 여관의 정적을 깨고 벨 소리가 울렸다. 얼마 후 주방에서 직원의 목소리가 들렸다.

"13호실, 뚱뚱한 신사분이 아침을 드시겠답니다. 차, 버터와 빵, 햄과 달걀을 주문하셨어요. 달걀은 반숙으로요."

지금 같은 상황에서는 사소한 일 하나도 허투루 넘길 수 없는 법이다.

드디어 풍부한 상상력을 마음껏 발휘할 수 있게 되었다. 평소에도 머릿속으로 이것저것 그려 보기를 좋아하는 내게 적절한 재료가 주어진 셈이었다. 위층 손님이 스미스 씨라거나, 브라운 씨, 잭슨 씨, 존슨 씨, 또는 '13호실 신사분'으로만 불렸더라도 그러려니 흘려들었을 것이다. 하지만 '뚱뚱한 신사'라니! 그 표현만으로 머릿속에 그려지는 모습이 있었다. 단번에 그 사람의 체구와 생김새가 떠올랐다. 나머지는 내 상상력으로 채워 넣었다.

그는 뚱뚱했지만 달리 말해 풍채가 좋다고 할 수 있었다. 어떤 사람들은 나이가 들면서 살이 찌기도 하니, 그도 아마 나이가 지긋할 것이다. 아침을 방에서 느지막이 먹는 것으로 보아 성격이 느긋하고 일찍 일어나지 않아도 되는 직업을 가졌을 것이다. 나잇살이 오르고 얼굴이 붉은, 풍채 좋은 노신사가 틀림없었다.

다시 벨 소리가 날카롭게 울렸다. 식사를 기다리는 신사가 인내심을 잃고 있었다. 이로 보아 그는 분명 출세한 사람이었다. '잘나가는 사람'이어서 누군가 자기 옆에 딱 붙어 시중을 드는 것에 익숙하고, 식욕이 왕성하며, 배고프면 짜증부터 내고 보는 사람일 것이다.

'런던의 시 의원일지도 몰라. 아니, 어쩌면 하원 의원일 수도?'

아침 식사를 올려 보내고 나자 여관은 한동안 잠잠해졌다. 지금쯤 신사는 차를 우려내고 있을 것이다. 그런데 또 한 번 벨 소리가 신경질적으로 울리더니 대답할 틈도 주지 않고 한층 더 날카롭게 울려 퍼졌다.

"세상에! 성질 한번 더럽네!"

얼마 후 직원이 잔뜩 성이 난 채로 계단을 내려왔다. 버터가 상했고, 달걀을 너무 익혔으며, 햄이 너무 짜다고 뚱뚱한 신사가 한바탕 잔소리를 해 댔다는 것이다. 그는 확실히 입맛이 까다로웠다. 먹을 때마다 불평을 늘어놓아 직원들을 피곤하게 하고 주방 사람들에게 미움을 살 사람이었다.

주인은 화가 나 있었다. 그녀는 야무지고 매력적이었다. 잔소리가 심하고 살짝 헤퍼 보이긴 했으나 꽤 예쁘장했다. 잔소리 심한 여자들이 보통 그러하듯 그녀도 얼간이 같은 남자를 남편으로 데리고 살았다. 그녀는 형편없는 아침 식사를 올려 보낸 것을 두고 직원들을 크게 나무랐지만 뚱뚱한 신사에 대해서는 불평 한마디 없었다. 그렇다면 그는 시골 여관에서 난동을 피우고 직원들을 마구 부려도 될 만큼 힘 있는 사람인 것이 분명했다. 이윽고 직원이 새로 요리한 버터와 빵, 햄과 달걀을 들고 올라갔다. 별말이 나오지 않은 것으로 보아 이번에는 신사가 넓은 마음으로 음식을 받아들인 듯했다.

손님방을 몇 차례 들락거리고 있는데 다시 벨 소리가 울렸다. 얼마 안 있어 직원들이 무언가를 찾느라 호들갑을 피웠다. 뚱뚱한 신사가 〈타임스〉 아니면

〈크로니클〉을 가져오라고 했다는 것이다. 그렇다면 그는 휘그당[3] 사람이었다. 틈만 나면 오만방자하게 구는 것으로 보아 급진파일 수도 있었다.

'헌트[4]가 그렇게 거구라던데, 저 사람이 헌트일지도 모르지!'

슬슬 호기심이 발동하기 시작했다. 직원에게 난동을 피우는 뚱뚱한 신사가 누구인지 물었으나 소용없었다. 다들 그의 이름을 모르는 눈치였다. 바삐 돌아가는 여관의 주인들은 잠시 묵었다 가는 손님들의 이름이나 직업을 굳이 알려고 하지 않았다. 외투의 색깔이나 손님의 체형, 또는 몸집만으로 손님들을 구별했다. 이를테면 그들을 키가 큰 신사, 키가 작은 신사, 검은 옷을 입은 신사, 갈색 옷을 입은 신사, 아니면 이번 경우처럼 뚱뚱한 신사로 불렀다. 이렇게 이름을 붙이고 나면 더 이상의 정보는 필요하지 않았다.

비, 비, 비! 멈출 생각을 않는 이놈의 비! 이런 날씨에 밖으로 나갈 자신은 없었지만 그렇다고 안에서 재밌게 시간을 보낼 수 있을 것 같지도 않았다. 조금 있자 위층에서 누군가 걸어 다니는 소리가 들렸다. 뚱뚱한 신사의 방에서 나는 소리였다. 발걸음 소리가 묵직하고 구두 밑창이 삐걱거리는 것으로 보아 틀림없이 풍채가 좋은 노인이었다.

'고지식한 부자 노인이 분명해. 스스로 정한 대로만 행동하는 사람일 테고. 지금은 아침을 먹고 운동하는 시간인가 보네.'

이제 나는 난로 선반에 붙어 있는 사륜마차와 여관 홍보지를 하나하나 읽기 시작했다. 〈레이디스 매거진〉에는 도저히 정나미를 붙일 수 없었다. 오늘 하루만큼이나 지루했기 때문이다. 다른 할 일을 찾지 못해 서성거리던 나는 다시 방으로 올라갔다. 그런데 얼마 안 있어 옆방에서 시끄러운 소리가 들려왔다. 방문이 거칠게 열리더니 쾅 닫혔다. 평소 씩씩하고 명랑한 하녀가 화난 표정으로 계

---

3 휘그당 영국에서 제임스 2세의 왕위 계승에 반대해 만들어진 정당으로, 신흥 시민층의 지지를 받아 자유주의적 개혁을 옹호했고 보수 성향의 토리당과 경쟁했다.
4 헌트 영국의 유명한 문학 평론가이자 시인이었던 리 헌트(Leigh Hunt)를 가리킨다. 그는 급진적 정치관을 가진 것으로 알려졌다.

단을 내려갔다. 뚱뚱한 신사가 그녀에게 성질을 부린 것이었다.

이것으로 내 예상은 뒤집히고 말았다. 이 수수께끼 같은 인물은 노신사가 아니었다. 노신사라면 어린 하녀에게 이토록 못되게 굴지 않을 것이다. 젊은 신사도 아니었다. 젊은 신사라면 이 정도로 괴팍하지 않을 것이다. 그렇다면 그는 중년의 남자일 것이고, 분명 얼굴이 못생겼을 것이다. 그렇지 않고서야 여자가 이렇게까지 기분 나빠할 리 없다. 나는 그의 정체가 더욱 궁금해졌다.

몇 분 후, 주인의 목소리가 들려왔다. 슬쩍 나가 보니 얼굴이 벌게진 그녀가 모자를 나풀거리고 뭐라 중얼거리며 계단을 오르고 있었다.

'저 여자는 자기 여관에서 이러한 일이 일어나는 걸 가만두지 않을 거야. 분명해! 손님이 돈을 펑펑 쓴다고 그 사람 말이 법인 것은 아니지. 자기 하녀가 무시당하는 꼴을 저 여자가 두고 볼 리 없어. 그렇고말고!'

나는 원래 싸움을 싫어하는 데다 여자, 그중에서도 예쁜 여자와 싸우는 것을 질색하는 성격이었으므로, 슬그머니 방으로 들어가 문을 반쯤 닫았다. 그리고 귀를 쫑긋 기울였다. 주인이 위풍당당하게 적진을 향해 걸어 들어갔다. 그리고 문이 닫혔다. 시끄러운 말소리가 한동안 이어졌다. 그러다 다락방을 휩쓸고 사라지는 바람처럼, 목소리가 차츰 잦아들었다. 별안간 웃음소리가 나더니 이후로는 아무것도 들리지 않았다.

얼마 후 주인이 묘한 웃음을 띤 채 살짝 비뚤어진 모자를 정돈하며 방에서 나왔다. 아래층에서 기다리던 그녀의 남편이 무슨 일인지 묻자 그녀는 "아무것도 아네요. 그 애가 뭘 몰라서."라고만 대답했다. 나는 착한 하녀를 화나게 하고 괄괄한 여주인을 웃게 한 남자가 도대체 어떤 사람일지 몹시 궁금해졌다. 어쩌면 그리 늙지도, 심술궂지도, 못생기지도 않았을 것 같았다.

이제 내 머릿속에는 전혀 다른 그의 모습이 떠올랐다. 그는 허풍 떨기를 좋아하는 뚱뚱한 신사로, 시골 여관에 가면 자주 볼 수 있었다. 목에는 염색 스카프를 둘렀고, 술살이 제법 올랐으며, 얼큰히 취한 얼굴로 침을 튀겨 가며 말하는 남자였다. 세상 물정에 밝고, 술집에서 재밌게 놀 줄도 알며, 여관 생활에 익숙한 사람, 그래서 술집 직원의 잔꾀나 여관 주인의 악행을 훤히 들여다보는 사람이었다. 자기 분수에 맞게 흥청망청 사는 사람, 1기니[5] 정도는 헤프게 쓰고, 모든 여관 직원을 이름으로 부르고, 하녀들을 함부로 대하고, 주방에서 주인과 수다를 떨고, 저녁 식사 후에는 포도주나 니거스주[6]를 마시며 쉴 새 없이 떠들어 대는 사람이었다.

이런저런 상상을 하다 보니 오전이 다 지나갔다. 하나의 가설을 세우기가 무섭게 몰랐던 사실이 드러나 그것을 뒤집었고, 자꾸만 나를 혼란에 빠트렸다. 나는 오전 내내 이렇게 열을 내며 혼자만의 상상에 빠져들었다. 조금 전 말했던 것처럼 불안한 상태이기도 하거니와 얼굴도 모르는 사람에 대해 계속 생각하다 보니 정신이 이상해지는 기분이었다. 점점 더 마음이 불안해졌다.

드디어 저녁 먹을 시간이 되었다. 뚱뚱한 신사가 저녁을 먹으러 손님방에 내려온다면 내 두 눈으로 그를 볼 수 있었다. 하지만 그는 끝내 자기 방에서 혼자 저녁을 먹었다. 도대체 누구길래 이렇게까지 숨어 지내는 걸까? 급진파는 아닐 것이다. 그러기에는 지나치게 귀족 같은 분위기를 풍겼다. 남들과 거리를 두려 하고 비 오는 날 따분하게 혼자 방에만 틀어박혀 있으니 말이다. 게다가 반대파 정치인이라기에는 너무 고상했다. 음식에 대해 아는 게 많아 보였고, 지금도 남부럽지 않게 사는 사람처럼 혼자 와인을 음미하고 있을 테니 말이다. 이 부분에 대한 의문은 얼마 안 있어 풀렸다. 그가 술을 한 병 비우며 흥얼거리는 소리가 희미하게 들려왔기 때문이다. 가만히 귀 기울여 보니 그는 영국 국가를 부르고 있었다. 그렇다면 급진파가 아니라 충성스러운 국민이라 할 수 있었다. 술에 취

---

5 기니(guinea) 영국에서 1663년에 처음 주조하여 1813년까지 발행한 금화.
6 니거스주 포도주에 레몬, 설탕, 끓인 물 등을 섞어 만든 따뜻한 술.

하면 애국심에 젖어 들고, 영국의 왕과 헌법만을 지킬 각오가 된 사람인 것이었다. 그렇다면 도대체 뭐 하는 사람이려나? 상상력이 제멋대로 날뛰기 시작했다. 신분을 숨기고 돌아다니는 귀족일까?

'혹시 모르지! 어쩌면 왕실 사람일지도. 그 사람들은 하나같이 뚱뚱하니까!'

나는 도통 갈피를 잡지 못한 채 골똘히 생각에 잠겼다.

비는 늦게까지 내렸다. 수수께끼 같은 신사는 여전히 자기 방에서 나오지 않았다. 움직이는 소리가 들리지 않는 것으로 보아 의자에 앉아 있는 듯했다. 한편 날이 어두워지자 손님방은 북적거리기 시작했다. 외투 단추를 끝까지 채운 사람들이 도착했고, 시내로 나갔던 사람들이 돌아왔다. 몇몇은 저녁을 먹었고 몇몇은 차를 마셨다. 다른 때였다면 이 별난 사람들을 관찰하며 재미있게 시간을 보냈을 것이다. 이들 중 두 명은 농담 따먹기를 특히 좋아해 방 안 여행객들에게 온갖 우스갯소리를 늘어놓았다. 하녀들에게 음흉한 말을 해 댔고, 루이자니 에델린다니, 매번 다른 이름으로 하녀들을 불러 장난을 걸고는 씩 웃어 보였다. 그러나 내 머릿속은 온통 뚱뚱한 신사에 대한 생각뿐이었다. 하루 내내 그를 상상했으니 이제 와 다른 곳으로 한눈을 팔 수도 없었다.

이렇게 하루가 천천히 저물었다. 방 안 여행객들은 신문을 두세 번씩 읽었다. 몇몇은 난롯가에 모여 마차를 끄는 말에 대해, 모험과 실패와 좌절에 대해 오래도록 이야기했다. 상인들을 평가하고, 다녀 본 여관을 비교하기도 했다. 장난기 많은 두 사내는 예쁘장한 하녀들과 친절한 주인들 이야기를 맛깔나게 들려주었다. 그러다 이른바 '밤술'이라고 부르는 술을 조용히 마시는 것으로 모임이 파했는데, 이 술은 독한 브랜디에다 물과 설탕을 섞은, 또는 이와 비슷하게 만든 칵테일을 가리켰다. 이윽고 하나둘 구두닦이와 하녀를 불러 시중을 들게 하더니, 낡아 빠져 불편하기 짝이 없는 슬리퍼를 끌며 침대로 향했다.

이제 손님방에 남은 사람은 나 말고 한 명뿐이었다. 그는 허리가 길고 다리가 짧았으며, 큰 머리에 머리카락은 엷은 갈색이었고, 얼굴은 벌겋게 달아올라 있었다. 니거스주 잔에 숟가락을 담가 둔 채 앉아서, 술을 홀짝이다가 숟가락으로 저었고, 잠시 생각에 빠졌다가 다시 술을 홀짝였다. 그렇게 숟가락만 남을 때까지 술잔을 깔끔히 비웠다. 그러더니 빈 술잔을 앞에 두고 꼿꼿이 앉아 졸기 시작했다. 어느새 양초도 꾸벅꾸벅 조는 것처럼 보였다. 심지가 조금씩 길어지고 점점 까매지더니 나중에는 술에 취한 사람처럼 고꾸라졌다. 그러자 그나마 남아 있던 불빛마저 사그라졌다. 어둠이 사방으로 퍼져 나갔다. 한참 전에 자러 간 여행객들의 외투가 형체를 알 수 없이 유령 같은 모습으로 벽에 걸려 있었다. 들리는 것이라고는 시계 소리, 곯아떨어진 술고래들의 코골이 소리, 처마에서 타닥타닥 빗방울이 떨어지는 소리뿐이었다. 교회 종소리가 자정을 알렸다. 바로 이때, 위층의 뚱뚱한 신사가 느리게 걸어 다니는 소리가 들렸다. 유령 같은 외투들과 거친 숨소리들, 수수께끼 같은 남자의 삐걱거리는 발소리까지, 가뜩이나 예민한 상태였기에 이런 것들이 몹시 무섭게 느껴졌다. 발소리는 점차 희미해지더니 어느 순간 뚝 멎었다. 더는 참을 수 없었다. 나는 모험 소설의 주인공처럼 필사적인 심정이 되어 생각했다.

'어떤 사람인지 두 눈으로 직접 봐야겠어!'

촛대를 들고 서둘러 13호실로 향했다. 문은 살짝 열려 있었다. 나는 잠시 망설이다가 방으로 들어갔다. 방은 텅 비어 있었다. 널찍한 팔걸이의자가 테이블 앞에 있었고, 테이블에는 빈 잔과 〈타임스〉 신문이 놓여 있었다. 방 안에는 고급 치즈 향이 진동했다.

수수께끼 같은 남자는 조금 전 자러 들어간 것이었다. 나는 크게 실망하여 내 방으로 걸음을 돌렸다. 이날 밤 내가 묵을 침실은 건물 앞쪽으로 창이 난 방으로 바뀌어 있었다. 복도를 따라 걷고 있는데 어느 침실 앞에 밀랍으로 광을 낸 지저분하고 큼직한 장화 한 켤레가 보였다. 그 사람의 것이었다. 하지만 이미 은신처로 들어간 무서운 존재를 방해할 수는 없었다. 그랬다가는 그가 내 머리에 총을 겨누거나 그보다 더한 짓을 할지도 몰랐다. 자려고 침대에 누웠으나 불안한 마음에 거의 뜬눈으로 밤을 지새웠다. 설핏 잠이 들었을 때는 뚱뚱한 신사와 밀랍으로 광을 낸 장화가 나오는 악몽을 꿨다.

아침이 되어서야 겨우 잠든 나는 어수선한 소리에 잠에서 깨어났다. 처음에는 영문을 알지 못했으나 정신을 차리고 보니 현관 밖에 승합 마차가 막 출발하려 하고 있었다. 그때 아래층에서 큰 소리가 났다.

"우산을 깜빡하셨단다! 13호실에 가서 이분 우산을 챙겨 와!"

이윽고 하녀가 복도를 급히 지나가는 소리가 들렸다. 그녀는 다시 뛰어가면서 야단스럽게 소리쳤다.

"찾았어요! 신사분 우산을 찾았어요!"

수수께끼 같은 남자가 여관을 떠나려 하고 있었다. 그를 제대로 볼 기회는 지금뿐이었다. 나는 침대에서 벌떡 일어나 허겁지겁 창가로 달려갔다. 커튼을 와락 젖히고 밖을 내다보니 마차에 올라타는 남자의 뒷모습이 눈에 들어왔다. 갈색 외투의 갈라진 뒷자락 사이로 갈색 바지를 입은 그의 펑퍼짐한 엉덩이를 아주 잘 볼 수 있었다. 문이 닫혔고 "출발!"이란 말과 함께 마차가 떠났다. 내가 본 뚱뚱한 신사의 모습은 이게 전부였다.

(1822년)

번역 송예슬

별: 프로방스 지방, 어느 목동의 이야기

알퐁스 도데

알퐁스 도데(Alphonse Daudet, 1840~1897)

남프랑스 님에서 태어났다. 리옹의 고등중학교에 들어갔으나 집안 형편 때문에 중퇴하고, 중학교 사환으로 일하면서 청소년 시절을 보냈다. 1857년 파리로 건너갔고, 시집 《연인들》이 인정을 받으면서 더욱 문학에 정진했다. 알퐁스 도데의 대표작은 첫 소설집 《풍차 방앗간 편지》로, 〈별: 프로방스 지방, 어느 목동의 이야기〉 등 24편의 단편들이 수록되었다. 그는 이 소설집에서 고향 프로방스 지방에 대한 향수와 아름다운 자연 속에서 살아가는 사람들의 이야기를 서정적인 문체로 담아냈다. 알퐁스 도데의 작품은 자연주의와 사실주의 문학에 바탕을 두고 있었지만 서정적인 감수성이 결합되어 인상주의적 특성이 공존한다는 평가를 받는다.

뤼브롱산에서 양들을 지키고 있을 무렵, 나는 초원 속에서 혼자 사냥개 라브리와 양들을 데리고 몇 주일 내내 사람의 그림자 하나 구경 못 한 채 지냈습니다. 가끔 몽드뤼르의 수도자들이 약초를 찾아 이곳을 지나가기도 하고, 피에몽 주변 숯장수의 새카만 얼굴이 눈에 띄기도 했지만, 이들은 사람들과 접촉이 없는 소박한 생활을 해 왔기 때문에 별로 말이 없었고, 이야기하는 흥미조차 잊고 있었습니다. 그리고 이들은 저 아래 마을이나 읍에서 일어나는 일들에 관해서는 전혀 아는 것이 없었습니다. 그래서 보름마다 보름치 식량을 가지고 산길을 올라오는 농장 노새의 방울 소리가 들릴 때, 어린 머슴아이의 쾌활한 얼굴이나 늙은 노라드 아주머니의 붉은 두건이 차츰 언덕 위로 나타날 때면 정말 한없이 기뻤습니다. 저 아랫마을 소식, 영세[1] 받은 일, 시집가고 장가간 일들에 대한 이야기를 듣게 되기 때문이었습니다. 그러나 무엇보다도 나를 기쁘게 한 것은 우리 주인집 딸 스테파네트 아가씨의 소식이었습니다. 인근에서 아가씨보다 더 예쁜 아가씨는 없었습니다. 나는 별로 관심이 없는 체하면서 아가씨가 잔칫집에 자주 초대받으며 야회[2]에도 많이 나가는지, 여전히 새로운 남자 친구들이 아가씨를 찾아오는지 알아보았습니다. 불쌍한 산의 목동인 나에게 그런 일들이 무슨 소용이 되겠냐고 묻는 사람이 있다면 이렇게 대답할 것입니다. 나는 나이 스무 살이었고, 스테파네트는 내가 태어나서 본 여성 중 가장 아름다웠노라고.

그런데 어느 일요일, 기다리던 보름치 식량이 아주 늦게서야 도착했습니다.

---

1 영세 가톨릭에서 세례를 받는 일.
2 야회 밤에 열리는 모임. 특히 서양풍의 사교 회합을 의미한다.

아침나절에는 대미사 때문이라고 생각했고, 점심때에는 심한 소낙비가 지나갔으니 길이 나빠 노새가 떠나오지 못하는 것이라고 생각했습니다. 그런데 3시쯤이 되자 마침내 하늘이 씻은 듯이 개고, 산은 물기와 햇빛으로 빛나는데, 나뭇잎에서 떨어지는 물방울 소리와 물이 불어 넘치는 시냇물 소리에 섞여 노새의 방울 소리가 들렸습니다. 그것은 부활절에 울리는 교회의 종소리만큼이나 맑고 경쾌했습니다. 그러나 노새를 이끌고 온 것은 머슴아이도 노라드 아주머니도 아니었습니다. 누구였을까요……? 뜻밖에도 우리 아가씨였습니다. 아가씨 자신이었습니다. 버들 바구니 사이에 몸을 똑바로 세우고 앉은 아가씨는 소낙비 뒤의 시원한 산바람으로 뺨이 온통 장밋빛으로 물들었습니다.

　머슴아이는 앓아누웠고 노라드 아주머니는 말미를 얻어 자식들 집에 가 있었습니다. 예쁜 스테파네트가 노새에서 내리며 이런 일을 모두 알려 주었습니다. 그리고 자기는 오는 도중 길을 잃어서 늦어졌다고 했습니다. 그러나 꽃 리본과 화려한 치마와 레이스로 성장한[3] 아가씨는 숲속에서 길을 찾아 헤매었다고 하기보다는 오히려 먼 무도회에서 지체했던 것 같아 보였습니다. 오, 귀여운 아가씨! 아무리 쳐다보아도 싫증이 나지 않았습니다. 정말 이렇게 가까이에서 아가씨를 본 적은 아직까지 없었습니다. 겨울에 양 떼가 들판으로 내려오면, 나는 농장에 가서 저녁 식사를 했는데, 그때 언제나 화려한 옷차림을 한 아가씨가 하인들에게는 말을 건네지 않고 약간 으스대며 홀을 지나가는 모습을 본 적은 가끔 있었습니다만……. 그런데 지금 그 아가씨가 이렇게 내 앞에 있는 것입니다. 오직 나 하나를 위해서. 그래도 내가 정신을 잃지 않을 수 있겠습니까?

　스테파네트는 바구니에서 식량을 다 끄집어내고는 신기하다는 듯이 주위를 둘러보기 시작했습니다. 아가씨는 금방 때가 묻을 것만 같은 나들이옷의 고운 치맛자락을 들어 올리고는 양 우리 안으로 들어오더니, 내가 자는 곳이며, 양피

---

3 성장하다 잘 차려입다.

를 깐 짚방석이며, 벽에 걸린 커다란 외투며 지팡이며 돌총을 보고 싶어 했습니다. 이런 것들이 모두 아가씨를 즐겁게 했습니다.

"그러니까 당신은 여기에서 사는군요! 가엾어라! 항상 혼자 있으니 얼마나 따분할까? 무얼 하며 지내세요? 무얼 생각하죠……?"

나는 '아가씨, 당신을.' 하고 대답하고 싶었습니다. 그렇게 말했어도 거짓말은 아니었을 것입니다. 그러나 나는 너무나 당황해서 단 한마디의 말도 생각해 낼 수가 없었습니다. 아가씨는 분명히 그것을 눈치챘을 겁니다. 그러기에 심술궂은 아가씨는 짓궂게도 나를 더욱 당황하게 만들고 좋아했던 것입니다.

"애인이 가끔 당신을 만나러 오지요? ……틀림없이 황금빛 양이 아니면, 산꼭대기만을 뛰어다니는 선녀 에스테렐일 거야……."

그런데 이런 말을 하는 아가씨야말로 머리를 뒤로 젖히고 예쁘게 웃는 것이나 유령처럼 왔다가 급히 가 버리는 것이 마치 선녀 에스테렐 같았습니다.

"잘 있어요."

"아가씨, 안녕."

아가씨는 빈 바구니를 가지고 떠났습니다.

아가씨가 비탈길을 따라 사라졌을 때, 노새 발굽에 채어 구르는 조약돌 하나하나가 나의 가슴 위에 떨어지는 것 같았습니다. 나는 돌들이 굴러가는 소리를 언제까지고 언제까지고 듣고 있었습니다. 그리하여 해 질 무렵까지 잠에 취한 듯 꿈에서 깰까 봐 몸도 움직이지 못했습니다. 저녁이 되어 골짜기가 푸른빛을 띠기 시작하고, 양들이 소리 내어 울면서 서로 밀치며 우리로 돌아올 무렵이었습니다. 비탈길에서 나를 부르는 소리가 들리더니 우리 아가씨의 모습이 눈앞에 나타났습니다.

얼마 전의 명랑한 모습은 찾아볼 수 없고, 옷은 물에 젖은 채 추위와 무서움에 떨었습니다. 아가씨가 산 아래 이르렀을 때, 소낙비로 불어난 소르그 냇물을 무리하게 건너려고 하다 잘못하여 물에 빠진 모양입니다. 딱하게도 밤이 된 지금 농장으로 돌아간다는 것은 생각조차 할 수 없었습니다. 왜냐하면 아가씨 혼자서 지름길을 찾아 나선다는 것은 도저히 있을 수 없는 일이었으며, 내가 양 떼를 두고 떠날 수도 없었습니다. 산에서 밤을 보낸다면 무엇보다도 집안 식구들이 걱정할 거라는 생각에 아가씨는 몹시 괴로워했습니다. 나는 정성을 다해 아가씨의 마음을 안심시키려고 했습니다.

"아가씨, 7월 밤은 짧으니…… 잠깐만 고생하면 되지요."

그러고는 아가씨가 소르그 냇물에 흠뻑 젖은 옷과 발을 말리도록 급히 불을 피웠습니다. 우유와 양젖 치즈도 아가씨 앞에 가져다 놓았습니다. 그러나 가엾게도 아가씨는 불을 쬐려 하지도 않고, 음식을 먹으려 하지도 않았습니다. 아가씨의 눈에 굵은 눈물방울이 맺히는 것을 보자 나도 울고 싶었습니다.

그러는 동안에 완전히 밤이 되었습니다. 뿌연 햇살과 희미한 석양빛이 산꼭대기에 남았을 뿐이었습니다. 나는 아가씨가 우리 안에 들어가 쉬도록 했습니다. 깨끗한 짚 위에 고운 새 모피를 깔아 놓고, 아가씨에게 잘 자라고 이른 다음 밖으로 나와 문 앞에 앉았습니다. 사랑의 불길에 혈관이 타오르는 듯했는데도 티끌만큼의 나쁜 생각도 나의 머릿속에 떠오르지 않았다는 것을 하느님은 믿어 주실 것입니다. 우리 안 한구석에서 잠든 아가씨의 모습을 신기하게 바라보는 양들 곁에서 — 다른 어느 양보다도 더 소중하고 순결한 양인 듯 — 주인집 따님이 나의 보호에 마음 놓고 잠들었다는 자랑스러운 생각밖에 없었습니다. 하늘이 그처럼 아득하고 별들이 그처럼 빛나 보인 적은 없었습니다……. 갑자기 양 우리의 빗장 문이 열리더니 스테파네트 아가씨가 나타났습니다. 아가씨는 잠을 이룰 수가 없었던 모양입니다. 양들이 움직이며 짚을 바스락거리는가 하면, 꿈을 꾸며 울어 댔으니까요. 아가씨는 불 곁으로 나오는 편이 더 좋겠다고 생각했습니다. 아가씨가 다가오자 나는 내 염소 모피로 그 어깨를 덮어 주고 불을 더욱 활활 타게 했습니다. 그리고 우리들은 말없이 나란히 앉아 있었습니다. 야외에서 밤을 보낸 적이 있다면, 우리가 잠드는 시각에 또 하나의 신비스러운 세계가 고독과 정적 속에서 눈을 뜬다는 사실을 아실 겁니다. 그때, 샘물은 더욱 맑게 노래하며, 연못에서는 작은 불꽃들이 빛나게 됩니다. 모든 산의 정령들이 자유롭게 오가며, 대기 속에서는 잘 분간할 수조차 없는 소리와 가볍게 스쳐가는 듯한 소리가 들립니다. 그러한 소리들은 마치 나뭇가지가 자라고 풀잎이 돋아나는 소리인 듯 들리는 것입니다. 낮이 생물들의 세상이라면 밤은 사물들의 세상입니다. 그러나 그러한 밤과 친숙하지 못한 사람들은 밤을 무서워하게 됩니다. 그래서 우리 아가씨는 몸을 후들후들 떨며 아주 작은 소리만 나도 내게 몸을 바싹 붙였습니다. 한번은 길고 구슬픈 소리가 저 아래 번득이는 연못에서 우리가 앉은 쪽으로 메아리쳐 왔습니다. 바로 그 순간 아름다운 별똥별 하나가 우리 머리 위에서 소리 나는 쪽으로 떨어졌습니다. 마치 방금 들은 저 구슬픈 소리가 빛을 이끌고 가는 것만 같았습니다.

"뭐죠?"

스테파네트 아가씨가 낮은 목소리로 물었습니다.

"천국으로 들어가는 영혼이랍니다."

나는 대답하며 십자가를 그었습니다.

아가씨도 십자가를 그었습니다. 그러고는 잠시 깊은 생각에 잠겨 하늘을 쳐다보더니 물었습니다.

"목동들은 마법사라면서요? 참말인가요?"

"그럴 리가 있나요. 여기에서 살면 별들과 더 가까우니 들에 있는 사람들보다 별에서 일어나는 일을 더 잘 아는 거죠."

아가씨는 여전히 하늘을 쳐다보고 있었습니다. 손으로 턱을 괴고 염소 가죽을 두른 아가씨의 모습은 마치 하늘나라의 귀여운 목동과도 같았습니다.

"참 많기도 해라! 어쩌면 저렇게 아름다울까! 이렇게 많은 별들은 처음 봐요! 저 별들의 이름을 알아요?"

"알고말고요……. 자, 보세요! 바로 우리 머리 위에 있는 것이 '성 야곱의 길

(은하수)'이죠. 저것은 프랑스에서 스페인으로 곧장 뻗었어요. 용감한 샤를마뉴 대왕이 사라센[4]과 싸울 때 갈리스의 성 야곱이 길을 가르쳐 주기 위해 그려 놓았다는 거예요. 더 멀리 있는 저것이 '영혼의 수레(큰곰자리)'예요. 네 개의 바퀴가 반짝이죠. 그 앞에 있는 세 개의 별이 '세 마리의 야수', 그 세 번째 맞은편에 있는 아주 작은 별이 '마차꾼'이라는 거예요. 그 주위에 비 오듯 흩어진 별들이 보이죠? 저것은 하느님이 집에 두고 싶어 하지 않는 영혼들이랍니다……. 그보다 조금 아래 있는 것이 '쇠스랑' 또는 '세 명의 왕(오리온)'이에요. 저 별들은 우리네 목동들에게 시계의 역할을 한답니다. 보기만 해도 지금 자정이 지났다는 것을 알 수 있지요. 그보다 조금 아래 언제나 남쪽에서 빛나는 것이 '장 드 밀랑', '별들의 햇불(천랑성)'이죠. 저 별에 대해서 목동들이 하는 이야기가 있죠. 어느 날 밤 '장 드 밀랑'이 '세 명의 왕'과 '닭장(북두칠성)'과 함께 친구 별의 결혼식에 초대받았더랍니다. '닭장'은 성질이 아주 급해 제일 먼저 길을 떠나 윗길로 갔다는군요. 저것 보세요. 저 위에 아주 하늘 한복판에 있지요. '세 명의 왕'은 아랫길로 질러가서 '닭장'을 따라갔답니다. 그러나 느림보인 '장 드 밀랑'은 늦게까지 자다가 아주 뒤에 처지고 말았지요. 그래서 화가 난 그는 두 친구를 멈춰 서게 하려고 지팡이를 던졌답니다. 그래서 '세 명의 왕'을 '장 드 밀랑'의 지팡이라

---

4 사라센(Saracen) 유럽인이 서아시아의 이슬람교도를 부르던 호칭.

고도 부르지요……. 그러나 모든 별 중 가장 아름다운 것은 우리의 별인 '목동의 별'이랍니다. 새벽에 우리가 양 떼를 몰고 나갈 때, 또 저녁이 되어 양 떼를 몰고 들어올 때, 저 별은 우리 앞에서 빛나지요. 우리는 이것을 '마글론'이라고도 부른답니다. 예쁜 '마글론'은 '프로방스의 베드로(토성)'의 뒤를 쫓아가서 7년에 한 번씩 그와 결혼을 한답니다."

"뭐라구요! 별들도 결혼을 하나요?"

"그럼요."

그리고 별들의 결혼에 대해서 설명하려고 하다가, 나는 무엇인가 신선하고 보드라운 것이 어깨 위에 가볍게 얹히는 것을 느꼈습니다. 리본과 레이스, 그리고 물결치는 머리카락이 곱게 부딪히며 나에게 기대어 온 것은 잠이 들어 무거워진 아가씨의 머리였습니다.

아가씨는 날이 밝아 하늘의 별들이 희미하게 사라질 때까지 꼼짝하지 않았습니다. 가슴이 약간 두근거렸지만, 아름다운 생각만을 보내 준 청명한 밤의 신성한 보호를 받으며 나는 잠든 아가씨의 모습을 바라보았습니다. 우리 주위에는 별들이 계속해서 많은 양 떼처럼 말없이 조용히 움직여 갔습니다. 나는 몇 번이나 별들 가운데서 가장 곱고 가장 빛나는 별이 길을 잃고 내려와 내 어깨 위에서 잠들었다고 생각해 보았습니다.

(1869년)

《알퐁스 도데 단편선》(문예출판사, 2006)

코르니유 영감의 비밀

알퐁스 도데

알퐁스 도데 (Alphonse Daudet, 1840~1897)

알퐁스 도데는 어린 시절 남프랑스의 아름다운 자연 속에서 성장했고, 열일곱 살 때 파리로 가서 본격적으로 문학 공부를 했다. 그는 아름다운 자연을 그리거나 인간의 삶을 긍정적인 시선으로 바라본 작품을 많이 썼다. 그의 작품에서는 가슴을 따뜻하게 하는 사람들의 정을 느낄 수 있다. 주요 작품으로는 아름답고 순수한 사랑 이야기 〈별: 프로방스 지방, 어느 목동의 이야기〉와 나라를 빼앗긴 슬픔과 조국에 대한 사랑을 다룬 〈마지막 수업〉 등이 있다.

나이 지긋한 피리 연주자인 프랑세 마마이는 종종 우리 집에서 갖는 저녁 모임에 참석하는 인물 중 하나였다. 어느 날 저녁, 그는 포도주를 홀짝이며 20여 년 전 이곳 방앗간에서 일어났던 한 사건에 관해 털어놓기 시작했다. 나는 노인이 들려준 그 감동적인 이야기를 들은 그대로 독자 여러분에게 다시 전하려 한다.

상상해 보라, 독자들이여. 그대들이 향기로운 와인 통 앞에 앉아 늙은 피리 연주자의 이야기를 듣고 있다고 말이다.

우리 지방은 말이죠, 선생님. 원래 지금처럼 이렇게 아무것도 없는 죽은 도시가 아니었어요. 예전에는 제분업이 아주 번성한 곳이었죠. 사방에 열 군데나 되는 농가에서 사람들이 밀을 빻아 달라고 가지고 왔으니까요. 마을 주변의 언덕은 온통 풍차로 뒤덮였고, 좌우 어디로 눈을 돌려도 소나무 너머로 돌아가는 풍차 날개가 보였고, 짐을 가득 실은 당나귀 무리가 있었습니다. 짐을 실은 당나귀들은 언덕길을 수없이 오르락내리락했지요. 매일같이 울려 퍼지는 채찍 소리와 풍차 날개의 딱딱거리는 소리, 그리고 조수들의 "이랴!" 하는 외침을 듣는 것은 즐거웠어요. 우리들은 일요일마다 모여서 방앗간으로 갔어요. 방앗간 주인들은 우리에게 사향 포도주를 대접했습니다. 방앗간의 부인들은 숄을 두르고 금 십자가로 치장했는데, 그 모습이 마치 여왕처럼 아름다웠지요. 저는 피리를 들고 가서 밤늦게까지 파랑돌[1]을 추는 사람들을 위해 연주했어요. 방앗간은 우리 지역

---

1 파랑돌(farandole) 프랑스 프로방스 지방의 춤곡.

문학을 열다: 세계 명작 소설 베스트

사람들에게 즐거움과 풍요로움을 주는 곳이었습니다.

하지만 안타깝게도, 파리 사람들은 이 고장 타라스콩 길에 제분 공장을 세울 생각을 했어요. 아주 멋진 신식 공장 말이에요! 사람들은 점차 밀을 공장으로 보내기 시작했습니다. 불쌍한 방앗간들은 일거리를 빼앗겼죠. 방앗간들이 얼마간 맞서 싸웠지만 공장은 강력했어요. 가엾은 방앗간들은 결국 문을 닫아야만 했습니다. 더는 짐을 싣고 다니는 당나귀들을 볼 수 없었어요. 방앗간 마나님들은 금 십자가를 팔아야 했고요. 사향 포도주도, 파랑돌도 모두 끝나 버렸습니다. 방아는 긴 휴식을 취했고, 풍차 날개는 그대로 멈춰 버렸어요. 결국 어느 날부터인가 사람들은 방앗간을 헐고 그 땅에 포도와 올리브 나무들을 심기 시작했어요.

모든 방앗간이 망해 가는 동안, 한 털북숭이 제분업자의 방앗간만은 멈추지 않고 돌아갔습니다. 코르니유 영감님의 방앗간이었어요. 우리가 지금 저녁 모임을 갖는 바로 이곳 말이에요.

60년간 일해 온 제분업자인 코르니유 영감은 광분했습니다. 제분 공장이 영감을 분노하게 만들었지요. 여드레 동안, 그는 마을을 휘젓고 다니며 사람들을 끌어모았어요. 그리고 공장들이 불경한 밀가루로 프로방스를 더럽힌다며 고래고래 소리를 질렀습니다.

영감은 말했어요.

"거기 가지 마시오. 그 불한당들은 증기를 사용해 빵을 만든다오. 악마의 발명품인 증기 말이오! 하지만 나는 그들과 달리 북풍과 산바람을 이용하오. 신의 숨결과도 같은 바람 말이오."

영감은 풍차에 바치는 자신의 찬사가 무척 그럴듯하다고 생각했으나 아무도 그의 이야기를 듣지 않았습니다.

결국, 분노한 노인은 방앗간에 틀어박혀 야생 짐승처럼 혼자 살았습니다. 영감은 심지어 손녀인 비베트조차 자신의 곁에 오지 못하게 했어요. 열다섯 살의 비베트는 부모님이 돌아가신 후, 의지할 데라곤 할아버지밖에 없는 소녀였습니다. 그 불쌍한 소녀는 스스로 생계를 꾸려 나갈 수밖에 없었고, 여러 농가를 돌아다니며 벼를 수확하고, 누에를 치고, 올리브 따는 일을 했어요. 그럼에도, 비베트의 할아버지는 손녀를 매우 사랑하는 것처럼 보였습니다. 왜냐하면 영감은 꽤나 자주 뙤약볕 아래 먼 길을 걸어 비베트가 일하는 농가까지 찾아가곤 했거든요. 영감은 비베트의 근처에 머물며 몇 시간이고 눈물을 흘리며 손녀를 바라보았습니다.

마을 사람들은 비베트를 그런 곳으로 보낸 코르니유 영감이 너무하다고 생각했습니다. 손녀가 이곳저곳의 농가를 떠돌며 난폭한 목동들을 상대하고, 갖은 비참한 일들을 견디도록 만들었으니까요. 존경받던 코르니유 영감의 명성은 바닥으로 떨어졌습니다. 영감은 진짜 보헤미안[2]처럼 맨발로 다니며 구멍 난 모자를 쓰고 누더기 허리띠를 맸습니다. 일요 미사 때도 마을 사람들은 그를 부끄럽게 생각하며 꺼렸지만 코르니유 영감은 더는 집사석에 앉지 못한다는 사실에 괘념치 않는 것 같았어요. 그는 교회의 성수반[3] 근처의 어두컴컴한 곳에 앉았어요. 가난한 사람들의 자리였지요.

코르니유 영감에게는 무언가 석연치 않은 부분이 있었습니다. 오랫동안 아무도 그에게 밀을 가져다주지 않았는데도 그의 풍차는 예전처럼 계속 돌아갔거든요. 밤이면 그 늙은 제분업자가 밀가루 자루를 가득 실은 당나귀를 몰고 가는 모습을 볼 수 있었고요.

"좋은 저녁이에요, 코르니유 영감님. 잘 지내시죠?"

농부들이 소리쳤어요.

"그럼, 그럼."

영감은 쾌활하게 대꾸했어요.

---

2 보헤미안 속세의 관습이나 규율 따위를 무시하고 방랑하면서 자유분방한 삶을 사는 시인이나 예술가.
3 성수반 성당 입구에 놓아두는 성수를 담은 그릇.

"항상 우리에게 일거리를 주시는 신에게 감사할 뿐이지."

사람들이 영감에게 어디서 그렇게 일거리가 들어오냐고 물었을 때, 영감은 입술을 손가락에 갖다 대고 심각한 얼굴로 대답했습니다.

"쉿! 나는 수출을 한다네."

사람들은 그 이상의 대답을 듣지 못했어요.

사람들이 방앗간에 가서 알아보려고도 했지만, 꿈에도 그럴 수는 없었어요. 심지어 손녀 비베트조차 그 안으로 들어가지 못했으니까요.

사람들이 방앗간 앞을 지나갈 때마다 방앗간의 문은 굳게 닫혀 있었습니다. 하지만 거대한 풍차 날개는 여전히 멈출 줄을 몰랐습니다. 풍차 앞의 늙은 당나귀는 풀을 뜯어 먹고, 빼빼 마른 고양이가 창문가에 앉아 햇볕을 쬐며 심술궂게 사람들을 쳐다보고 있을 뿐이었지요.

도무지 이해할 수 없는 것들투성이였습니다. 곧 사람들은 수군대기 시작했어요. 저마다 코르니유 영감의 비밀에 관해 떠들어 댔지요. 대부분은 영감의 방앗간에 돈 자루가 밀가루 자루보다 더 많이 쌓여 있다고 믿었어요.

하지만 시간이 지나고, 결국 진실은 밝혀졌어요. 그 사정은 이렇습니다.

어느 날, 피리를 부는 동안 춤을 추는 젊은이들을 보며, 나는 내 첫째 아들과 비베트가 서로 사랑에 빠졌다는 걸 알게 되었습니다. 싫지는 않았어요. 코르니유 집안은 품격 있는 가문이라고 생각했고, 참새 같은 비베트가 집 안에서 종종거리며 다니는 소리를 듣는 것도 좋을 것 같았거든요. 다만, 나는 그 둘이 걱정 없이 함께할 수 있게 해 주고 싶었습니다. 그래서 코르니유 영감에게 이 사실을 알리기 위해 방앗간으로 찾아갔지요. 하지만 그는 나를 문전박대했어요. 고약한 영감탱이 같으니! 영감이 문을 꽁꽁 잠가 버렸기 때문에 저는 자물쇠 구멍을 통해 사정을 설명할 수밖에 없었습니다. 그동안 말라깽이 고양이가 제 아래에서 악마처럼 울어 댔지요.

영감은 제 이야기가 끝나기도 전에 피리나 불라며 무례하게 고함쳤어요. 아들의 결혼이 급하다면, 제분 공장의 여인들이나 찾아가라고 했지요. 생각해 보십시오. 그런 무지막지한 욕을 듣는 제 심정이 어땠을지. 그렇지만 저는 마음을 가다듬고 화를 삭였습니다. 그리고 그 미친 늙은이는 방아나 돌리도록 내버려 두고 자리를 떠났습니다. 저는 아이들에게 돌아가 제가 본 실망스러운 광경을 전했습니다. 불쌍한 어린양들은 제 말을 믿지 못했어요. 아이들은 방앗간으로 가서 할아버지와 직접 이야기하고 싶다고 하더군요. 저는 차마 말릴 수 없었어요. 아, 사랑스러운 아이들은 결국, 코르니유 영감의 방앗간으로 향하고 말았습니다.

아이들이 도착했을 때, 코르니유 영감은 막 방앗간에서 떠난 참이었습니다. 문은 완전히 닫혀 있었지만 영감은 사다리를 치우는 걸 깜빡했어요. 사다리를 발견한 아이들은 창문을 통해 방앗간으로 들어가야겠다고 생각했습니다. 마침내 악명 높은 코르니유 영감의 방앗간으로 들어가는 순간이었지요.

그런데 믿을 수 없는 광경이 펼쳐졌습니다. 방앗간은 완전히 텅 비어 있었어요. 자루도, 밀알도 없었지요. 벽에서도, 심지어 거미줄에서도 밀가루를 조금도 발견할 수 없었어요. 물론 방아에서 날 법한 고소한 냄새도 맡을 수 없었지요. 먼지로 뒤덮인 방아 아래에서 삐쩍 마른 고양이가 잠들어 있었어요.

완전히 버려진 곳 같았습니다. 형편없는 침대와 누더기 옷들, 계단에 나뒹구는 빵 조각, 그리고 모퉁이에 놓인 터진 주머니 서너 개에서 흘러내리는 석고 파편이 전부였지요.

그것이 바로 코르니유 영감의 비밀이었습니다! 영감이 밤마다 옮기던 것은 다름 아닌 석고 가루였어요. 마을 사람들로 하여금 방앗간에서 여전히 밀가루를 만들고 있다고 생각하게 하고 싶었던 거예요. 방앗간의 명예를 위해서요. 불쌍한 방앗간! 불쌍한 코르니유 영감! 방아가 돌아가지 않은 지는 꽤 오래된 것 같았습니다. 풍차의 날개는 계속 돌았지만 절구는 텅 비어 있었던 것이지요.

아이들은 눈물을 글썽이며 돌아와 나에게 이 모든 이야기를 들려주었어요. 가슴이 찢어지는 것 같더군요. 저는 바로 이웃들에게 달려가 짧게 이야기를 전했습니다. 우리는 모두 영감에게 필요한 것을 가져다주어야 한다고 생각했어요. 이야기가 끝나기 무섭게 마을 사람들 모두가 밀을 실은 당나귀를 끌고 거리로 나왔습니다. 진짜 밀 말이에요!

방앗간은 활짝 열려 있었고, 코르니유 영감은 석고 주머니 위에 걸터앉아 두 손에 얼굴을 파묻은 채 울고 있었습니다. 자신이 자리를 비운 사이에 누군가가 방앗간에 침입해 비밀을 캐냈다는 사실을 알아차렸던 것이었어요.

그는 말했습니다.

"아, 이제 나는 죽는 수밖에 없겠구나. 방앗간의 명예가 더럽혀졌어."

그는 비통하게 울며 온갖 이름으로 방앗간을 불렀습니다. 마치 방앗간이 진짜 사람이라도 되는 듯 말이에요.

그때, 당나귀들이 도착했고 사람들은 예전의 좋았던 시절처럼 힘차게 외쳤어요.

"아! 방앗간이군! 코르니유 영감님!"

자루가 방앗간 앞에 쌓였고, 아름다운 갈색 밀알들이 바닥으로 넘쳐 흘렀습니다.

코르니유 영감의 눈이 휘둥그레졌어요. 그는 쪼글쪼글한 손으로 밀알을 쥐며 울고 웃기를 반복했습니다. 그리고 말했어요.

"밀알이야! 신이시여! 정말 밀알이야! 어디 좀 보자."

그리고 영감은 사람들을 향해 돌아서서 말했어요.

"아, 여러분은 내게 돌아올 줄 알았소. 제분 공장들은 모두 도둑놈들이잖소."

우리는 마을의 승리인 밀알들을 방앗간 안으로 들여놓으려고 했어요.

"아니, 아니, 얘들아. 방아에게 먹이를 주기 전에 해야 할 일이 있단다. 오랫동안 도통 씹지를 못했으니까!"

우리는 눈물을 흘리며 코르니유 영감의 모습을 보았습니다. 밀을 빻는 동안 영감은 밀이 담긴 자루의 배를 가르고, 당나귀를 돌보며 동분서주했어요. 곱게 갈린 밀가루가 천장으로 흩날렸습니다.

그것이 바로 우리가 이룩한 정의였죠. 그날 이후로, 우리는 영감이 하루도 일을 쉬지 못하게 만들었습니다.

그러던 어느 날 아침, 코르니유 영감이 세상을 떠났습니다. 풍차의 날개도 영원히 작동을 멈추었습니다. 코르니유 영감이 떠난 이후, 아무도 그의 뒤를 잇지 않았습니다. 어쩌겠어요, 선생님! 세상은 변하고 모든 것에는 끝이 있는 법이지요. 방앗간의 시대는 끝났습니다. 론에 역마차가 다니던 시대나, 지방 의회가 있던 시절, 꽃무늬 외투가 유행하던 시기도 이제는 다 지나가 버린 것처럼요.

(1869년)

번역 김이슬

카멜레온

안톤 체호프

안톤 체호프 (Anton Chekhov, 1860~1904)

러시아의 소설가 겸 극작가 안톤 체호프는 1860년 러시아 남부의 항구 도시 타간로크에서 태어났다. 그가 16세 때 잡화점을 하던 아버지가 파산하면서 어렵게 학업을 이어 간다. 1879년에 모스크바대학교 의과 대학에 입학한 후 가족의 생계를 위해 잡지에 단편 소설을 기고하면서 글을 쓰기 시작했다. 단편집 《황혼》, 여행기 《사할린섬》을 집필했으며, 〈6호실〉 〈상자 속에 든 사나이〉 〈귀여운 여인〉 〈개를 데리고 다니는 부인〉 〈약혼녀〉 〈관리의 죽음〉 〈카멜레온〉 〈우수〉 등의 중·단편 소설과 희곡 《갈매기》 《바냐 아저씨》 《세 자매》 《벚꽃 동산》과 같은 걸작들을 완성했다.

새 외투를 입은 경감 오추멜로프가 한 손에 작은 보따리를 든 채 시장(市場) 광장을 가로질러 걸어가고 있다. 압수한 구스베리[1]가 수북이 담긴 체를 든 붉은 머리의 순경이 그를 따라 걸어가고 있다. 주위에는 정적이 감돌고 있다……. 광장에는 다른 사람이 하나도 없다……. 작은 상점들과 술집들의 열린 창문들이 배고픈 입들처럼 세상을 음울하게 바라보고 있다. 그것들 주위에는 거지들조차 없다.

"아니, 저주받을 놈아, 네놈이 물겠다는 거야?"란 소리가 오추멜로프에게 갑자기 들린다.

"얘들아, 저 개를 놓치지 마! 지금은 물 수 없어! 붙잡아! 야…… 이봐!"

개의 날카로운 비명 소리가 들린다. 오추멜로프가 그쪽을 쳐다보니, 개가 피추긴의 장작 창고에서 세 발로 뛰며 주위를 둘러보면서 도망치는 모습이 보인다. 그 뒤를 풀 먹인 사라사[2] 셔츠와 축 늘어진 윗옷을 입은 사람이 추격하고 있다. 그는 개 뒤에서 달려가다가, 몸을 앞으로 기울인 후, 땅에 쓰러지면서 개의 뒷다리를 붙잡는다. 개의 날카로운 비명 소리가 두 번째로 들리고, "놓치지 마!"라고 외치는 소리가 들린다. 작은 상점들에서 잠이 덜 깬 사람들이 튀어나오더니, 곧 장작 창고 근처에는 땅에서 솟아나는 것처럼 인파가 모인다.

"아마 소란이 일어난 것 같습니다, 각하!"라고 순경이 말한다.

오추멜로프는 왼쪽으로 반 바퀴를 돌아 사람들이 모여 있는 곳으로 걸어간

---

1 구스베리(gooseberry) 서양 까치밥나무 열매.
2 사라사 다섯 가지 빛깔을 이용하여 여러 가지 무늬를 물들인 피륙. 또는 그 무늬.

다. 그는 창고 문 바로 옆에 서서, 위에서 언급한 축 늘어진 윗옷 입은 사람이 오른손을 올린 후, 피투성이가 된 손가락을 사람들에게 보여 주는 모습을 보고 있다. 그의 얼근히 술 취한 얼굴에는 '이번엔 내가 널 물어뜯어 주겠다, 나쁜 놈아!'라고 쓰여 있는 것 같다. 게다가 바로 그 손가락은 승리의 상징과 유사하다. 오추멜로프는 귀금속 장인(匠人) 흐류킨을 알아본다. 사람들의 한가운데에는 소란의 주인공이 자신의 앞다리를 엉성히 벌린 후 온몸을 바르르 떨면서 땅 위에 서 있는데, 그건 주둥이가 날카로운 낯짝에 등에 노란 점이 있는 하얀 보르조이[3] 강아지다. 강아지의 눈물이 나오고 있는 두 눈에는 근심과 공포감이 서려 있다.

"여기에 무슨 사건이 있나?" 하고 오추멜로프가 군중 속을 비집고 들어가면서 묻는다.

"여기서 왜 그러는 건가? 자네 손가락은 왜 그렇고? ……누가 비명을 질렀지?"

"각하, 전 걸어가면서, 아무도 건드리지 않습니다……."라고 흐류킨이 주먹을 입에 대고 기침하면서 말하기 시작한다.

"미트리 미트리치와 장작에 관해 (얘기하는데,) 갑자기 이 비열한 놈이 아무 이유 없이 손가락을 (물었습니다요.) ……죄송합니다만, 저는 작업을 하는 사람입니다……. 제 직업은 보잘것없습니다. 제가 손해 배상을 받게 해 주십시오. 전 이 손가락으로 아마 일주일 동안 아무것도 하지 못할 테니까요……. 각하, 이런 망할 놈 때문에 손해를 보라는 법은 없습니다. 만약 모든 개가 사람을 물게 된다면, 세상에 살지 않는 게 더 나을 겁니다……."

"흠! 알았네……." 하고 오추멜로프는 기침을 하고 양 눈썹을 움직이며, 엄하게 말한다.

"알았어……. 누구 개야? 난 이걸 그대로 놔두지 않겠다! 개들을 방치하면 어

---

3 보르조이(borzoi) 러시아산 사냥개의 일종.

떻게 되는지 너희에게 보여 주겠다! 법을 준수하길 원치 않는 자들에게 주의를 기울여야 할 때다! 나쁜 놈에게 벌금을 부과하게 되면, 그놈이 개와 다른 떠돌이 개새끼가 어떻게 다른지 나한테서 알게 될 거다! 내가 그놈을 가만두지 않겠다! ……옐디린!"

경감이 순경을 돌아보며 말한다.

"이게 누구 개인지 알아내서, 조서를 꾸미게! 그리고 개를 없애 버려야 해! 당장! 아마 미친개일 거야……. 내가 묻는데, 이게 누구 개야?"

"아마 지갈로프 장군님의 개인 것 같습니다!"라고 군중 속에서 누군가가 말한다.

"지갈로프 장군님의 개라고? 흠! …… 옐디린, 내 외투를 벗겨 주게……. 지독히도 덥군! 아마 비가 올 것 같아……. 난 단 한 가지가 이해가 안 돼. 어떻게 이 개가 자넬 물 수 있었겠나?" 하고 오추멜로프는 흐류킨에게 돌아서며 묻는다.

"이 개가 정말 손가락에 닿을 수 있겠나? 이 개는 작은데, 자넨 아주 키가 큰 사람이야! 자네가 못으로 손가락을 마구 긁어서 상처를 내고, 나중에 개가 물어서 그런 거라고 하려는 생각이 자네 머리에 떠올랐던 게 분명해. 자넨 정말…… 유명한 사람이잖아! 난 자네들, 악당들을 알고 있어!"

"각하, 그 사람이 장난으로 개 낯짝에다 가루담배를 종이로 말아 만든 대용 궐련⁴을 뿌렸습니다. 그래서 저 개가 바보가 아닌 바에야 확 달려든 거지요……. 형편없는 인간입니다, 각하!"

"애꾸가 거짓말하는 겁니다! 넌 보지도 않았는데, 왜 거짓말하는 거냐? 현명

---

4 궐련 얇은 종이로 가늘고 길게 말아 놓은 담배.

하신 각하께서는, 누가 거짓말하고, 누가 하느님 앞에서처럼 정직하게 말하는지 아실 겁니다. 만일 제가 거짓말을 하는 거라면 치안 판사[5]에게 재판받으라 하십시오. 그분의 법에서 말하자면…… 지금은 모두가 평등합니다……. 바로 제 동생이 헌병으로 있는데요……. 만약 각하께서 알고 싶으시다면……."

"재판하지 마!"

"아닙니다, 이건 장군님의 개가 아니라……."라고 순경이 사려 깊게 말한다.

"장군님에겐 저런 개들이 없습니다. 장군님에겐 훨씬 더 큰 세터(setter)[6]들이 있습니다……."

"자네 그걸 확실히 아나?"

"확실합니다, 각하……."

"나도 알아. 장군님의 개들은 귀하고, 기품이 있어. 그런데 이 개는 형편없어! 털도 없고, 낯짝도 못생겼어……. 하나의 비굴한 모습뿐이야……. 이따위 개를 놔두고들 있나? 너희의 머리는 도대체 어디에 있는 거야? 이따위 개가 페테르부르크나 모스크바에서 눈에 띄면, 무슨 일이 일어나는지 아나? 거기선 법도 안 들여다보고, 즉시 죽이는 거야! 흐류킨, 네가 피해를 보았으니, 이 일을 그대로 놔두지 마라……. 따끔한 맛을 보여 줘야 해. 지금이 바로 그때야……."

"혹시 장군님의 개일지도 모릅니다……." 하고 순경은 자신의 생각을 입 밖으로 낸다.

"개의 낯짝에 쓰여 있는 건 아닙니다만…… 얼마 전에 장군 댁 마당에서 저런 개를 보았습니다."

"물론입니다. 장군님의 갭니다!"라고 군중 속에서 누군가 말한다.

"흠! ……이봐, 옐디린, 나에게 외투를 입혀 주게……. 바람이 부는 것 같아……. 몸이 차갑군……. 자네가 이 개를 장군 댁으로 끌고 가서 거기서 물어

---

5 치안 판사 작은 민사 및 형사 소송을 취급하는 판사.
6 세터 원문은 легавая로, 일종의 사냥개.

보게. 내가 찾아서 보냈다고 말씀드리게……. 그리고 이 개를 거리에 내놓지 말라고 하게……. 혹시 이 개가 귀한 개일지도 몰라. 만약 돼지 콧속에다 여송연[7]을 밀어 넣으면, 오랫동안 피해를 보지 않겠나? 개는 약한 동물이야……. 그런데 너 이 바보야, 손 내려! 바보 같은 손가락을 내보일 필요가 없잖아! 네가 잘못했잖아!"

"장군님의 요리사가 오고 있군. 이 사람에게 물어보세……. 어이, 프로호르! 여보게, 이리 오게! 이 개를 보게……. 자네들 개인가?"

"생각해 낸 겁니다! 저희 집엔 이따위 개들이 지금까지 한 번도 없었습니다."

"그럼 여기서 물어볼 필요가 없어."라고 오추멜로프가 말한다.

"이건 주인 없는 개야! 여기서 더 말할 필요도 없다……. 내가 주인 없는 개라고 말했다면, 주인 없는 개인 거야……. 죽여, 그러면 끝이야."

"이건 저희 개가 아닙니다."라고 프로호르가 계속 말한다.

"이건 얼마 전에 오신 장군님 동생의 개입니다. 저희 장군님은 보르조이 개를 좋아하지 않으시지만, 그분의 동생은 좋아하시거든요……."

"아니, 정말로 그분의 동생이 오셨나? 블라디미르 이바니치께서 말이야?"라고 오추멜로프가 묻는데, 그의 얼굴 전체가 감동의 미소로 충만하다.

"뭐라고? 하느님 맙소사! 내가 모르고 있었다니! 잠시 손님으로 오셨나?"

"네, 손님으로……."

"뭐라고? 하느님 맙소사…… 형님을 그리워하셨군……. 그런데도 내가 정말 모르고 있었다니! 그렇다면 이게 그분의 개인가? 정말 기쁘군……. 이 개를 데려가게……. 아주 재빠른 개야……. 이 사람의 손가락을 물어뜯어 버리다니 말이야! 하-하-하……. 아니, 뭣 때문에 떠는 거냐? 으르르르…… 으르르…… 화를 내는군, 악당이……. 이 귀여운 게……."

---

7 여송연 담뱃잎을 썰지 않고 통째로 돌돌 말아서 만든 담배.

프로호르는 개를 부르더니, 개와 함께 장작 창고에서 나온다……. 군중이 흐류킨을 향해 큰 소리로 웃는다.

"내가 다시 널 혼내 주겠다!" 하고 오추멜로프가 외투로 몸을 두르면서, 그를 위협한 다음, 시장 광장을 따라 자신이 가던 길을 이어서 간다.

(1884년)

《체호프 유머 단편집》(지식을만드는지식, 2013)

100만 파운드 지폐

마크 트웨인

마크 트웨인 (Mark Twain, 1835~1910)

미국 중서부의 미주리주에서 태어나 미시시피 강가의 작은 마을 해니벌에서 소년 시절을 보냈다. 본명은 새뮤얼 랭혼 클레멘스(Samuel Langhorne Clemens)이나 네바다주와 캘리포니아주의 신문사에 글을 기고하면서 '마크 트웨인'이라는 필명을 사용하기 시작했다. 단편집 《캘리베러스 군(郡)의 명물 뛰어오르는 개구리》를 발표해 일약 범국민적 명사가 되었으며, 1869년에는 유럽과 팔레스타인 성지 여행기 《철부지의 해외 여행기》를 출간하여 폭발적인 인기를 끌었다. 1884년 걸작 《허클베리 핀의 모험》을 발표, 작가로서의 최절정기를 맞이했다. '미국 현대 문학의 아버지'로 불리는 문학적 업적을 이루었을 뿐 아니라, 물질문명과 종교, 전쟁의 부조리를 날카롭게 파헤치고 불의와 제국주의에 맞서 신랄한 비판을 가했다.

1

스물일곱 살이던 해, 나는 샌프란시스코의 광산업 중개 회사의 직원으로 광산 거래에 대해서는 모르는 것이 없는 전문가였습니다. 혈혈단신으로 내세울 거라고는 오로지 나 스스로의 재능과 정직하다는 주위의 평판뿐이었지만 그 밑천을 바탕으로 마침내 기회를 잡았고 설레는 미래에 만족하던 나날이었습니다.

토요일 장이 마감되면 나는 샌프란시스코만으로 달려가 작은 요트를 타곤 했습니다. 그러던 어느 날 하루는 너무 멀리 항해한 바람에 먼바다로 떠밀려 가고 말았습니다. 사위는 어둑해지고 남은 희망마저 사라지려는 찰나 런던행 소형 범선에 겨우 구조되었습니다. 길고도 험난한 항해가 이어졌는데 나는 삯을 내지 못하는 처지였기에 뱃일을 해야 했습니다. 런던에 도착했을 때 내 옷은 누더기가 되어 있었고 가진 돈이라고는 1달러가 전부였습니다. 그 1달러로 먹고 자는 것을 해결하며 24시간을 버텼습니다. 다음 24시간은 먹을 것도 잘 곳도 없었습니다.

그렇게 이틀을 보낸 후 다음 날 아침 10시쯤 나는 남루한 옷차림에 주린 배를 움켜쥐고 포틀랜드 플레이스를 어슬렁거리다가 유모와 손을 잡고 가던 한 아이가 탐스럽게 커다란 배를 한 입 베어 먹고는 길가에 휙 던져 버리는 것을 보았습니다. 나는 본능적으로 걸음을 멈춰 그 흙투성이가 된 보물을 바라보고는 눈을 떼지 못했습니다. 입에 침이 고이고 위장에서 아우성치는 소리가 귀에 들릴 정도였습니다. 온몸이 간절하게 그 배를 원했습니다. 하지만 배를 주우려고 몸을 굽히려고 할 때마다 지나가는 행인과 눈이 마주쳤고 그러면 나는 몸을 바로 세우고는 다른 곳을 쳐다보면서 배 따위는 아랑곳하지도 않는 척했습니다. 몇 번이고 같은 상황이 반복되어 배를 집어 올리지 못했습니다. 하지만 결국 배고픔이 수치심을 이겨 그 보물을 낚아채려는 찰나 등 뒤 저택의 창문이 열렸습니다.

"이리로 잠깐 들어오시지요."

한 신사가 내다보며 말했습니다. 나는 멋들어진 제복을 입은 하인의 안내를 받아 노신사 두 명이 앉아 있는 호화로운 방으로 들어갔습니다. 신사들은 하인을 내보내고 나에게 자리를 권했습니다. 이제 막 아침 식사를 마쳤던 모양인지 테이블에는 음식이 놓여 있었습니다. 남은 음식을 보자 거의 이성을 잃을 지경이었습니다. 하지만 먹어 보라는 권유를 받지 못했으므로 식욕을 억누르기 위해 안간힘을 다해야 했습니다.

2

내가 들어가기 전 그 방에서는 어떤 일이 벌어지고 있었고, 그 일이 무엇인지 나도 한참 후에 알게 되었지만 여러분에게는 미리 말해 주겠습니다. 나이가 지긋한 이 두 노신사는 형제지간으로 며칠 동안 꽤 격렬한 논쟁을 벌인 끝에 내기로 결판을 짓기로 했습니다. 참으로 영국인다운 방법이었습니다.

여러분은 영국은행에서 다른 나라와 공적인 거래에 사용할 목적으로 100만 파운드 지폐 두 장을 발행한 적이 있다는 사실을 아십니까? 어떤 이유에서인지 그중 한 장만 사용되어 폐기되었고 나머지 한 장은 은행 금고에 고스란히 보관되어 있었습니다. 형제들은 담소를 나누다가 그 100만 파운드 지폐가 친구도 돈도 없이 어쩌다가 런던에 떠밀려 오게 된 정직하고 똑똑한 이방인의 손에 들어간다면, 하지만 그 이방인이 지폐를 소유하게 된 이유를 설명할 수 없는 상황이라면 어떤 운명을 맞게 될지 의문을 가지게 되었습니다. 형제 중 A는 그 이방인이 굶어 죽을 것이라고 생각했고 B는 A의 의견에 동의하지 않았습니다.

A는 그가 은행이든 어디든 가서 돈을 사용하려고 하면 현장에서 체포될 것이라고 말했습니다. 그들의 논쟁은 B가 그 이방인이 지폐를 온전하게 보존하고 감옥에도 가지 않고 30일 동안 버틸 수 있다는 데 20만 파운드를 걸겠다고 할 때까지 계속되었습니다. A는 내기를 받아들였습니다. B는 그 길로 은행으로 가서 100만 파운드 지폐를 사 왔습니다. 누가 영국인 아니랄까 봐 말입니다. 변호사를 불러 유려한 필체로 받아쓰도록 해 편지도 작성했습니다. 그러고는 그날부터 두 형제는 매일 창가에 앉아 적당한 사람을 탐색하기 시작했습니다.

창문 밖으로 정직해 보이기는 하지만 그다지 똑똑하지는 않을 것 같고, 똑똑해 보이지만 그다지 정직하지 않을 것 같은 많은 사람들이 지나갔습니다. 어쩌다 똑똑하고 정직해 보인다 싶으면 그리 가난하지 않았고 충분히 가난하다 싶으면 이방인이 아니었습니다. 내가 나타나기 전까지 마땅한 후보자를 찾지 못하고 있었습니다. 그러다 두 형제는 나를 발견했고 모든 조건이 들어맞는다고 판단했습니다. 그것이 내가 영문도 모른 채 그 방에 불려 간 이유였습니다.

그들은 몇 가지 질문을 던지고는 곧 내 상황을 파악했습니다. 최종적으로 그들은 자신들이 찾던 사람이 바로 나라고 말했습니다. 나는 어찌 됐건 선택된 것이 기쁘긴 하지만 무슨 일인지 모르겠다고 말했습니다. 신사 중 한 명이 봉투를 건네주면서 그 안에 설명이 들어 있다고 말했습니다. 봉투를 받자마자 열어 보려고 하자 신사분이 말렸습니다. 숙소로 돌아가서 자세히 살펴보라며, 성급하게 행동해서는 안 된다고 했습니다. 나는 어리둥절해서 더 이야기를 듣고 싶었지만 그들은 더 이상의 이야기는 해 주지 않았습니다. 나는 어쩔 수 없이 방을 빠져나오면서 놀림감이 된 것이라고 생각했습니다. 부유하고 힘 있는 사람들 앞에서 기분 나쁜 내색도 못 하고 고분고분했다고 생각하니 서러움과 굴욕감이 몰려왔습니다.

3

이제는 누가 쳐다보든 말든 기어코 배를 주워 먹겠다고 다짐을 하며 저택을 나왔는데 배는 사라지고 없었습니다. 놀림감이 되어 주느라 배까지 놓쳤다고 생각하니 두 노신사에 대한 미움이 사그라들지 않았습니다. 저택에서 멀어져 노인들의 시야를 벗어나자 얼른 봉투를 열어 보았습니다. 그 안에는 지폐가 들어 있었습니다! 두 노신사에 대한 감정이 180도 바뀌었습니다! 나는 조금도 망설이지 않고 곧바로 조끼 주머니에 봉투를 쑤셔 넣고 가장 가까운 허름한 식당에 들어갔습니다. 아, 어찌나 정신없이 먹어 댔는지! 더 이상은 한 입도 못 먹을 정도가 되자 봉투에서 지폐를 꺼내 펼쳐 보았는데 순간 기절할 뻔했습니다. 그것은 100만 파운드 지폐였습니다! 500만 달러에 달하는 지폐라니. 세상이 뱅글뱅글 도는 느낌이었습니다.

충격적인 금액에 눈만 껌벅이며 지폐를 바라보다가 겨우 제정신을 차리기까지 족히 1분은 걸렸습니다. 정신을 차리자 식당 주인의 얼굴이 눈에 들어왔습니다. 그도 지폐에서 눈을 떼지 못한 채 얼어붙어 있었습니다. 온몸과 영혼이 숭배하는 대상을 앞에 두고 손도 발도 옴짝달싹하지 못하는 듯 보였습니다. 순간적으로 내가 취해야 할 유일하고도 이성적인 행동이 무엇인지 감이 왔습니다. 나는 100만 파운드 지폐를 주인에게 내밀며 태평스러운 목소리로 말했습니다.

"잔돈을 거슬러 주시지요."

식당 주인은 내 목소리를 듣고는 그제야 정신을 차리더니 거슬러 줄 잔돈이 없다고 연거푸 사과를 했습니다. 그는 지폐에서 눈을 떼지 못했습니다. 보고 또 봐도 싫증이 나지 않은 듯했습니다. 하지만 절대로 지폐에 손을 대려고는 하지 않았습니다. 마치 자신처럼 가난하고 평범한 사람이 만지면 안 되는 신성한 물건이라도 되는 것처럼. 나는 다시 말했습니다.

"불편을 끼쳐 죄송합니다만 이걸로 계산을 부탁드립니다. 가진 돈이 이것뿐이라서요."

그러자 주인은 신경 쓰지 말라면서 이까짓 밥값이야 다음에 와서 줘도 된다고 했습니다. 나는 이 동네에 살지 않기 때문에 언제 또 올지 모르겠다고 했지만 그는 그래도 괜찮다며 자기는 언제까지고 기다릴 수 있다고 했습니다. 뿐만 아니라 언제든지 와서 원하는 음식을 먹으라며 무기한으로 외상을 달아 주겠다고까지 했습니다. 그리고 자신은 일부러 남루한 옷을 골라 입고 돌아다니며 사람을 놀라게 하는 장난을 친다고 해도 나 같은 부유한 신사는 신용할 수 있을 정도로 대범한 사람이라고 말했습니다. 다른 손님이 들어오자 식당 주인은 그 귀한 물건이 사람들의 눈에 띄지 않는 것이 좋겠다고 귀띔해 주었습니다. 그러고는 내가 식당 문을 나설 때까지 연거푸 굽신거렸습니다.

나는 식당을 나와 곧장 노신사의 집으로 향했습니다. 경찰에 수배되기 전에 문제를 바로잡아야 했습니다. 나는 좀 불안했습니다. 아니, 사실 겁이 났습니다. 내가 잘못한 것은 아니지만 나는 알고 있었습니다. 부랑자에게 준 지폐가 1파운드가 아니라 100만 파운드였다는 것을 알게 되면 보통의 사람들은 자신의 형편없는 시력을 탓하기보다는 애먼 부랑자에게 횡포를 부리며 화를 낸다는 것을. 저택이 가까워지자 내 불안감은 가라앉기 시작했습니다. 근방이 조용한 것을 보니 아직까지 실수를 깨닫지 못한 것이 분명했습니다. 처음 나를 맞아 주었던 하인이 나왔습니다. 나는 노신사들을 만나러 왔다고 말했습니다.

4

"떠나셨습니다."

거만하고 냉랭한 목소리였습니다.

"떠나셨다고요? 어디로 가셨나요?"

"여행 가셨습니다."

"어디로 말입니까?"

"유럽 대륙으로 가셨을 겁니다."

"유럽 대륙이요?"

"그렇습니다."

"어느 쪽으로, 어느 경로로요?"

"그건 말씀드릴 수 없습니다."

"언제 돌아오시나요?"

"한 달 후라고 말씀하셨습니다."

"한 달이라고요? 정말 큰일이네요! 어떻게든 연락을 취할 방법을 찾아야 해요. 아주 중요한 일입니다."

"불가능합니다. 그분들이 어디로 가셨는지 저도 모르니까요."

"그럼 다른 가족이라도 만나야겠습니다."

"가족분들도 여행 중이십니다. 해외로 떠난 지 몇 달 되었습니다. 지금쯤 이집트와 인도에 계실 겁니다."

"저기, 중대한 착오가 생겼습니다. 혹시 신사분들이 돌아오시면 제가 여기 왔었다고, 다시 와서 상황을 정리하겠다고, 그러니 걱정하지 말라고 전해 주시겠습니까?"

"주인님들이 돌아오시면 전해 드리겠습니다만, 돌아오지 않으실 겁니다. 이미 당신이 찾아올 거라고 말씀하시면서, 오시면 잘못된 건 없으니 약속된 시간에 여기서 기다리겠다고만 전해 달라고 하셨습니다."

결국 나는 단념하고 저택을 나설 수밖에 없었습니다. 이 무슨 수수께끼 같은 일이란 말입니까! 미치기 일보 직전이었습니다. 그런데 잠깐, '약속된 시간에 기다리겠다고? 그게 무슨 말이지?' 아, 봉투 속에 들어 있던 편지를 까맣게 잊고 있었습니다. 편지에 어떤 실마리가 있을지 모르겠다는 생각에 편지를 꺼내 펼쳤습니다. 편지에는 이렇게 적혀 있었습니다.

똑똑하고 정직한 젊은이라고 당신 얼굴에 쓰여 있네요. 우리는 당신이 가난한 이 방인일 것이라고 판단했습니다. 봉투에 돈을 좀 넣어 두었는데, 이 돈을 이자 없이 30일 동안 빌려드리겠습니다. 30일이 지난 뒤 다시 저희 집으로 와 주십시오. 우리는 당신이 이 약속을 지킬 수 있을지 내기를 걸었습니다. 내기에서 이기면 보답으로 당신이 실력을 발휘할 수 있는 일자리를 찾아 드리겠습니다.

5

편지에는 서명도, 주소도, 날짜도 없었습니다.

이 무슨 도깨비장난이란 말입니까! 제가 앞에서 이야기해 주었기에 여러분은 어떤 상황인지 알고 있었겠지만 당시에 저는 아무것도 몰랐습니다. 아무리 궁리해도 맞춰지지 않는 퍼즐이었습니다. 무슨 일이 벌어지고 있는지, 지금 이 상황이 나에게 좋은 건지 나쁜 건지 전혀 알 수 없었습니다. 나는 공원으로 가 의자에 앉아서 앞으로 어떻게 하면 좋을지 생각을 정리하기 시작했습니다.

한 시간이 지났을 때 내 추론은 이렇게 마무리되었습니다.

두 노신사의 제안은 호의일 수도 악의일 수도 있다. 알 도리가 없으니 그건 그냥 내버려 두자. 무슨 게임이나 실험 같은 걸 벌이고 있는 모양인데 구체적인 내용을 파악할 수 없으니 이 또한 놓아두자. 나를 두고 내기를 걸었다고 하는데 무슨 내기인지 알 방법이 없으니 이것도 넘어가자. 불확실한 부분들을 제외하고 나니 내가 할 수 있는 일이 무엇인지 분명해졌습니다. 확신까지 생겼습니다. 영국은행에 가서 이 지폐를 소유주 계좌에 넣어 달라고 하는 것입니다. 나는 주인을 알지 못하지만 은행은 알겠지요. 하지만 은행은 나에게 어떻게 지폐를 갖게 되었는지 물을 텐데, 사실대로 털어놓으면 정신 병원에 갇힐 것이고, 거짓말을 하면 감옥으로 잡혀가겠지요. 지폐를 예치하거나 담보로 잡고 돈을 빌리려 해도 결과는 마찬가지겠지요. 결국 노신사들이 돌아올 때까지 좋든 싫든 이 엄청난 부담을 지고 갈 수밖에 없습니다. 나에게는 한 줌의 재처럼 쓸모가 없는 지폐이지만 어떻게든 잘 간수해야 했습니다. 누구에게 줘 버릴 수도 없는 노릇이었습니다. 선량한 시민이든 노상강도든 아무도 이 무용한 지폐로 곤란을 겪고 싶지는 않을 테니까요. 노신사들은 아무 걱정이 없습니다. 내가 지폐를 잃어버리거나 태워 버린다 해도 마찬가지입니다. 지폐의 효력을 정지시키고 은행에 새로 발권해 달라고 하면 그만이니까요. 반면에 나는 한 달 동안 아무런 보상도 없이 고통을 감내해야 합니다. 물론 내막을 알 수 없는 이 내기에서 이기게 해 준다면 일자리를 마련해 준다는 약속을 받긴 했습니다. 그렇다면 일자리를 선택해야겠지요. 그 정도의 신사들이 제안하는 일자리라면 꽤 괜찮을 겁니다.

6

나는 내가 갖게 될 일자리에 대해 생각하기 시작했습니다. 그러자 희망이 샘솟았습니다. 월급은 분명 많을 것입니다. 한 달 후 일을 시작한다면 이제 좀 제대로 살 수 있을 것입니다. 그런 생각을 하자 기분이 좋아졌습니다. 어느새 공원을 나와 거리를 걷습니다. 양복점이 보입니다. 누더기 같은 옷을 벗어 버리고 제대로 된 옷을 입고 싶은 마음이 간절합니다. 과연 가능할까? 안 되겠지요. 100만 파운드 지폐 한 장 말고는 땡전 한 푼 없으니 살 수 없습니다. 무거운 발걸음으로 양복점을 그냥 지나쳤습니다. 하지만 곧 다시 양복점 앞으로 돌아왔습니다. 너무나 간절한 유혹을 뿌리치기 힘들었습니다. 마음속 유혹과 씨름을 하며 양복점 앞을 여섯 번은 왔다 갔다 했습니다. 마침내 나는 유혹을 뿌리치지 못하고 양복점에 들어섰습니다. 양복점으로 들어가 혹시 치수가 맞지 않아 재고로 남은 옷이 있는지 물었습니다. 점원은 대답은 하지 않고 턱으로 다른 직원을 가리켰습니다. 그쪽으로 갔더니 그 점원도 역시 턱으로 또 다른 점원을 가리켰습니다. 결국 세 번째 점원이 입을 열었습니다.

"기다리세요."

나는 점원이 하던 일을 마칠 때까지 한참을 기다렸습니다. 그는 나를 뒤쪽 방으로 데려가 반품된 옷을 쌓아 놓은 곳에서 제일 허름해 보이는 옷을 골라 주었습니다. 입어 보았는데, 치수도 맞지 않고 맘에 드는 구석도 없는 옷이었습니다. 하지만 어쨌든 새 옷이었기에 불평하기보다는 갖고 싶은 열망이 더 컸습니다. 나는 다소 자신 없는 목소리로 물었습니다.

"며칠 있다가 돈을 드려도 될까요? 지금 잔돈이 없어서 그러는데요."

점원은 한껏 비웃는 표정으로 빈정거렸습니다.

"아, 그러세요? 물론 그럴 거라고 예상은 했습니다. 손님 같은 신사분들은 항상 고액권만 갖고 다니시죠."

나는 화가 났습니다.

"이보세요, 옷차림으로 상대를 판단하면 안 됩니다. 난 충분히 이 옷값을 치를 수 있지만 고액권을 거슬러 달라고 하는 게 미안해서 그럴 뿐이에요."

7

점원은 다소 기세가 꺾이긴 했지만 여전히 거들먹거리며 받아쳤습니다.

"무슨 악의가 있었던 것은 아닙니다. 하지만 우리가 손님의 고액권을 거슬러 주지 못할 것이라고 단정 짓는 것도 그리 정당하지는 않아 보이네요. 우리가 그 정도 능력은 될 텐데요."

나는 지폐를 건네면서 말했습니다.

"아, 그러시군요. 그렇다면 제가 사죄드립니다."

점원은 얼굴 가득 미소를 띠며 지폐를 받아 들었습니다. 연못에 벽돌 한 장을 던져 넣은 것처럼 얼굴에 주름이 퍼져 나가면서 환한 미소를 지어 보였습니다. 하지만 지폐의 금액을 확인하고는 그의 얼굴은 샛노랗게 박제되었습니다. 마치, 폼페이 베수비오 화산에서 꾸불꾸불 흘러내린 용암이 그대로 굳어 버린 모습 같습니다. 미소 짓는 표정이 그렇게 굳어 버린 모습은 난생처음 봤습니다. 지폐를 손에 들고 그런 꼴로 서 있는 점원을 보고 양복점 주인이 무슨 일인가 싶어 허겁지겁 달려왔습니다.

"무슨 일인가요? 뭐가 잘못됐나요? 뭘 도와드릴까요?"

나는 대답했습니다.

"문제는 없습니다. 저는 거스름돈을 기다리고 있습니다."

"토드, 뭐 하고 있어? 어서 잔돈을 내드려."

토드라는 직원이 대꾸했습니다.

"잔돈을 드리라고요? 말처럼 쉬운 일이 아닙니다, 사장님. 직접 지폐를 좀 보세요."

양복점 주인은 지폐를 보더니 부드러운 휘파람을 낮게 불며 반품된 옷 무덤 사이를 이리저리 헤쳐 가면서 혼잣말이라도 하듯 입을 열었습니다.

"괴짜 백만장자에게 저런 말도 안 되는 옷을 내주다니! 토드란 놈 머리가 어떻게 된 거 아니야? 항상 이런 식이라니까. 백만장자와 부랑자를 구별하는 눈도 없으니 귀한 손님이 오셔도 대접을 못해 드리지. 아, 제가 찾던 옷이 여기 있네요. 어서 그 말도 안 되는 옷을 벗어 버리세요, 선생님. 그냥 난롯가에 던져 버리시지요. 제가 직접 이 셔츠와 양복을 입혀 드리겠습니다. 잘 맞으시네요. 수수하면서도 화려하고 평범하면서도 고귀한 옷입니다. 외국의 왕자님께서 주문했던 옷이지요. 아, 핼리팩스 대공인데, 선생님도 물론 아시겠지요. 옷을 주문해 놓고 상복을 가져가셨어요. 모친께서 위험하다는 전갈을 받았거든. 하지만 결국 돌아가시지는 않았습니다. 뭐, 그래도 괜찮습니다. 항상 일이 우리가 아니, 손님들이 바라는 대로 풀리는 것은 아니니까요! 오, 바지도 잘 맞습니다. 아주 훌륭합니다, 선생님. 조끼는, 아 조끼도 완벽하네요! 코트까지 맞으면……. 오, 코트까지 모든 게 맞춤처럼 떨어지네요! 이렇게 옷맵시가 좋은 분은 평생 처음 봅니다."

8

나도 만족감을 표시했습니다.

"아주 좋습니다, 정말 좋고말고요. 임시변통으로 말입니다. 이제 본격적으로 옷을 해 드려야지요. 우리가 선생님 치수에 딱 맞는 옷을 제대로 만들어 드릴 테니 그때까지만 입어 주세요. 토드, 어서 수첩과 연필을 가져와 받아 적게. 다리 길이는 32인치이고……."

내가 뭐라 말할 틈도 없이 주인은 내 치수를 쟀고 예복, 정장, 셔츠, 기타 등등의 주문서를 작성했습니다. 나는 간신히 기회를 잡아 끼어들었습니다.

"저, 사장님. 지금은 주문을 할 수가 없습니다. 돈을 거슬러 주지 못하시면 무기한으로 외상을 할 수밖에 없습니다."

"무기한이라니요! 무기한은 적당한 단어가 아니지요. 영원히라도 기다려 드려야지요. 자, 토드. 어서 빨리 작업에 착수해서 하루빨리 손님 댁으로 갖다 드릴 수 있게 해. 하찮은 손님들은 좀 기다리게 하고. 이 신사분의 주소를 받아 두고……."

"아, 제가 숙소를 옮기려는 참입니다. 조만간 들러서 새 주소를 알려 드리겠습니다."

"물론이지요, 선생님, 그렇게 하시지요. 자, 제가 직접 배웅해 드리겠습니다. 이쪽입니다. 안녕히 가십시오, 선생님. 좋은 하루 되십시오."

그다음부터는 어떻게 상황이 풀렸을지 짐작하시겠죠? 나는 무엇이든 원하는 물건을 고르고 거스름돈만 요구하면 그만이었습니다. 일주일 만에 기본적인 생필품은 물론이고 사치품까지 마련했고 거처는 하노버 광장의 값비싼 호텔로 정했습니다. 저녁 식사는 호텔에서 했지만 아침만은 100만 파운드 지폐로 첫 끼니를 해결했던 해리스의 허름한 식당에서 먹었습니다. 해리스 식당은 내 덕분에 유명해졌습니다. 100만 파운드를 조끼에 넣고 다니는 괴짜 외국인이 그 식당에 단골로 드나든다는 소문이 퍼졌기 때문입니다. 소문은 날개를 달았습니다. 하루 벌어 겨우 하루 먹고살 정도로 파리나 날렸던 작은 식당이 이제는 명소가 되어 손님이 미어터질 지경이었습니다. 식당 주인은 너무 감사하다며 억지로 돈을 빌려주기까지 했습니다. 그리하여 나는 실제로는 무일푼이었음에도 부유한 귀족처럼 살게 되었습니다. 머지않아 재앙이 닥칠지 모른다는 불안감이 없는 건 아니었지만 앞으로 나아가지 않으면 가라앉을 수밖에 없는 상황이었습니다. 곧 불어닥칠 재앙에 대한 초조함은, 이 우스꽝스러운 상황에 심각하고 냉정하고 정확히는 비극적인 측면을 떠올리게 했습니다. 밤마다 비극적인 전망이 눈앞에 어른거리면서 경고하고 위협하는 바람에 신음하고 뒤척이느라 잠을 거의 이루지 못했습니다. 하지만 아침이 밝아 오면 비극적인 생각은 자취를 감추었고, 나는 세상으로 걸어 나와 현기증이 날 정도로 행복을 만끽했습니다.

9

그도 그럴 것이 세계의 중심지인 런던에서 유명 인사가 되었으니 머리가 살짝, 아니 확 돈다고 해도 전혀 이상한 일이 아니었습니다. 영국, 스코틀랜드, 아일랜드에서 발행되는 신문들은 모두 '100만 파운드 지폐를 주머니에 넣고 다니는 신사'가 무슨 말과 행동을 했는지 보도했습니다. 처음에는 지역 인사 가십난 맨 아래쪽에 실렸는데 차츰 기사, 준남작, 남작 위로 올라가더니 유명세가 계속 치솟으면서 더 이상 올라갈 수 없는 왕족과 영국의 대주교 바로 밑까지 올라갔습니다. 그래도 그때까지는 호기심의 대상에 불과했습니다. 그러다 어떤 사건을 계기로 확고한 명사의 반열에 오르게 되었습니다. 〈펀치〉라는 신문에서 내 캐리커처를 실은 것입니다! 그렇습니다. 나는 성공한 사람으로 확고한 명성을 얻게 되었습니다. 사람들은 나에게 농담을 건네더라도 예의를 지키며 존경의 의미를 담았습니다. 나의 위치는 전과 달라졌습니다. 미소를 건넬 수는 있어도 비웃지는 못할 상대가 된 것입니다. 캐리커처는 내가 누더기 옷차림으로 런던탑 경비

병들과 흥정을 벌이는 모습을 묘사했습니다. 살면서 한 번도 세간의 주목을 받아 본 적 없는 젊은이가 이제는 말 한마디만 해도 신문에 실립니다. 어디를 가든 사람들이 끊임없이 "저기 간다. 바로 저 사람이야!"라며 수군거리고, 아침 식사를 하러 가면 사람들이 몰려들고, 오페라 극장에 가면 수많은 오페라글라스의 시선이 나에게 집중됩니다. 상상해 보십시오. 나는 찬란한 빛 속에서 허우적거리며 영광의 나날을 즐겼습니다.

사실 나는 누더기 옷을 버리지 않고 가끔씩 꺼내 입고 외출을 했습니다. '싸구려' 물건을 고르고 모욕을 당한 뒤 100만 파운드 지폐를 들이밀어 상대방을 놀라게 하는 즐거움을 놓치고 싶지 않았습니다. 하지만 더 이상 그런 장난은 칠 수 없게 되었습니다. 잡지에 실린 캐리커처로 인해 내 누더기 옷은 유명해져서 입고 나가기만 하면 구경꾼들이 몰려들었고 상점에서 뭘 사려고 하면 지폐를 꺼내기도 전에 외상으로 모든 물건을 다 가져가라고 말할 정도였습니다.

10

유명세를 탄 지 열흘쯤 되었을 때 나는 조국에 대한 의무를 다하고 미국 공사에게 예의를 보이고자 공사관을 찾았습니다. 공사는 극진한 환호로 나를 맞아 주었고 늦게 찾아온 것을 나무라며 그날 밤 열린 파티에 몸이 좋지 않아 오지 못하는 손님을 대신해 참석해 준다면 마음을 풀겠노라고 했습니다. 나는 초대를 받아들였습니다. 이어 이야기를 나누다 보니 공사와 내 아버지가 어린 시절 친구이자 예일대 동창이었고 아버지가 돌아가실 때까지 벗으로 지내셨다는 것을 알게 되었습니다. 공사는 시간이 날 때마다 자기 집에 들르라고 했고 나도 기꺼이 수락했습니다.

사실 '기꺼이' 정도가 아니라 황송할 정도로 기뻤습니다. 훗날 재앙이 닥치더라도 공사가 도와준다면 완전히 몰락하지는 않을 테니까요. 막연하긴 했지만 어쨌든 도움이 되리라 생각했습니다. 그에게 모든 사실을 털어놓는 모험을 하기에는 이미 늦었습니다. 런던에 도착해 이 엉뚱한 일에 말려들자마자 공사를 만났더라면 고백을 했겠지요. 하지만 지금은 너무 늦었습니다. 새로 만난 친구에게 사실을 밝히는 위험을 무릅쓰기에는 너무 멀리 와 버렸습니다. 그렇다고 내가 상황을 전혀 감당하지 못할 정도로 멀리 온 것은 아니었습니다. 돈을 빌려 생활하고 있긴 했지만 앞으로 벌게 될 월급의 범위를 생각하며 분수를 넘지 않게 신경 썼습니다. 정확히 얼마가 될지는 몰랐지만 어느 정도 짐작할 수는 있었습니다. 노신사가 내기에 이기면 내 능력에 맞는 일자리를 구해 주겠다고 했고 나는 충분히 내 능력을 보여 줄 수 있었습니다. 그 점에는 의심의 여지가 없었습니다. 내기에 대해서도 걱정하지 않았습니다. 난 항상 운이 좋았으니까요. 내가 예상하는 연봉은 600파운드에서 1,000파운드인데, 처음에는 600파운드 정도 받는다고 해도 능력을 인정받으면 해마다 연봉이 올라갈 것입니다. 계산을 해 보니 그 시점에서 내가 진 빚은 첫해 연봉 정도 되었습니다. 모두들 돈을 빌려주고 싶어 했지만 나는 이런저런 핑계를 대며 물리쳤습니다. 600파운드의 빚 중에도 현금으로 빌린 것은 300파운드뿐이고 나머지는 생활비와 물건 구입비였습니다. 신중하게 지출을 관리한다면 노신사를 다시 만날 때쯤이면 빚이 두 해 연봉 정도가 될 것입니다. 어쨌든 한 달만 무사히 보내면 노신사가 여행에서 돌아올 것이고 모든 것이 정리될 것입니다. 바로 일을 시작하고, 2년치 연봉에 대한 권리를 채권자들에게 넘겨주면 될 일이었습니다.

11

파티의 참석자는 열네 명으로 즐거운 분위기였습니다. 쇼어디치 공작 부부, 그들의 딸 앤 그레이스 엘리노어 셀레스트 어쩌고저쩌고 드 보훈 양, 뉴게이트 백작 부부, 칩사이드 자작, 블래더스카이트 지주 부부, 작위가 없는 몇몇 남녀, 공사 부부와 그 딸, 공사관에 머물고 있다는 공사 딸의 친구인 스물두 살의 영국

아가씨 포셔 랭검 등이었습니다. 나는 포셔라는 아가씨와 만난 지 2분 만에 사랑에 빠졌습니다. 포셔도 나를 좋아한다는 것은 눈 감고도 알 수 있을 정도였습니다. 그 외에 미국인이 한 명 더 있었습니다. 내 이야기를 먼저 하다 보니 마지막으로 그 친구 이야기를 하게 되었네요. 응접실에서 식전주를 마시며 늦게 들어오는 손님들을 면밀히 관찰하고 있었는데, 하인이 외치는 소리가 들려왔습니다.

"로이드 해스팅스 씨가 도착하셨습니다."

인사치레를 한바탕 끝낸 로이드가 나를 발견하고는 반갑게 손을 내밀며 다가오다가 당황해하며 걸음을 멈췄습니다. 그는 난처한 표정으로 말했습니다.

"이런, 죄송합니다. 아는 사람인 줄 알았네요."

"뭔가, 이 사람아. 자네가 아는 그 사람 맞네."

"아닙니다. 당신은 바로 그…… 100만 파운드 지폐……."

"100만 파운드 지폐를 지닌 괴짜 말인가? 그 사람이 바로 날세. 그렇게 불러도 좋네. 나도 그 별명에 이제 익숙하니."

"맙소사, 정말인가? 이런 놀라운 일이! 기사에서 100만 파운드 지폐를 가진 사나이의 실명도 두어 번 보긴 했지만 설마 그 헨리 애덤스일 거라고는 상상도 못 했는데. 샌프란시스코 블레이크 홉킨스에 근무하면서 우리가 굴드와 커리의 합병 서류를 분석하고 작성하느라 밤늦게까지 야근하던 때가 불과 6개월 전이지 않나? 그런데 지금은 어마어마한 백만장자에 런던의 유명 인사라니! 아라비안나이트도 아니고 어찌 된 일인가? 도무지 영문을 모르겠네. 놀라서 진정이 안 되네."

"로이드, 나도 자네와 마찬가지로 허공에 뜬 기분이야. 나도 믿기지 않아."

12

"굉장하군, 입이 다물어지지 않네. 바로 석 달 전에 우리가 마이너식당에서……."

"이보게, 마이너식당이 아니고 왓치어였네."

"그렇지, 왓치어로 갔었지. 여섯 시간 동안 머리를 쥐어짜며 합병 서류를 검토하다가 새벽 2시에 거기로 건너가 고기 요리를 먹으면서 커피를 마셨지. 그때 내가 자네에게 같이 런던으로 가자고 설득했잖아. 수당과 체류 비용 모두 내가 부담하고 거래가 성사되면 사례비도 주겠다고 했지만 자네는 성공하기 힘든 거래라면서 실패하고 돌아오면 다시 자리 잡기 힘들 거라고 만류했지. 그랬던 자네를 여기에서 만나다니. 신기할 뿐이네! 어떻게 자네가 런던에 있나? 이 믿을 수 없는 상황은 어찌 시작된 건가?"

"순전히 우연이었네. 얘기가 길어. 나중에 다 말해 주겠네. 하지만 지금은 안 된다네."

"언제 말해 줄 수 있나?"

"이달 말에."

"2주일이나 남았는데. 그때까지 어찌 기다리란 말인가? 다음 주로 하세."

"그럴 수 없네. 때가 되면 자네도 내가 이러는 이유를 알게 될 거야. 그나저나 거래는 어떻게 되었나?"

로이드는 갑자기 풀이 죽어 한숨을 내쉬었습니다.

"자네가 상황을 제대로 보았어. 자네 말이 맞았네. 런던으로 오는 게 아니었어. 사업 이야기는 하고 싶지도 않네."

"무슨 소린가? 파티가 끝나면 오늘 밤은 내 숙소에 머물면서 그간의 이야기를 나누세."

"정말 내 이야기가 궁금한가? 진심이야?"

로이드의 눈시울이 붉어졌습니다.

"그렇고말고. 하나도 빠짐없이 모두 말해 주게."

13

"정말 고맙네! 계속되는 실패를 겪고 나니 이제 나에게 관심을 갖고 인간적으로 대해 주는 사람이 없을 거라고 생각했네! 고마워서 무릎이라도 꿇고 싶은 심정이군!"

로이드는 내 손을 꽉 쥐고는 다시 기운을 차리며 만찬이 시작되길 기다렸습니다. 그런데 만찬은 시작될 기미가 보이지 않았습니다. 영국 만찬에 으레 따르는 관행, 즉 누가 상석에 앉을 것인가 하는 문제가 해결되지 않은 탓이었습니다. 그래서 이런 상황에 익숙한 영국인들은 파티에 오기 전에 저녁을 미리 먹고 오는데, 이런 사정을 모르는 외국인은 골탕을 먹지요. 로이드만 빼고 모두 만찬에 익숙한 사람들이었습니다. 다행히도 공사가 저녁을 먹고 오라고 로이드에게 미리 귀띔을 해 주었기에 이번 파티에서는 아무도 주린 배를 움켜쥐지 않았습니다. 때가 되자 신사들은 관례에 따라 각자 부인의 손을 잡고 식당에 들어섰습니다. 드디어 예상했던 문제가 터지기 시작했습니다. 쇼어디치 공작이 자신이 상석에 앉아야 한다고 주장했습니다. 공사는 군주가 아니고 한 나라를 대표하는 직책에 불과하니 자기가 더 높다고 말했습니다. 나도 내 권리를 주장하며 맞섰습니다. 여기 모인 사람들 중에서 신문 맨 위에 실리는 사람은 나니까 상석도 양보하지 못하겠다고 말했습니다. 당연히 타협은 이루어지지 않았죠. 급기야 공작은 태생까지 들먹이기 시작했습니다. 그는 정복왕 윌리엄 1세의 후손이라고 말했는데, 나는 내 이름을 보면 알 수 있겠지만 아담의 후손이라고 말했습니다. 공작의 이름을 보면 노르만족의 혈통과 섞인 방계[1]가 아니냐며 받아쳤습니다. 결국 결론을 내지 못하고 우리는 다시 줄을 서서 거실로 돌아와 선 채로 정어리와 딸기로 가벼운 식사를 했습니다. 거실에서는 자리가 그리 문제가 되지 않습니다. 제일 지위가 높은 사람 두 명이 나와 1실링짜리 동

---

1 방계 시조가 같은 혈족 가운데 직계에서 갈라져 나온 친계.

전을 던져 이긴 사람이 먼저 음식을 집습니다. 진 사람은 동전을 가집니다. 차례대로 우리는 동전을 던져 모두 식사를 마쳤습니다. 간단한 식사가 끝나고 테이블을 정리한 뒤 우리는 한 판에 6펜스씩 걸고 크리비지[2] 게임을 했습니다. 영국인들은 내기 없이는 게임을 하지 않습니다. 이기든 지든 신경 쓰지 않지만 내기는 반드시 합니다.

14

우리는 모두 즐거운 시간을 보냈는데 특히 포셔와 내가 그랬습니다. 연속되는 숫자 카드가 있어도 알아차리지 못할 정도로 나는 포셔에게 흠뻑 빠져 있었습니다. 포셔도 마찬가지였습니다. 점수판이 움직이지 않고 있어도, 게임이 원점으로 돌아가도, 계속 지고 있어도, 게임이 엉망이 되어 가도 신경 쓰지 않았습니다. 게임은 아무래도 상관없었습니다. 그저 방해받고 싶지 않을 뿐이었습니다. 나는 포셔에게 사랑한다고 고백했습니다. 포셔는 머리카락까지 붉어질 정도로 새빨간 홍당무가 되어 자기도 그렇다고 답했습니다. 오, 내 생애 그런 황홀한 밤은 처음이었습니다! 나는 판에서 말을 옮길 때마다 포셔에게 말을 덧붙였습니다. "2점으로 올라갑니다. 당신은 정말로 아름답네요!" 그러면 포셔는 "15가 2, 15가 4, 15가 6. 한 쌍은 8, 8은 16이네요. 정말 그렇게 생각하세요?"라고 대답했습니다. 속눈썹을 내리깔고 비스듬히 올려다보는데 어찌나 다정하고 매력적이었던지. 이 세상의 아름다움이 아니었습니다!

포셔에게만은 아무것도 숨기고 싶지 않았습니다. 그녀도 익히 알고 있는 100만 파운드 지폐는 사실 내 것이 아니며, 나는 1센트도 없다고 털어놓고 말았습니다. 포셔는 내 이야기에 흥미를 보였고 나는 낮은 목소리로 처음부터 끝까지 모든 이야기를 들려주었습니다. 포셔가 어찌나 웃어 대던지 나는 30초마다 말을

---

2 크리비지 카드 게임의 일종.

그치고 포셔가 웃음을 그칠 때까지 1분 30초 정도 기다려야 했습니다. 포셔는 진심으로 재밌다는 듯이 웃었습니다. 나는 근심과 걱정과 불안이 가득한 이야기를 듣고도 그런 반응을 보일 수 있는 사람은 만나 본 적이 없습니다. 어두운 이야기에도 밝게 웃어 주는 포셔를 보니 그녀가 더 사랑스러웠습니다. 머지않아 나에게는 그런 아내가 필요할 테니까요. 물론 나는 제대로 돈을 벌려면 2년은 기다려야 한다는 말도 했습니다. 포셔는 괜찮다며 3년 뒤 연봉까지 축낼 정도로 돈을 낭비하지 않도록 조심하라고 말했습니다. 그러면서 첫해 연봉을 너무 높게 잡은 것은 아니냐며 걱정을 해 주기도 했습니다. 포셔의 말이 일리가 있었기에 나도 약간은 주눅이 들었습니다. 하지만 이내 좋은 생각이 떠올라 단도직입적으로 포셔에게 물었습니다.

15

"노신사들을 만나는 날 나와 함께 가 주시겠어요?"

포셔는 약간 주춤거리다가 대답했습니다.

"네, 제가 함께 가는 게 도움이 된다면요. 하지만 그게 적절한 행동일까요?"

"잘 모르겠어요. 아닐지도 모르죠. 하지만 인생이 달린 문제이니……."

"그렇다면 옳든 그르든 함께 가서 부딪혀요."

포셔는 열정에 찬 아름다운 목소리로 말했습니다.

"제가 도움이 될 수 있다니 정말 기뻐요!"

"도움이 된다고요? 도움 정도가 아닙니다. 이렇게 아름답고 사랑스럽고 매력적인 분이 옆에 있다면, 노신사분들도 자신들이 파산할 정도로 높은 연봉을 달라고 해도 거절하지 못할 거예요."

아! 포셔의 상기된 표정과 행복하게 반짝이는 두 눈을 여러분도 보았어야 하는데!

"아첨도 잘하시네요! 전혀 맞는 말은 아니지만 어찌 되었든 함께 가요. 어찌면 다른 사람들은 당신처럼 나를 바라보지 않는다는 걸 알려 드릴 기회가 될지도 모르겠네요."

의심이 사라지고 자신감을 되찾은 걸까요? 그랬나 봅니다. 나는 곧바로 첫해 예상 연봉을 1,200파운드로 인상했습니다. 하지만 나중에 놀라게 해 줄 생각으로 포셔에게는 말하지 않았습니다.

호텔로 돌아오는 내내 구름 위를 걷는 듯했습니다. 로이드가 계속 무슨 말을 했지만 하나도 귀에 들어오지 않았습니다. 숙소에 도착한 로이드가 고급스러운 가구와 물건들에 찬사를 보내는 통에 나는 현실로 돌아왔습니다.

"잠깐 여기 서서 맘껏 구경 좀 할게. 세상에! 여긴 완전 궁전이네, 말 그대로 궁전이야! 아늑한 난로며 밤참이며 원하는 게 다 준비되어 있네. 헨리, 자네 집을 보니 자네가 얼마나 부자이고 내가 얼마나 가난한지, 얼마나 비참하게 실패했는지 뼛속 깊이 느껴지네."

16

제기랄! 로이드의 말을 듣는 순간 소름이 돋았습니다. 나는 꿈에서 깨어나 화산 분화구 바로 위 얇은 더께 위에 서 있는 내 현실을 깨달았습니다. 방금 전 일은 전혀 현실이 아닌 꿈에 불과했습니다. 젠장! 나는 땡전 한 푼 없이 빚더미에 올라 있는 상황이었습니다. 사랑스러운 포셔의 행복과 불행이 내 손에 달려 있었습니다. 앞으로 받을 연봉이라는 것도 어쩌면 허상에 불과할지 모릅니다! 아아아, 나는 조금의 희망도 품지 못할 정도로 파멸하고 말 것입니다! 아무것도 나를 구원하지 못할 겁니다!

"헨리, 내가 자네 하루 수입의 쥐꼬리만큼이라도 벌 수 있다면……."

"내 하루 수입이라고! 아이고. 일단 앉아서 따뜻한 위스키나 마시면서 자네의 영혼을 위해 건배하세. 여기 앉게! 아, 이런, 자네는 배가 고프겠군, 그럼 일단……."

081

"뭘 먹고 싶지는 않네, 허기도 가셨고. 요즘은 통 식욕이 없어. 하지만 술이라면 쓰러질 때까지 마시겠네."

"좋지, 그럼 실컷 마셔 보자고! 내가 위스키를 데우는 동안 자네는 이야기나 풀어 보게."

"내 이야기를? 또 하라는 말인가?"

"또라니? 그게 무슨 말인가?"

"내 이야기를 왜 다시 듣고 싶다는 말인가?"

"다시 듣고 싶다니? 무슨 스무고개라도 하나? 벌써 취하기라도 한 거야?"

"이보게, 헨리. 무슨 일이라도 있나? 여기까지 오는 길에 모든 이야기를 다 하지 않았나?"

"자네가?"

"그래, 내가 말일세."

"한 마디라도 들었다면 내 손에 장을 지지겠네."

"헨리, 이젠 걱정까지 되려고 하네. 왜 그러나? 공사관 파티에서 무슨 일이라도 있었나?"

17

번뜩 정신이 들었습니다. 나는 남자답게 곧바로 시인했습니다.

"아, 그게. 세상에서 제일 멋진 아가씨를 만나서 포로가 되고 말았네."

로이드는 내가 말을 마치기도 전에 악수를 해 왔고 우리는 쥐가 나도록 손을 흔들어 댔습니다. 로이드는 5킬로미터나 걸어오면서 들려준 이야기를 내가 하나도 듣지 않고 있었다는 것도 질책하지 않았습니다. 그저 자리에 앉아 인내심 있게 다시 한번 모든 이야기를 들려주었습니다. 로이드의 이야기를 요약하면 이랬습니다. 로이드는 굴드와 커리 합병 회사의 채굴 판매 독점권을 가지고 영국으로 건너왔습니다. 100만 달러 계약금이 걸린 사업이었습니다. 로이드는 인맥을

총동원해 사방팔방 뛰어다녔지만 가진 돈은 거의 바닥났고 관심을 보이는 자본가는 나타나지도 않았으며 설상가상으로 판매권도 이달 말이면 끝난다고 했습니다. 한마디로 파산이었습니다. 긴 이야기를 마친 로이드는 갑자기 벌떡 일어나더니 소리쳤습니다.

"헨리, 자네라면 될 거야! 자네라면 나를 구해 줄 수 있어. 그렇게 해 주겠나? 해 줄 수 있겠나?"

"어떻게 하면 될지 말을 해 보게, 이 친구야."

"채굴권을 줄 테니 100만 달러와 여비 정도만 챙겨 주게! 거절하지 말아 주게!"

나는 갈등했습니다. 하마터면 로이드에게 이렇게 말할 뻔했습니다.

'로이드, 사실 나도 한 푼 없는 빈털터리에 빚쟁이란 말이네!'

입을 열려던 찰나 굉장한 생각이 떠올라 입술을 깨물고 냉철한 자본가처럼 마음을 다스렸습니다. 그러고는 차분하게 상업적인 어조로 말했습니다.

"내가 도와주겠네, 로이드."

"자네가 도와준다면 나는 이제 살았네! 신의 축복이 자네에게 영원하길! 정말이지……."

18

"이야기를 끝까지 들어 보게, 로이드. 자네를 도와주겠지만 자네가 말한 방법과는 다르네. 자네가 위험을 감수하며 이렇게 최선을 다했는데 파산한다는 건 온당치 않지. 나한테 광산은 필요 없다네. 런던 같은 상업 중심지에서는 실물이 없이도 자본 투자를 할 수 있다네. 내가 해 오던 일도 그런 거고. 내 계획은 이렇네. 그 광산에 대해서는 나도 잘 알고 있네. 가치가 어마어마하다는 것을 훤히 알고 있으니 누구에게라도 보증을 서겠네. 내 명성을 이용한다면 보름 안에 채굴권을 현금 300만 달러에 매도하는 건 문제도 아닐 거야. 수익금은 반으로 나누기로 하세."

로이드가 어떻게 나왔는지 짐작이나 하시겠습니까? 엄청나게 기뻐하며 온 방을 휘젓고 다니느라 내가 다리를 걸어 넘어뜨려 진정시키지 않았더라면 방 안의 가구란 가구는 모두 부술 기세였습니다.

로이드는 바닥에 그대로 누워 행복에 겨워 말했습니다.

"그래, 자네의 명성을 이용하는 거야! 부유한 런던 사람들이 떼로 몰려와 서로 사겠다고 아우성치겠지. 이제 됐네. 난 성공이야. 평생 이 은혜를 잊지 않겠네."

채 24시간이 흐르기도 전에 온 런던이 술렁거리기 시작했습니다. 나는 호텔 방에서 쉬다가 손님이 찾아오면 대답만 해 주었습니다.

"맞습니다. 제 이름을 대라고 했습니다. 그 사람이나 그 광산에 대해서 잘 압 니다. 신용할 만한 사람이고 가치가 충분한 광산입니다."

내가 한 일은 그게 전부입니다.

저녁에는 공사관으로 가서 포셔를 만났습니다. 포셔에게는 광산 이야기를 한 마디도 하지 않았습니다. 나중에 놀라게 해 줄 작정이었습니다. 우리는 연봉 이 야기를 했습니다. 연봉과 사랑 이야기만 했습니다. 때로는 사랑에 대해, 때로는 연봉에 대해, 때로는 연봉과 사랑에 대해 이야기했습니다. 우리의 사랑을 지지 하던 공사부인과 딸은 우리가 방해받지 않도록, 공사가 눈치채지 못하도록 온갖 기발한 방법을 강구해 자리를 마련해 주었습니다. 정말 고마운 일이 아닐 수 없 습니다!

19

노신사들과 약속한 한 달이 지났을 때, 런던 앤 카운티 은행의 내 명의 통장 에는 100만 달러, 즉 20만 파운드의 예금이 찍혀 있었습니다. 로이드의 통장도 마찬가지였습니다. 나는 제일 좋은 옷을 차려입고 집을 나섰습니다. 포셔를 데 리러 공사관으로 가는 도중에 포틀랜드 플레이스의 저택을 힐끔 보았는데, 두 노신사가 돌아온 것이 확실했습니다. 나는 사랑스러운 포셔를 태우고 다시 저택으로 향했습니다. 우리는 다시금 연봉 이야기를 나눴습니다. 포셔는 흥분과 긴장으로 들떠 있었는데 그 모습이 표현하기 힘들 정도로 아름다웠습니다. 나는 포셔에게 말을 건넸습니다.

"내 사랑, 오늘 당신의 모습을 보니 연봉 3,000파운드 이하로 협상하는 것은 죄악 같군요."

"오, 헨리, 헨리. 그러다 일을 망치려고요!"

"걱정하지 말아요. 나를 믿고 지금 이 표정만 흐트러뜨리지 말고 유지해 줘요. 그러면 모든 게 잘될 거예요."

나는 가는 길 내내 포셔를 안심시켰습니다. 그래도 포셔는 걱정스러운지 말을 이었습니다.

"너무 무리하게 요구했다가 결국 일을 못 구하게 될 수도 있어요. 그러면 우리는 어떻게 해요? 무엇으로 먹고사나요?"

한 달 전에 문을 열어 주었던 바로 그 하인이 우리를 맞았습니다. 방에는 두 노신사가 앉아 있었습니다. 내 옆에 있던 아름다운 여인을 보고 깜짝 놀란 것은 두말하면 잔소리이지요.

"이 아가씨는 저와 미래를 함께할 사람입니다."

나는 포셔를 소개하면서 두 신사의 이름을 불렀습니다. 신사들은 놀라지 않았습니다. 내가 인명록을 찾아볼 정도는 된다는 걸 알고 있었을 테니까요. 그들은 우리에게 자리를 권했습니다. 나에게는 깍듯하게 예의를 차렸고 포셔에게는 어색함을 풀고 편안하게 해 주려고 배려했습니다. 나는 입을 열었습니다.

"자, 저는 말씀을 드릴 준비가 되었습니다."

"어서 해 보게. 이제 우리 형제의 내기에 결말이 나겠구먼. 내가 이긴다면 약속한 대로 원하는 일자리로 보답하겠네. 그래 100만 파운드 지폐는 가지고 왔나?"

20

"여기 있습니다, 선생님."

나는 지폐를 건네주었습니다.

"내가 이겼군!"

노신사가 환호하며 옆에 앉은 형제 신사의 등을 두드렸습니다.

"이것 좀 보게! 무슨 말이라도 해 보게."

"정말로 멀쩡하게 살아남았군. 허허, 내가 20만 파운드를 잃었네. 이렇게 되리라고는 상상도 못 했는데."

"더 말씀드릴 것이 남았는데 이야기가 꽤 깁니다. 조만간 다시 한번 찾아뵙고 그간 있었던 일들의 전말을 들려드리겠습니다. 분명 들어 보실 만한 가치가 있다고 장담합니다. 일단은 이걸 좀 보시지요."

"이게 뭔가! 이건 20만 파운드 예금 증서가 아닌가! 자네 것인가?"

"네, 제 것입니다. 두 분이 한 달 동안 빌려준 지폐를 활용해서 벌었습니다. 선생님들의 지폐는 그저 자잘한 것들을 살 때 보여 주고 돈을 거슬러 달라고 하는 정도로만 사용했습니다."

"이런, 정말 대단하군. 믿을 수 없을 만큼 기가 막히는데."

"제가 믿게 해 드리지요. 어찌 된 일인지 다 설명해 드리겠습니다."

옆에 있던 포셔도 깜짝 놀라 눈이 휘둥그레졌습니다.

"헨리, 정말 당신 돈인가요? 지금까지 절 속인 거예요?"

"그랬어요, 내 사랑. 용서해 주리라 믿어요."

포셔는 입술을 뾰로통하게 말고 대답했습니다.

"그렇게 확신하지는 마세요. 저까지 속이다니 너무했어요!"

"오, 그냥 넘어가 줘요. 당신을 깜짝 놀라게 해 주려고 했을 뿐이에요. 그럼, 이제 우리는 일어나요."

"잠깐 기다리시오! 일자리 말이요. 약속한 대로 일자리를 드려야지요."

신사가 말했습니다.

"제안은 감사하지만 저는 일자리를 원하지 않습니다."

21

"보답으로 좋은 일자리를 드리려고 했는데."

"다시 한번 깊이 감사드립니다. 하지만 좋은 일자리라고 해도 필요 없습니다."

대화 도중 포셔가 끼어들었습니다.

"헨리, 제가 다 부끄럽네요. 감사의 인사를 제대로 드려야지요. 제가 대신할까요?"

"정말 그렇게 해 주면 좋겠네요. 어떻게 하면 되는지 좀 알려 주세요."

포셔는 노신사에게 걸어가 그의 무릎 위에 앉더니 손을 목에 두르고 입술에 입을 맞췄습니다. 두 노신사는 껄껄거리며 웃기 시작했고 나는 지금 여러분과 마찬가지로 당황스러운 나머지 그 자리에서 얼어붙었습니다. 포셔가 입을 열었습니다.

"아빠, 저이는 아빠가 자기한테 걸맞은 일자리를 못 줄 거라네요. 저도 그 말을 듣고 너무 무례하다고 생각했는데……."

"잠깐, 포셔! 이분이 당신 아버지인가요?"

"맞아요, 저희 양아버지세요. 저에게 가장 소중한 사람이지요. 당신이 아무것도 모른 채 공사관에서 저희 아빠와 삼촌의 내기로 골치를 썩고 있다는 이야기를 할 때 제가 왜 그렇게 웃었는지 이제 이해가 되시지요?"

나는 그 말을 듣고 머뭇거릴 틈도 없이 곧장 본론으로 들어갔습니다.

"아, 존경하는 어르신. 제가 좀 전에 한 말은 취소하겠습니다. 어르신은 제가 원하는 일자리를 주실 수 있는 분이십니다."

"말해 보게."

"사위 자리입니다."

"이런, 이런, 이런! 하지만 자네가 이 분야에 경력이 있는 것도 아니고 충분한 자격을 갖췄다는 추천서를 받아 올 수도 없는데……."

"일단 한번 써 보십시오. 부탁드립니다! 30~40년 정도 써 보시고……."

"좋네, 그 정도야 뭐. 포셔를 데려가게."

22

우리 둘이 행복했냐고요? 어떤 말로도 충분하지 못할 만큼 행복했습니다. 하루 이틀 지나 사람들이 100만 파운드 지폐 사나이의 한 달간의 모험과 그 결말을 알게 되었을 때 온 런던이 떠들썩했냐고요? 맞습니다.

포셔의 아버지는 그 정든 지폐를 영국은행에 반환했습니다. 은행은 지폐의 효력을 정지시킨 후 기념으로 간직할 수 있도록 돌려주었고, 포셔의 아버지는 그 지폐를 우리에게 결혼 선물로 주셨습니다. 이후 지폐는 액자에 끼워져 우리 집의 명당자리에 걸려 있습니다. 내게 포셔를 안겨 준 고마운 지폐이기 때문입니다. 지폐가 없었더라면 나는 런던에 머물지 못했을 테고, 공사관 파티에 참석하지 못했을 거고, 포셔를 만나지 못했을 테니까요. 그래서 나는 지폐를 설명할 때 항상 이렇게 말합니다.

"네, 저건 100만 파운드 지폐가 맞습니다. 하지만 저 지폐로 산 건 딱 하나입니다. 그나마도 실제 가치의 10분의 1 정도밖에 지불하지 못했지만요."

(1893년)

번역 김성순

마녀의 빵

오 헨리

오 헨리(O. Henry, 1862~1910)

본명은 윌리엄 시드니 포터(William Sydney Porter)로, 미국 노스 캐롤라이나주에서 태어났다. 카우보이, 점원, 직공, 은행원 등 여러 직업을 전전하다가 은행 공금 횡령 혐의로 3년간 수감 생활을 한다. 이후 감옥에서의 체험을 바탕으로 단편 소설을 쓰기 시작했고 '오 헨리'라는 필명으로 단편 소설을 발표하면서 전업 작가의 길로 들어섰다. 10년 남짓한 작가 생활 동안 〈마지막 잎새〉 〈크리스마스 선물〉 등 300편에 가까운 단편 소설을 썼으며 가난한 서민들의 이야기를 소재로 하여 유머와 애수, 따뜻한 휴머니즘을 탁월하게 묘사했다.

마사 미첨 양은 길모퉁이에서 작은 빵집을 운영했다. (계단을 세 칸 올라가 문을 열면 종이 땡그랑 울리는 가게였다.)

올해로 마흔 살이 된 마사는 은행 통장에 2,000달러를 모아 두었고, 의치를 두 개 해 넣었으며, 정이 많아 남의 딱한 사정을 그냥 지나치는 법이 없었다. 마사보다 못한 여자들도 잘만 결혼해 살았지만, 마사는 아직 혼자였다.

요즘 그녀가 눈여겨보기 시작한 손님은 일주일에 두세 번 빵집을 들렀다. 그는 중년의 남자로, 안경을 썼고 갈색 수염은 끝부분까지 세심하게 다듬어져 있었다.

말할 때는 독일어 억양이 강하게 묻어났다. 옷은 낡아 꿰맨 흔적이 군데군데 보였고 여기저기 구겨지고 헐렁했다. 하지만 그는 언제나 단정했고 아주 점잖았다.

그는 묵은 빵을 항상 두 덩어리씩 사 갔다. 갓 나온 빵은 한 덩어리에 5센트였지만 묵은 빵은 두 덩어리에 5센트였다. 그가 찾는 것은 늘 묵은 빵이었다.

한번은 그가 손가락에 빨간색과 갈색 물감을 묻힌 채 빵집에 왔다. 그것을 본 마사는 그가 가난한 화가임을 확신했다. 다락방에 틀어박혀 그림을 그리다가 그녀의 빵집에서 파는 비싼 빵들을 상상하며 케케묵은 빵을 베어 무는 그의 모습이 눈에 선했다.

이따금 마사는 따뜻한 고기와 부드러운 롤빵, 맛있는 잼과 차를 차려 놓고 앉아 한숨을 푹 내쉬었다. 을씨년스러운 다락방에서 말라비틀어진 빵으로 허기를 채울 점잖은 화가에게 이 맛있는 음식을 나눠 줄 수 있다면 참 좋을 것 같았다.

말했듯이 마사는 남의 딱한 사정을 그냥 지나치는 법이 없었다.

그녀는 그가 정말 화가인지 확인하기 위해 언젠가 할인을 받아 마련한 그림 한 점을 방에서 가지고 나와 판매대 뒤편 선반에 두었다.

그 그림은 베네치아 풍경화였다. 화려한 대리석 궁전(그림에 이렇게 적혀 있었다.)이 앞쪽에, 정확히는 물가 앞에 있었다. 주변에는 (손으로 물살을 가르는 귀부인을 태운) 배들과 구름과 하늘이 그려져 있었고, 전체적으로 풍부한 명암 기법이 돋보였다. 화가라면 당연히 눈이 갈 그림이었다.

이틀 후 드디어 그가 빵집으로 들어왔다.

"묵은 빵 두 덩어리를 부탁합니다. 여기에 멋진 그림을 두셨군요."

그녀가 빵을 포장하는데 그가 말을 건넸다.

"그런가요?"

마사는 자신의 작전이 통한 것을 속으로 기뻐하며 답했다.

"제가 예술을 꽤 좋아하거든요. (잠깐, 여기서 바로 '예술가'란 말을 해 버리면 곤란하지.) 그림도요."

그녀는 얼른 말을 바꿔 덧붙였다.

"그림이 마음에 드세요?"

"균형이 살짝 안 맞네요. 원근법도 왜곡되었고요. 그럼, 안녕히 계십시오."

그는 빵을 받아 들고 고개를 숙여 인사한 뒤 바삐 가게를 나섰다.

그렇다. 그는 정말 화가였다. 마사는 그림을 도로 방에 가져다 두었다.

안경을 걸친 그의 눈은 어쩜 그리 온화하고 상냥하게 반짝거릴까! 이마는 또 어찌나 훤칠하던지! 잠깐 보고 원근법을 평가할 수 있는 사람인데 겨우 묵은 빵으로 끼니를 때우다니! 하기야 원래 천재란 인정받기까지 고생하는 법이지.

만약 그와 같은 천재가 통장에 2,000달러가 있고 자기 빵집에다 따뜻한 마음씨까지 가진 사람의 도움을 받는다면, 얼마나 대단한 작품이 나올까? 물론 이 모든 것은 마사 혼자만의 생각이었다.

이제 그는 진열장을 사이에 두고 그녀와 잠시 이야기를 나누다 가고는 했다. 마사와 대화하며 활기찬 기운을 얻고 싶어 하는 것처럼 보였다.

그는 여전히 묵은 빵만 사 갔다. 케이크나 파이, 그녀가 맛있게 구워 낸 과자는 한 번도 고르지 않았다.

그녀가 보기에 그는 점점 마르고 의기소침해졌다. 마사는 그의 볼품없는 빵에 뭔가를 얹어 주고 싶은 마음이 굴뚝같았지만 차마 그러지 못했다. 그에게 창피를 주고 싶지 않았기 때문이다. 예술가는 자존심이 강하다는 것을 그녀는 잘 알고 있었다.

이제 마사는 파란색 물방울무늬가 그려진 실크 블라우스를 입고서 계산대를 지켰다. 그리고 뒷방에서 마르멜루[1] 씨앗과 붕사[2]를 섞어 정체 모를 크림을 만들었다. 사람들은 피부를 맑게 하려고 이 크림을 만들어 사용했다.

하루는 그가 평소처럼 빵집에 들어와 진열장에 5센트 동전을 올려놓고 묵은 빵을 주문했다. 마사가 빵을 꺼내려는 순간, 밖에서 시끄러운 경적이 울려 퍼지면서 커다란 소방차가 느릿느릿 지나갔다.

그는 호기심에 이끌려 문가로 다가갔다. 바로 그때, 마사의 머릿속에 좋은 생각이 떠올랐다. 그녀는 이 기회를 놓치지 않았다.

계산대 뒤편에 있는 선반 맨 아래 칸에는 10분 전 우유 배달부가 놓고 간 신선한 버터 450그램이 있었다. 마사는 칼로 빵 두 덩어리를 각각 가른 다음에 그 안에 버터를 듬뿍 넣고 다시 빵을 꽉 오므렸다.

그가 자리로 돌아왔을 때, 그녀는 이미 빵을 종이로 싸고 있었다.

평소보다 유난히 즐겁게 이야기 나눈 후에 그가 떠났고, 마사는 조금 설레는 마음으로 혼자 빙그레 미소 지었다.

너무 과감했나? 기분 나쁘게 생각하면 어떡하지? 하지만 그럴 리 없었다. 그

---

1 마르멜루 장미과의 과일나무이다. 달고 향기가 있어 날로 먹거나 잼·마멀레이드를 만드는 데 쓴다.
2 붕사 무색 또는 하얀색의 붕소 화합물로 화장품을 만드는 데에 주로 쓰인다.

냥 음식일 뿐이니까. 고작 버터를 넣은 것이 숙녀답지 못하게 설친 행동은 아니지.

그녀는 이날 늦게까지 이 생각에 빠져 지냈다. 자신이 빵에 숨겨 놓은 것을 그가 발견하는 장면을 머릿속에 그려 보기도 했다.

그가 붓과 팔레트를 가만히 내려놓는다. 이젤에는 흠잡을 데 없는 원근법으로 그려진 그림이 놓여 있다.

그가 마른 빵과 물을 가져와 점심 준비를 한다. 그리고 빵을 자르면……, 아!

마사는 얼굴을 붉혔다. 그가 빵을 입에 넣으면서 그 안에 버터를 집어넣은 그녀의 손길을 떠올릴까? 혹시 그가…….

그때 문에 달린 종이 거칠게 울렸다. 누군가 요란스럽게 들어오고 있었다.

마사는 얼른 문가로 나갔다. 두 남자가 서 있었다. 젊은 남자가 파이프를 물고 있었는데 처음 보는 얼굴이었다. 옆의 다른 남자는 바로 그 화가였다.

그런데 그는 얼굴이 붉으락푸르락했고, 뒤로 젖힌 모자 아래로 머리카락이 마구 헝클어져 있었다. 그는 두 주먹을 불끈 쥔 채 마사를 향해 무섭게 흔들어 댔다. '마사를 향해.'

"둠코프[3]!"

그가 고래고래 소리쳤다. 그리고 "타우젠돈퍼!"라고 들리는 독일 욕을 퍼부어 댔다.

옆에 있던 젊은 남자가 그를 뜯어말렸다.

"말리지 말라고. 따질 건 따져야지!"

잔뜩 화가 난 그는 이렇게 말하며 계산대를 쾅 내리쳤다.

"당신이 다 망쳤어. '오지랖 넓은 여편네' 같으니!"

안경 너머로 그의 파란 눈이 이글거렸다.

---

3 둠코프(Dummkopf) 독일어로 '바보'라는 뜻.

마사는 힘없이 선반에 몸을 기댄 채 한 손으로 파란색 물방울무늬가 그려진 실크 블라우스 자락을 움켜쥐었다. 젊은 남자가 그의 옷깃을 잡아끌었다.

"그만해요. 이 정도면 됐어요."

젊은 남자는 길길이 날뛰는 그를 가게 밖으로 끌어낸 후에 다시 들어왔다.

"저 사람이 왜 저렇게 화가 났는지 궁금하시겠지요. 저 사람은 블룸베르거 씨입니다. 건축 제도사고요. 저는 저 사람과 같은 사무소에서 일하고 있어요."

그가 말을 이어 갔다.

"사실 블룸베르거 씨는 새 시청 설계도를 그리느라 지난 석 달을 꼬박 일했어요. 상금이 걸린 공모전에 출품하려고요. 바로 어제 잉크 작업을 끝냈지요. 제도사는 언제나 연필로 초안을 잡고 나중에 묵은 빵 조각으로 연필 자국을 지운답니다. 고무로 만든 지우개보다 그게 낫거든요. 블룸베르거 씨는 매번 빵을 이 가게에서 사 왔어요. 그런데 오늘은, 뭐, 잘 아시겠지만……. 그 버터가 하필……. 이제 블룸베르거 씨의 설계도는 샌드위치 포장지로나 쓸 수 있게 되었어요."

마사는 뒷방으로 들어가 파란색 물방울무늬가 그려진 실크 블라우스를 벗고 낡은 갈색 모직 옷으로 갈아입었다. 그리고 마르멜루 씨앗과 붕사를 섞어 만든 크림을 창밖 쓰레기통에 부어 버렸다.

(1904년)

번역 송예슬

철도 사고

토마스 만

토마스 만(Thomas Mann, 1875~1955)

독일의 소설가 겸 평론가 토마스 만은 독일 뤼베크에서 태어났
다. 토마스 만의 대표작인《마의 산》은 독일 문학을 세계적 수준
으로 높였다는 평가를 받았다. 그는 1929년 노벨 문학상을 받
았다. 1938년 나치 정권을 피해 미국으로 망명한 뒤 1947년
장편《파우스트 박사》를 발표하고 강연 활동을 활발하게 했다.
1952년 스위스로 이주하여 작품 활동을 이어 가던 중 병을 얻
어 1955년 취리히에서 사망했다.

무슨 이야기든 해라? 그러나 아무것도 모르는데 말이야. 그래 좋아, 그럼 무슨 이야기든 하자.

벌써 2년이나 되는데, 한번은 내가 기차 사고를 당한 적이 있어. — 하나하나 세밀한 것까지 모두가 아직 눈에 선하게 남아 있지.

그것은 결코 최대급(最大級)은 아니었어. '분별하기 어려운 무수한 시체' 운운하는 대사고는 아니었어. 그런 것과는 달라. 그렇지만 역시, 모든 부록이 갖추어진 진짜 철도 사고였으며, 거기다가 밤에 생겼었지. 이런 일을 당한 사람은 그리 흔하지는 않을 거야. 그걸 들려주겠어.

나는 그때 드레스덴으로 가는 도중이었어. 문학 장려자(獎勵者)로부터 초대를 받고서 말이야. 즉 예술 행각(藝術行脚), 명장 행각(名匠行脚)이라고 말하는 내가 지금도 이따금 가는데 인색하지 않을 것이었어. 대표자가 된다, 연단에 오른다, 갈채를 보내는 군중에게 모습을 나타낸다. 빌헬름 2세[1]의 신하로서 부끄럽지 않다는 것이지. 게다가 또 드레스덴은 참으로 좋은 곳이니 말이야. (특히 그 아성은 말이지.) 그리고 나는 일이 끝나면, 열흘이나 2주일쯤, 다소 영기(英氣)[2]를 기르기 위해, '바이센 히르쉬'로 가서 섭생(攝生)[3]을 하고 그 결과 영감이라도 얻어지면 다시 일도 해 볼 심산이었지. 그런 계획으로, 가방 맨 밑바닥에는 원고를 넣어 두었어. 비망록과 함께 말이야. 다갈색 포장지로 싼 것은 바이에른주(州) 색

---

1 빌헬름 2세(Wilhelm II) 프로이센의 왕이자 독일의 제2대 황제로 군비를 확장하고 해외 진출을 도모하는 정책을 펼쳐 영국, 프랑스, 제정 러시아와 대립했다. 독일 혁명이 일어나자 퇴위하고 네덜란드로 망명했다.
2 영기 뛰어난 기상과 재기(才氣).
3 섭생 병에 걸리지 아니하도록 건강 관리를 잘하여 오래 살기를 꾀함.

의 굵은 끈으로 묶은 당당한 한 뭉치였어.

　여행을 사치스럽게 하는 것을 나는 좋아했어. 특히 여비를 상대방이 부담하는 경우에는 말이야. 그래서 침대차를 이용하기로 하고 전날에 일등 침대권을 예약해 두었지. 그러니까 이젠 문제없는 거야. 그런데 이런 경우에는 언제나 그렇지만, 어쩐지 마음이 들떠 버려서 말이야. 왜냐하면 여행을 떠난다는 것은 언제든지 하나의 모험이야. 아무래도 나는 언제까지나 교통 기관에 대해서 전혀 태연할 수가 없을 것 같아. 드레스덴행의 야간열차가 매일 밤 정해 놓고 뮌헨 중앙역을 출발해서 매일 아침 드레스덴에 도착한다는 것은 이미 알고 있는 일이지만, 막상 나 자신이 그 기차를 타고 나의 귀중한 운명을 그 기차의 운명에다 묶어 놓게 된다면, 그것은 역시 틀림없는 대사건이니까 말이야. 그렇게 되면 나는 그 기차가 단지 그날만, 더군다나 오직 나를 위해서 나가는 것이 아닌가 하는 생각을 아무리 해도 금할 수가 없는 것이지. 그리고 이 불합리한 오름의 결과로서 자연히 어떤 마음속의 깊은 흥분이 생기지. 출발을 하기 위한 여러 가지 수고 — 가방을 챙기고, 짐을 실은 역마차로 정거장으로 달려가고, 정거장에 도착하고, 짐을 맡기고 — 그것이 모두 끝나 버리고 마침내 좌석에 앉아서 이제 안심이라고 생각할 때까지 그 흥분은 가라앉지 않는 법이야. 물론 그렇게 되면 긴장이 기분 좋게 풀리지. 머리는 새로운 사물을 향해서 바삐 돌아가는 거야. 유리 지붕을 둥글게 친 저쪽에는 커다란 이경(異景)⁴이 펼쳐져 있어. 그리하여 즐거운 기대가 마음을 차지하게 되는 거야.

　이때에도 역시 그랬어. 짐을 날라다 준 운반부에게 돈을 듬뿍 주었기 때문에 그 사나이는 모자를 벗고 "안녕히 다녀오세요." 하고 인사를 했어. 그러고서 나는 언제나 밤에 피우는 시가를 입에 물고 침대차 복도 창에 기대서서 플랫폼의 광경을 바라보고 있었어. 거기에는 덜그덩거리는 소리며 요란스러운 발소리며

---

4 이경 색다른 풍경.

작별의 인사며, 신문과 식품 판매원들의 노래를 부르는 듯한 외침 소리가 들려왔지. 그리고 모든 것 위에는 커다란 전기로 만들어진 달이 10월의 밤안개에 싸여 빛나고 있었지. 건강한 남자가 두 사람의 짐을 가득 실은 손수레를 열차를 따라서 앞쪽에 있는 화차 쪽으로 끌고 갔어. 눈에 익은 표적이라 나는 내 가방을 알아볼 수 있었지. 그건 다수 속의 하나로 그곳에 있었어. 그리고 그 밑바닥에는 귀중한 꾸러미가 자리 잡고 있으니 이젠 걱정할 것이 없다고 생각한 거야. 그것은 확실한 손에 넘어갔어. 자아, 저 차장을 잘 봐 봐. 허리띠를 매고 위엄 있게 생긴 상사 수염을 기르고, 무뚝뚝하게 긴장된 눈초리를 하고 있잖아. 그 차장이 낡아 빠진 숄을 걸친 노파가 자칫 2등차를 탈 뻔했다고 해서 소리치고 있는 저 모양을 봐. 저것이 우리들의 아버지인 국가인 거야. 권위라는 것, 안전이라는 것이지. 저 사나이와 다투는 것은 모두가 싫어해. 저 사나이는 엄격하지. 아니 가혹한 것인지도 몰라. 그러나 신용은 할 수 있어. 그러므로 내 트렁크는 아브라함의 호주머니 속에다 맡긴 것과 같은 거였지.

신사가 한 사람, 플랫폼을 어슬렁거리고 있었어. 반각반(半脚絆)을 매고 노란 가을 외투를 입고 줄을 맨 개 한 마리를 데리고 있었지. 나는 이처럼 귀여운 강아지를 아직 본 적이 없어. 뚱뚱한 불도그였는데 윤이 나고 몸이 단단하며 검은 반점이 있었지. 거기다가 흔히 서커스에서 볼 수 있는 강아지처럼 영양이 좋으며 장난을 좋아했어. ─ 조그마한 몸집으로 온 힘을 다해서 서커스장 둘레를 뛰어다니면서 구경꾼을 즐겁게 해 주는 그 강아지처럼 말이야. 이 개는 은으로 만든 목걸이를 채웠고 매어 있는 줄은 오색 무늬의 가죽을 엮은 것이야. 그러나 그 주인인 반각반을 친[5] 신사를 보면 그런 것은 이상스러울 것도 없지. 신사는 분명히 매우 고귀한 신분임에 틀림없으니까 말이야. 외쪽 안경을 눈에 걸고 있는데, 그것

---

5 치다 붕대나 대님 따위를 감아 매거나 두르다.

은 얼굴 모습을 이상스럽게 보이게 하지 않고 단정하게 보이게 했어. 거기에다 콧수염이 오만스럽게 치켜 올라가 있기 때문에 입가에도 턱에도 어쩐지 사람을 깔보는 듯한, 배짱이 세고 도량이 넓어 보이는 인상을 풍기고 있는 것이었어. 신사는 예의 씩씩한 차장에게 무엇인가 물었어. 그러자 이 순박한 사나이는 상대가 누구라는 것을 분명히 느끼고 있었기 때문에 손을 모자까지 올린 채 대답했지. 거기에서 신사는 자신의 인격의 효과에 만족하고 다시 어슬렁어슬렁 걸어 갔단 말이야. 반각반을 친 다리로 의젓하게 걸어갔지. 얼굴 표정은 싸늘했어. 사람이나 물건을 날카롭게 쳐다봤어. 여행의 흥분 같은 것은 꿈에도 알지 못한다는 것을 언뜻 보기만 해도 알 수 있었어. 여행이라는 평범한 일은 이 남자에게 있어서는 모험도 아무것도 아니야. 이 남자는 인생을 내 집처럼 이해하고 있어. 이 세상의 제도나 폭력 같은 것은 조금도 두려워하고 있지를 않아. 자기 자신이 그 폭력에 속하고 있었으니까. 나는 이 남자의 모습을 아무리 오래 보고 있어도 싫증이 나지를 않았어.

이젠 시간이 되었다고 생각하자 그 남자는 차에 올라탔어. (차장은 마침 등을 돌리고 있었다.) 복도에서 내 뒤를 지나갈 때 내게 부딪쳤으면서도 '실례'라는 말 한 마디도 안 했지. 무슨 신사가 이럴 수가 있을까? 그러나 그다음에 일어난 일에 비하면 그런 일은 문제도 되지 않아. 그 신사는 아무 거리낌도 없이 그 개를 침실 안으로 데리고 들어가는 것이 아닌가. 그건 의심할 것도 없이 금지된 일이지. 만일 나 같으면, 개를 침대차 안으로 데리고 들어가다니, 상상도 하지 못할 일이야. 그러나 그 사나이는 인생에 있어서 강자로서의 권리를 휘둘러 데리고 들어온 것이지. 그리고 들어가서는 문을 닫아 버렸어.

기적이 울리고 기관차가 출발을 했어. 기차가 서서히 움직이기 시작했어. 나는 좀 더 창가에 기대선 채로 그 자리에 남아서 작별 신호를 하고 있는 사람들을 바라보기도 하고, 철교를 바라보기도 하며, 등불이 흔들리며 움직이는 것을 바라보고 있었어……. 곧 차 안으로 들어갔지.

침대차는 별로 만원은 아니었지. 내 옆자리는 비어 있고, 잠을 잘 준비는 하고 있지 않았기 때문에 나는 그곳으로 가서 천천히 쉬면서 조용히 독서를 하기로 했어. 그래서 책을 가져오고, 주위의 여러 가지 것을 정돈했던 거야. 긴 의자에는 아마(亞麻) 빛깔의 비단 천이 깔려 있었어. 접을 수 있는 작은 탁자 위에는 재떨이가 놓여 있었어. 가스는 밝게 불타고 있었지. 그래서 나는 담배를 피우면서 책을 읽고 있었던 거야.

거기에 침대차 차장이 들어와서 승차권을 보여 달라고 하기에, 나는 그것을 그 사람의 새까만 손에 넘겨주었지. 말투는 정중하지만 순수하게 직업적이어서 인간적인 '편히 쉬세요.' 하는 인사는 생략해 버리더군. 그리고 곧 옆방 문을 두드리러 가 버렸지. 그런데 그건 그만두는 편이 나았던 거야. 왜냐하면 거기에는 그 반각반을 친 신사가 자리 잡고 있으니까 말이야. 개를 보이지 않기 위해서였는지, 혹은 이미 잠자리에 들어서였는지는 알 수 없지만, 좌우간 신사는 자신의 안정을 괘씸하게도 방해하려는 자가 있다고 몹시 화를 냈어. 사실 열차가 시끄러운 소리를 내고 있는데도, 내게는 신사가 그렇게 울화를 터뜨리는 것이 얇은 벽 너머로 들려온 거야.

"도대체 무슨 일인가?" 하고 신사는 외치는 거야. "좀 내버려 두어 다오. ― 이 얼간아!" 신사는 '얼간이'라는 말을 썼어. ― 강자가 쓰는 말이지. 기사들이 쓰는 말이야. 강심제[6] 없이는 들을 수 없는 멋쟁이의 말이었어. 그런데 차장은 끝까지 담판을 지으려고 했어. 어쨌든 이 신사의 승차권을 조사하지 않을 수 없었을 테니까 말이야. 그래서 나는 상황을 빠짐없이 자세하게 살펴보기 위해서 복도로 나갔기 때문에 신사 칸의 문이 약간 열리고 승차권철(乘車券綴)이 차장의 얼굴 복판에 ― 사정없이 얼굴 한복판으로 날아온 것을 목격했어. 차장은 그것을 받자, 승차권철 한쪽 끝에 눈이 찔려 눈물이 나왔을 정도였는데도 단정하게 두

---

6 강심제 쇠약해진 심장의 기능을 회복시키는 약.

다리를 딱 붙이고 손을 모자에다 대고서 경례를 하는 게 아니겠어? 매우 감동을 하고 나는 내 자리로 다시 돌아왔었지.

'시가를 한 개비 더 피우면 안 될까?' 하고 생각해 보았는데 별다른 지장은 없을 것 같아서 차바퀴가 구르는 소리를 들으며 책을 읽었어. 10시가 되고 10시 반―그리고 또 침대차 승객들은 모두 잠자리에 들어 버렸어. 결국 나도 그렇게 하지 않을 수가 없었지.

그래서 일어서서 침실로 들어갔어. 진짜로 호사스러운 작은 침실이었는데 벽은 압착(壓搾)을 한 가죽을 발랐고 옷을 걸 못도 있고 니켈 도금을 한 세면기도 있었어. 하단(下段) 침대가 설백(雪白)으로 정돈되어 있고. 이불은 사람을 유혹하게끔 개어져 있었어. '오오, 위대한 현대로구나.' 하고 나는 생각했어. 마치 집에서 잠을 자듯이 이 침실에 누웠지. 침대는 밤새 조금씩 계속 흔들렸지만 그 결과로서, 내일 아침에는 벌써 드레스덴에 가 있을 테니 말이야. 나는 조금 옷차림을 고칠 생각으로 그물로 만든 선반에서 손가방을 내렸어. 두 팔을 뻗친 채로 나는 그것을 머리 위에 이고 있었어.

이때 사고가 일어난 거야. 나는 오늘 일어난 일처럼 생생하게 기억하고 있어.

먼저 콰당 하고 왔지. 아니, '콰당'이라고 말해서는 아무래도 부족해. 그 '콰당'은, 분명히 위험하다는 것을 알 수 있는 '콰당'이야. 사나운 폭음이 담긴 '콰당'이었어. 더군다나 그 사나운 정도를 말한다면, 들었던 손가방은 내 두 손에서 어디론가 날아가 버렸고 나 자신은 몹시 아프게 벽에다 어깨를 부딪쳤을 정도였어. 무엇을 어떻게 생각할 여유가 없었지.

그런데 그다음에는 차체가 무섭게 흔들리기 시작했어. 그래서 그 요동이 계속되고 있는 사이에 겨우 무섭다고 생각할 여유가 생긴 거야. 원래 기차가 흔들린다는 것은 흔히 있는 일이지. 전철기(轉轍機)[7]가 있는 곳이나, 급커브 같은 곳

---

7 전철기 철도에서 차량을 다른 선로로 옮길 수 있도록 선로가 갈리는 곳에 설치한 장치.

101
철도 사고

에서는 말이야. 그거야 누구나 알고 있지. 그러나 이때의 요동은 서 있을 수가 없을 뿐 아니라, 벽에서 벽으로 내동댕이쳐지고 있었으니, 이건 이미 차체가 전복되었다고 생각했을 정도였지. 나는 그때, 어떤 아주 단순한 생각을 하고 있었어. 오로지 그것만을 생각하고 있었던 거야. '이건 안 돼. 이건 정말 안 돼.' 하고 말이야. 말 그대로야. 왜냐하면 기차가 정지하기만 하면, 사태가 좋아지리라는 것을 나도 알고 있었어. 그러자 어떻게 되었는지 알아? 나의 무성(無聲)의, 열성을 쏟은 명령에 따라서 마침내 기차가 정지해 버리지 않았겠어?

그때까지 침대차는 죽은 듯이 조용했었는데, 그렇게 되자 공포의 소리가 쏟아지기 시작했어. 부인네들의 날카로운 울부짖음이 남자들의 놀라서 떠드는 낮은 외침 소리에 섞여 울리는 거야. 옆방에서 "사람 살려." 하는 외침 소리가 들렸어. 그것은 분명히 얼마 전에 '얼간이'라는 말을 썼던 바로 그 목소리였어. 그 반각반을 친 신사의 목소리야. 무서워서 흥분된 목소리였어. "사람 살려." 하고 신사는 외치는 거야. 그래서 내가 승객들이 많이 모여든 복도로 나갔지. 마침 그때, 신사는 비단 잠옷을 입은 채로 침대칸에서 뛰어나와서는 미친 듯한 눈초리로 거기에 우뚝 서 있었다.

"위대하신 하나님, 전지전능하신 하나님." 하고 신사는 말했어. 거기에 일부러 자신에게 굴욕을 주어 놓고, 그래서 운이 좋으면 멸망을 면할 심산으로 탄원하는 듯한 어조로 이렇게 말하는 것이었어. ―"아아, 하나님……." 그러나 갑자기 생각을 바꾸어 신사는 자위책을 강구했어. 벽 옆에 조그마한 선반이 있고, 그 속에 비상용 도끼와 톱이 하나씩 걸려 있었지. 신사는 그곳으로 달려들었어. 그러나 그곳에는 바로 손이 닿지 않으니까, 그 도구는 그대로 놓아둔 채 주먹을 쥐고 유리를 깨뜨렸지. 그리고 이번에는 반나체의 부인들이 또다시 비명을 지를 정도로 난폭하게 손님들을 젖히고 길을 열면서 그대로 밖으로 뛰쳐나가 버렸어.

이건 순간적으로 일어난 일이었어. 나는 이때 비로소 놀라움을 실감하기 시작했지. ―등이 어쩐지 마비된 것 같았고, 일시적이었지만 침을 삼킬 수 없었어.

빨간 눈을 하고 똑같이 달려온, 그 검은 손을 가진 침대차 차장을 모두 떠들어 대면서 에워쌌어. 팔이며 어깨를 드러낸 부인들은 팔짱을 끼고 있었지.

"탈선(脫線)이에요, 탈선을 한 겁니다." 하고 차장은 설명을 했어. 후에 안 일이지만, 그건 거짓말이었어. 그런데 어떻게 된 일인지 차장은 이때 수다스러워져서 관료적인 엄정성 같은 것은 어디엔가 버려 버렸어. 이 대사건으로 말문이 열려서 친밀한 어조로 자기 부인에 대한 이야기까지 하게 되었으니 말이야.

"나는 아내에게 이렇게 말했습니다. '이봐, 오늘은 틀림없이 무슨 일이 일어날 것 같은 기분이 든다.'고 말입니다." 어때, 과연 일이 일어나지 않았느냐, 하는 투였어. 과연 그렇다고, 모두들 그 점에 있어서는 차장의 말이 옳다고 생각했었지. 그런데 차 속에는 어디선지 모르게 진한 연기가 뭉게뭉게 솟아오르는 거야. 그래서 우리는 밖으로 나가는 것이 좋겠다는 의견의 일치를 보았어.

그렇게 하려면 꽤 높은 발판에서 노반(路盤)[8] 위로 뛰어내리는 길밖에 없었어. 플랫폼 같은 것은 없고 거기에다 우리 침대차는 반대쪽으로 비스듬히 기울어져 있었으니까 말이야. 그래도 부인네들은 급히 드러난 곳을 가리면서 자포자기적인 기분으로 뛰어내렸기 때문에 곧 우리들은 한 사람도 빠짐없이 선로 사이에 서 있었어.

주위는 캄캄했지. 그래도 우리가 타고 있던 뒤편 차는 모두 비스듬히 기울어지기는 했지만 아무렇지도 않은 것을 볼 수 있었어. 그러나 앞쪽 — 그렇지, 거기서 15보 내지 20보쯤 앞이 큰일이었어. 조금 전의 '콰당' 하는 소리에 역시 폭음이 담겨져 있었던 거야. 그곳은 전면적으로 파편의 사막이었어. — 가까이 가서 보니 사막 끝이 보이는 거야. 그리고 차장들의 작은 칸델라가 사막 위를 우왕좌왕하고 있었어.

여러 가지 통지가 왔어. 바로 사태에 대한 여러 가지 정보를 갖고 흥분한 사

---

8 노반 도로를 포장하기 위하여 땅을 파고 잘 다져 놓은 땅바닥.

람들이 달려왔던 거야. 우리는 레겐스부르크 앞의, 어느 작은 역 바로 옆에 있었던 거지. 그리고 전철기의 고장으로 우리들의 급행열차는 다른 선로로 잘못 들어가서 그곳에 멈춰 있던 화물 열차에 전속력으로 충돌해서는 그 열차를 정거장 밖으로 밀어내 버렸어. 그리고 그 차의 후부(後部)를 박살 내고 이쪽은 큰 손해를 입었던 거야. 뮌헨의 마파이제(製) 급행 기관차가 두 동강이 나 버렸지. 그 값은 7만 마르크. 그리고 앞쪽 차는 모두가 완전히 옆으로 드러누웠기 때문에 그 속에는 의자가 양쪽에서 포개져 버린 것도 있었어.

아니, 죽은 사람은 다행히도 없었던 모양이야. 노파를 한 사람 '끄집어냈다'고들 하는데, 아무도 그 노파를 본 사람은 없었어. 어찌 되었든 입구는 모두 엉망진창으로 서로 부딪쳐서 어린아이들은 짐 밑에 덮여 버렸었다고 하니 대단히 놀라운 일이었어. 화물차가 어떻게 되었느냐고? 산산조각 나 버렸어.

나는 거기에 우뚝 서 있었지…….

역원 한 사람이 모자도 쓰지 않고 열차를 따라서 달려갔어. 바로 역장이었지. 난폭하게 금방 울음이 터질 것 같은 목소리로 손님들에게 명령을 내리고 있었어. 모든 사람들을 통제해서 선로에서 차 안으로 들여보내겠다는 거야. 그러나 모자도 쓰지 않았고 위엄도 없었기 때문에 누구 한 사람 귀를 기울이는 사람이 없었지. 불쌍한 사나이가 아닌가. 책임은 대부분 이 사나이에게 돌아가겠지. 이 사나이의 경력은 이것으로 끝장이 났는지도 몰라. 생활이 파괴되어 버릴지도 모르지. 이 사나이에게 내 큰 짐에 대해서 묻는 것은 아무래도 형편이 좋지 못한 것 같은 생각이 들었어.

또 한 사람 직원이 달려왔어. — 다리를 절면서 달려왔지. 그 코밑수염을 보면 누구라는 걸 알 수 있었어. 바로 그 차장이야. 밤에 보았던 그 무뚝뚝하고 빈틈없는 차장 말야. 우리들의 아버지인 국가야. 그는 몸을 구부리고 한쪽 손을 무릎에다 댄 채로 다리를 절고 있었어. 그래서 그런지 그 한쪽 무릎 외에는 아무것도 안중에 없는 모습이었어. "아아, 아파, 아파." 하고 차장은 소리 질렀어. — "저런 저런. 왜 그러십니까?"—"아니 아니, 사이에 끼었었어요. 아무래도 가슴을 많이 다친 것 같아요. 겨우 지붕을 넘어서 빠져나왔으니까요. 아아, 아파."— 이 '지붕을 넘어서 빠져나왔다.'는 말에는 신문 기사 비슷한 맛이 있었어. 이 사나이는 평소 결코 '빠져나간다'는 말은 쓰지 않았을 거야. 그러므로 이 사나이는, 불의의 재난을 경험했다기보다는 차라리 그 재난에 관한 신문 기사를 읽은 거라고 할 수 있지. 그러나 내게 알려 줄 기분은 아닌 듯했어. 그래서 나는 파편 있는 곳에서 힘차게 점잔을 빼고 떠들어 대면서 가까이 온 젊은이에게 내 큰 짐에 대해서 물어보았어.

"글쎄요, 그런 것이 거기서 어떻게 되었는지, 그건 아무도 모를 거예요." 더군다나 그 말투는 다치지도 않고 살아난 것을 기뻐하는 것이 좋지 않겠느냐고 넌지시 암시하는 것 같았어. "모든 것이 엉망진창이어서 말입니다. 여자 구두가요……." 하고 그 사나이는 흡사 두들겨 부술 것 같은 난폭한 시늉을 하면서 말하고는, 코를 찡그렸어. "그 짐은 정리할 때가 아니면 모를 거예요. 여자 구두가요……."

나는 거기에 우뚝 서 있었어. 완전히 혼자서 밤새껏 선로 사이에 버티고 서 있었던 거야. 그리고 나의 마음을 음미해 보았지. '정리란 말인가. 내 원고가 정리된다는 말이지. 그럼, 이미 못 쓰게 되어 버렸겠구나. 대부분 조각조각이 되어 구겨져 버렸겠지. 나의 벌꿀집, 깨끗이 짠 직물(織物), 훌륭하게 만든 여우 굴, 나의 자랑과 고생, 나의 최상의 작품. 만일 정말로 그렇게 되어 버렸다면, 나는 어떻게 해야 된단 말인가.' 거기에 이미 써 놓은 것, 이미 딱 맞추어서 엮어 놓은 것, 이미 살아서 소리를 내고 있는 것—사본(寫本)은 하나도 만들어 놓지를 않았어.

그리고 여러 가지 메모와 연구, 몇 년을 거쳐서 들쥐처럼 긁어모으고, 힘들여 획득하고, 남모르게 엿듣고, 몰래 입수하고, 괴로움을 겪고서 구한 저 많은 귀중한 자료—그래 그것은 제쳐 놓는다 해도 말이야. 그런데 어떻게 된 것일까. 나는 나의 기분을 자세하게 살펴보고 처음부터 다시 쓸 마음이라는 것을 알았어. '그렇다. 나는 동물적인 근기(根氣)로 어느 하등 동물이 조그마한 총명과 근면으로 만들어 낸 신기하고 복잡하게 공들여 만든 작품이 파괴되었을 때의 그 근기로, 혼란과 곤란의 순간 후에 전체를 다시 처음부터 시작하리라. 그리고 혹시 이번에는 전보다도 조금은 쉽게 할 수 있을지도 모른다……'

그런데 그동안에 소방대가 도착했어. 횃불을 들고서 말이야. 그 불빛이 파편의 사막 위에 빨간빛을 던지고 있었어. 그래서 나는 화물차 상황을 보려고 앞으로 가 보았지. 화물차는 거의 무사해서 내 짐은 아무렇지도 않다는 것을 확인했어. 그 근처에 흩어져 있는 여러 가지 짐이며 상품은 예의 화물차에 실려 있었던 거였어. 그중에서도 묶는 새끼줄이 얽힌 것이 수없이 바다처럼 그 일대를 덮고 있었어.

그걸 보니, 나는 마음이 가벼워져서 거기에 선 채로 이야기도 하고 이 불운을 계기로 친구가 되기도 했지. 그리고 허풍을 떨기도 하고 거드름을 피우기도 하는 사람들과 함께 어울리고 말았어. 기관사가 훌륭한 작용을 했지. 큰 사고를 미연에 방지했어. ― 위기일발의 아슬아슬한 순간에 비상 브레이크를 걸었다는 것만은 확실한 것 같았어. 모든 사람들의 이야기로는 만일 그렇지 않았더라면 그 야말로 큰일이 벌어졌을 것이 틀림없다는 거야. 열차는 왼쪽의 꽤 높은 언덕에서 굴러떨어졌으리라는 거지. 참으로 칭찬해 마지않을 기관사가 아닌가. 기관사는 아무 데도 보이지 않았어. 그러나 그 명성은 온 열차 안에 널리 퍼졌지.

우리는 모두들 그 사람이 없는 곳에서 그 사람을 칭찬했어. "그 사람이," 하고 어느 신사가 말을 하면서 손을 뻗쳐 어둠 속을 막연히 가리켰어. "그 사람이 우리 모두를 구해 주었군요." 그 말을 듣자 한 사람도 빠짐없이 고개를 끄덕였지.

그런데 우리 열차는 들어가서는 안 될 선로로 들어가 있었기 때문에 다른 열차가 충돌하지 않도록 뒤쪽을 지킬 필요가 있었어. 그래서 소방대원들은 피치 횃불을 들고 맨 끝 객차 옆에 늘어섰어. 그러자 좀 전의 여자 구두, 여자 구두라고 말해서 그처럼 기분 나쁘게 했던 그 떠버리 젊은 친구도 횃불을 하나 들고 신호처럼 흔들고 있었어. 어디를 보아도 열차는 보이지 않는데 말이야.

이윽고 차츰차츰 모든 것에 질서다운 것이 서기 시작했어. 우리들의 아버지인 국가는 다시 면목과 위엄을 회복하게 된 거야. 전보가 타전[9]되어 모든 대책이 강구되었어. 레겐스부르크로부터 온 구원 열차가 조심스럽게 정거장 안으로 들어오자 반사경이 달린 커다란 가스 조명등이 사고 현장에 여러 개 세워졌어. 그런데 우리 승객들은 차를 바꿔 타고 앞으로 갈 수 있게 될 때까지 역 구내[10]에서 기다리라는 전갈이 왔어. 그래서 사람들은 짐을 잔뜩 짊어지기도 하고, 또 어떤 사람은 머리에 붕대를 감은 채로 구경 나온 지방 사람들이 늘어서 있는 가운데를 헤치고 조그마한 대합실로 들어갔지. 대합실엔 사람이 빽빽이 들어찼어. 그리고 다시 한 시간 후에는 모두들 아무렇게나 임시 열차에 실렸던 거야.

나는 일등 차표를 가지고 있었는데 (여비는 상대방 부담이었으니까 말이야.) 그건 아무런 소용도 없었어. 왜냐하면 누구나 일등이 제일 좋기 때문에 일등 찻간은 다른 데보다도 더욱 사람들이 몰렸던 거야. 그래도 간신히 좌석을 잡고 보니…… 저쪽 마주 보이는 구석에 누가 틀어박혀 있었다고 생각하나? 바로 그 반각반을 친 뽐내는 말투를 쓰던 신사였어. 우리 주인공이었던 말이야. 강아지는 이젠 데리고 있지 않았어. 뺏겨 버린 거겠지. 지금은 강자의 권리도 아무런 쓸모가 없고, 개는 기관차 바로 다음의 캄캄한 땅굴같이 생긴 곳에 앉아서 울고 있겠지. 신사도 역시 소용이 없는 노란 차표를 들고 있었어. 그리고 투덜거리면서 공산주의에 대해서, 재난의 존엄성을 앞에 놓은 커다란 균등(均等)에 대해서 반항을 해 보려고 했어. 그런데 한 남자가 의리 있는 말로 이렇게 대항을 했어. "당신이 앉아 있을 수 있으면 되지 않소."

그러자 싱긋이 웃으면서 신사는 이 동떨어진 상태에 만족해 버렸어.

---

9 타전(打電) 전보나 무전을 침.
10 구내(構內) 큰 건물이나 시설 또는 부지(敷地)의 안.

그때 두 명의 소방부에게 부축되어 누군가가 들어왔어. 자그마한 노부인인데 너절한 숄을 걸친 할머니야. 뮌헨에서 간신히 이등칸에 올라탄 바로 그 할머니. 할머니는 "이것이 일등인가요?" 하고 자꾸만 되풀이해서 묻고 있었지. ―"이것이 저어, 정말로 일등인가요?" 그래서 모두 그렇다고 다짐을 하며 자리를 양보해 주자 "이런, 고마울 데가." 하고 말하면서 올이 굵은 벨벳 쿠션 위에 펄썩 주저앉았어. 이제 겨우 살았다는 식으로 말이야.

호프에 닿았을 때에는 이미 5시였고, 날은 밝았어. 이 역에서 아침 식사를 하고 이 역에서 급행열차를 바꾸어 탔지. 나는 내 짐과 함께 세 시간 늦게 드레스덴에 도착했던 거야.

그래, 이것이 내가 경험한 기차 사고였어. 한 번쯤 이런 일을 당하지 않으면 안 되었던 모양이야. 이제 나는 논리학자가 이의(異議)를 제기할지 모르겠지만, 그렇게 쉽게는 두 번 다시 이런 일을 당하지 않을 만한 행운을 가졌다고 생각해.

(1908년)

《예언자의 집에서》(범우사, 2003)

공작나방

헤르만 헤세

헤르만 헤세 (Hermann Hesse, 1877~1962)

독일의 소설가이자 시인이다. 독일의 칼브에서 선교사의 아들로
태어나 신학교에 들어갔지만 곧 그만두고 글쓰기를 시작했다.
단편집, 시집, 우화집, 여행기, 평론·수상(隨想)집, 서한집 등 다
수의 간행물을 냈다. 주요 작품으로 《수레바퀴 아래서》《데미
안》《싯다르타》 등이 있으며, 《유리알 유희》로 1946년에 노벨
문학상을 받았다. 헤르만 헤세는 성장하는 청춘의 고뇌, 자아의
추구, 자연에 대한 동경 등을 휴머니즘과 풍부한 감정으로 표현
한 작가로 평가받는다.

손님으로 와 있던 친구 하인리히 모어가 저녁 산책에서 돌아와 함께 내 서재에 앉아 있었다. 석양 녘이었다. 창문 너머로는 가파른 언덕으로 둘러싸인 창백한 호수가 있었다. 때마침 내 어린 아들이 밤 인사를 막 하고 난 후라, 우리들의 화제는 아이들이나 아이들의 기억에 대한 것이 되었다.

내가 말했다. "아이들이 생기고부터는 내가 어릴 때 좋아하던 취미들이 다시 생생하게 되살아났다네. 글쎄, 나는 1년 전부터 나비 수집을 새로 시작했지 뭔가. 좀 보지 않겠나?"

그가 보기를 원했으므로 나는 작은 종이 상자 몇 개를 가져오려고 밖으로 나갔었는데, 돌아와 첫째 번 것을 열어 보았을 때에야 비로소 날이 너무 어두워졌다는 것을 알았다. 펼쳐진 나비의 형체를 분간할 수 없었던 것이다.

내가 램프를 찾아 성냥을 긋자, 순간 창밖의 경치는 사라져 버리고 거기에 칠흑 같은 어둠만이 있었다.

그러나 상자 속의 나비는 밝은 램프 불 속에서 빛나는 자태를 드러내었으므로, 우리는 고개 숙여 그 고운 빛깔의 형상들을 관찰하며 이름을 불러 나갔다.

"여기 이건 노란밤나방일세." 내가 말했다. "학명은 풀미네아(fulminea)라고 하는데, 여기선 드문 거라네."

하인리히 모어는 핀에 꽂혀 있는 나비 한 마리를 상자 속에서 조심스럽게 꺼내더니 그 날개 아랫부분을 살펴보았다.

그가 말했다. "참 이상하지, 나비를 볼 때만큼 어릴 때의 기억을 불러일으키는 건 없으니."

그리고 그는 나비를 다시 제자리에 꽂고 상자 뚜껑을 덮으며, "이거면 충분해." 하고 말했다.

그가 그렇게 약간은 딱딱하게 말했을 때엔 마치 그 추억이 그에겐 달갑지 않은 듯이 보였다. 내가 곧 그 상자들을 가지고 나갔다가 방으로 돌아오자 그는 그 갈색의 여윈 얼굴에 웃음을 띠며 담배 한 대를 청했다.

"자네 수집 판을 자세히 보지 않은 걸 기분 나쁘게 생각하지는 말게." 그가 말했다. "나도 어렸을 때엔 그런 것을 갖고 있었지. 그런데 그 기억 때문에 기분이 상했다네. 창피하긴 하지만 그 이야기를 들려주지."

그가 램프 덮개를 열어 담뱃불을 붙이고 램프 위에 녹색의 갓을 씌우자 우리의 얼굴은 어슴푸레해졌다. 그리고 그가 열려 있는 창문 곁으로 가 앉자 길쭉하고 마른 그의 얼굴은 거의 어둠 속에 파묻혀 버렸다. 내가 담배를 피우고 있는 동안 밖에서는 멀리서 들려오는 개구리 울음소리가 밤을 수놓았으며 내 친구는 다음과 같은 이야기를 들려주었다.

나는 여덟 살이나 아홉 살 무렵 나비 수집을 시작했는데 그땐 다른 장난이나 취미처럼 특별히 열심히랄 것도 없었지. 그러나 두 번째 여름부터인가, 그러니까 열 살 무렵이었는데, 그때부터 나비 수집에 온통 정신이 팔려 어른들이 내게 수집을 못 하도록 해야겠다고 말할 정도가 되어 버렸다네. 다른 모든 일을 팽개치고 거들떠도 안 볼 정도였으니까. 나비를 잡고 있을 때면 학교 가는 시간이건 점심 식사 시간이건 나는 탑시계 치는 소리조차 못 들었다네. 방학 때면 채집함 속에 빵 한 덩이를 넣고 나가 아침 일찍부터 밤늦게까지 밖에 있었지. 물론 한 끼 먹자고 중간에 집에 오는 일을 생략하고 말이야.

특별히 예쁜 나비를 보면 지금도 그때의 열성에 대해 무언가 알 것만 같다네. 그러면 아이들만이 느낄 수 있는, 마치 소년 시절 내가 처음으로 호랑나비한테 살금살금 다가갈 때의 그 알 수 없는 욕심스러운 황홀감이 순간적으로 나를 덮치는 걸세. 동시에 어린 시절의 무수한 순간들, 짙은 안개가 긴 벌판에서의 햇빛 쨍쨍한 오후나 서늘한 정원에서의 아침 시간 혹은 보물 찾는 사람처럼 포충망[1]을 들고 숨어 서 있던 은밀한 숲 가장자리에서의 저녁나절 같은 시간들이 기막힌 놀라움과 행복감으로 나를 사로잡는 걸세. 그러니 내가 예쁜 나비를 보았을 때 그것이 특별히 드문 것이어야 할 필요는 없는 거라네. 햇빛 내리쬐는 꽃가지 위에 나비가 앉아 있거나 숨을 쉬며 천연색의 날개를 이리저리 움직일 때, 내가 살금살금 다가가 번쩍이는 빛의 점이나 투명한 날개의 혈관 또는 깨끗한 더듬이의 갈색 수염을 볼 때의 느낌은 그 이후의 생활에서는 거의 느껴 보지 못한, 부드러운 기쁨과 거친 욕심이 혼합된 긴장과 희열이었다네.

부모님은 가난해서 내게 따로 채집 판을 사 줄 만한 능력이 없었기 때문에 나는 채집한 것들을 낡은 종이 상자에 보관할 수밖에 없었지. 병마개에서 잘라 낸 둥근 코르크 조각을 바닥에 붙이고 그 위에 나비를 꽂거나 아니면 상자의 판지 조각 사이에 그 소중한 것들을 보관했다네. 처음에는 나도 기꺼이 그 수집품을 친구들에게 자주 보여 주었지만, 다른 애들은 유리 뚜껑이 달린 나무 상자나, 녹색 헝겊 판이 달린 유충 상자를 갖고 있었기 때문에 원시적인 나의 진열 상태를 그 사치스러운 아이들 앞에 자랑할 수 없게 되었다네. 점차 그 소중하고 신나는 채집 활동에 대해 입을 다물게 되었고, 내가 잡아 온 것들을 누이들에게만 보여 주었다네. 한번은 푸른빛을 띤 희귀한 오색나비를 잡아서 펼쳐 놓았는데, 그것이 마르자 적어도 뜰 위쪽에 사는 선생의 아들에게만큼은 보여 주고 싶은 자긍심이 나를 충동질하는 게 아닌가. 그 아이는 나무랄 데가 없다는 게 흠이었는데, 그 점이 아이들에게는 특히 마음에 들지 않았었지. 그는 대수롭지 않은 조그

---

1 포충망(捕蟲網) 벌레를 잡는 데 쓰는 오구 모양의 그물.

만 채집 판을 갖고 있었는데, 너무도 깨끗하고 꼼꼼하게 보관했기 때문에 마치 보석처럼 보였다네. 게다가 그는 남다른 대단한 재주가 있어서 상하고 파손된 나비의 날개를 다시 접합시킬 수도 있었지. 그러니 매사에 모범 소년이었고, 나는 반쯤은 시기심으로 반쯤은 탄복으로 그를 미워하게 되었어.

이상적인 소년이라고 할 수 있는 바로 그에게 나는 내가 잡은 오색나비를 보여 주었다네. 그는 전문가적인 태도로 그것을 꼼꼼히 살피고, 그것이 희귀한 것임을 인정하고서는 20페니히[2]의 값을 매기지 뭔가. 하긴 그 아이 에밀은 우표건 나비건 모든 수집품의 대상을 화폐 가치로 평가할 수 있는 애였으니까. 그러더니 곧 그는 비판을 시작하는 것이었네. 푸른빛의 오색나비가 잘못 펼쳐져 있다, 오른쪽 날개는 휘어지고 왼쪽 것은 너무 늘어나 있다는 둥 비판을 하더니 드디어는 그 나비의 다리가 두 개나 부족하다는 또 하나의 결점을 지적하는 게 아니겠나. 나는 그 부족함을 대수롭잖게 여겼으나, 이 불평꾼에 의해 오색나비에 대한 내 기쁨은 완전히 망가져 버려서 다시는 그에게 내가 잡은 걸 보여 주지 않게 되었지.

2년쯤 지나, 우리는 제법 큰 사내애들이 되었으나 여전히 나비 수집에 대한 열성은 대단했었지. 그즈음 에밀이 공작나방을 잡았다는 소문이 들려왔다네. 그건 내 친구 한 녀석이 100만 마르크의 유산을 상속받았다거나 로마 시대 리비우스[3]의 잃어버린 책들이 발견되었다는 소리를 들었을 때보다도 훨씬 더 나를 자극시키는 거였네. 우리 중 누구도 잡아 보지 못한 공작나방을 나는 내가 갖고 있던 나비 도감의 그림에서만 보아 알고 있었는데, 손으로 채색된 그 동판화는 현대의 어떤 원색 인쇄보다도 훨씬 아름답고 정교했었지. 내가 이름을 알고 있는 것 중에 그리고 내 수집 상자에 아직 없는 것 중에 내가 이 공작나방만큼

---

2 페니히(Pfennig) 예전에, 독일에서 사용하던 화폐 단위. 1페니히는 1마르크의 100분의 1이다.
3 리비우스(Livius, Titus) 고대 로마의 역사가로, 아우구스투스 황제의 측근에 있으면서 40여 년 동안 《로마 건국사》 142권을 저술하였던 인물이다. 이 중 35권만이 현존한다.

열렬히 갖기를 갈망했던 것도 없었으니까. 나는 내 책 속의 그 그림을 이따금 관찰하곤 했는데, 어떤 친구 하나가 이런 얘기를 들려주더군. 그 갈색의 나방이 나뭇가지나 바위에 앉아 있을 때 새나 또 다른 적이 공격하려고 하면, 이놈은 접혀진 시커먼 앞날개를 활짝 펼쳐 아름다운 뒷날개를 보여 주기만 한다는 거야. 그러면 그 뒷날개에 박힌 커다랗게 빛나는 눈들이 이상하고 예기치 못한 느낌을 주어, 그 새는 깜짝 놀라 나방을 내버려 둔다는 거지.

이토록 놀라운 곤충이 그 한심한 에밀의 손에 들어갔다니! 그 얘기를 들었을 때 처음에는 그저 그 희귀한 것을 마침내 직접 보게 되었다는 기쁨과 그에 따른 불타는 호기심뿐이었다네. 그러나 곧 시기심이 발동하여, 이 한심한 녀석이 그 신비스럽고 값비싼 나비를 갖게 되었다는 사실이 하찮게 여겨지는 거였네. 그래서 나는 마음을 억누르고, 달려가서 그가 잡은 것을 보여 달라고 하는 따위의 바보짓은 하지 않기로 하였다네. 그러나 공작나방에 대한 생각은 내 마음을 떠날 줄 몰랐고, 다음 날 학교에서 그 소문이 사실임을 알게 되었을 때엔 당장 가 보리라고 마음먹게 되었다네. 식사가 끝나자마자 나는 곧장 집을 나서서 이웃에 있는 그 집의 4층으로 올라갔었네. 하녀 방과 나무 선반 옆에 그 선생의 아들은 종종 내가 부러워하던 혼자 쓸 수 있는 작은 방을 갖고 있었다네. 나는 도중에 아무도 만나지 않고 그 방문 앞까지 올라가 노크를 했는데 대답이 없더군. 에밀은 안에 없었던 거야. 문의 손잡이를 잡아 보았더니, 그 녀석이 밖으로 나갈 때면 끔찍이도 잊지 않고 잠가 놓던 문이 이상하게도 열려 있지 않겠는가. 그래서 보기만이라도 해야겠다는 생각으로 들어가서 에밀이 자기 수집품을 보관하는 커다란 상자 두 개를 집어 들었지. 상자 두 개를 다 뒤져 보아도 없자 그 나방이 전시 판에 있을지도 모른다는 생각이 들더군. 결국 그것도 찾아내었지. 좁다란 판지와 함께 갈색 날개가 펼쳐진 채로 공작나방은 판때기 위에 놓여 있었네. 나는 고개를 숙이고 밝은 갈색으로 된, 머리카락 같은 더듬이와 우아하고 끝없이 부드럽게 색이 박힌 날개 테 또 아랫날개의 안쪽 테두리에 있는 깨끗하고 고운 솜털, 그 모든 것을 아주 가까이서 보았네. 종이 판으로 덮여 있어 날개에 박힌 눈만을 볼 수가 없었지만.

나는 유혹을 이기지 못하고, 가슴을 두근거리며 종이 판을 걷어 내고 핀을 빼었지. 그러자 커다란 네 개의 신비한 눈이 그림에서보다 훨씬 더 아름답고 놀라운 자태로 나를 쏘아보는 것이었네. 그 눈빛으로 인해 나는 이 기막힌 놈을 소유하고 싶은 억누를 수 없는 욕구를 느끼게 되었고, 이미 건조되어 그 형태가 잘 보존된 나방을 핀을 뽑아 집어 들고 방을 나왔다네. 생각지도 않게 인생에서 최초의 도둑질을 하게 된 걸세. 물론 그때엔 더 말할 나위 없는 만족감 이외에 다른 느낌은 없었다네.

나는 오른손에다 나방을 숨기고 계단을 내려왔네. 그때 아래쪽에서 누군가 올라오는 소리가 났는데, 나는 그 순간 양심이 깨어나 자신이 도둑질을 한 형편없는 놈이란 걸 깨닫게 되었다네. 그러나 그것도 잠시였고 들키면 어쩌나 하는 불안 때문에 본능적으로 훔친 물건을 쥔 손을 웃옷 주머니에 찔러 넣고 말았다네. 그러곤 천천히 걸었는데, 다가오는 하녀 옆을 지날 때에는 자꾸만 떨리고 창피하고 부끄러우면서도 가득 찬 불안을 떨칠 수가 없었지. 이윽고 현관에 다다랐을 때에는 가슴이 두근거리고 이마에 땀이 흘러내려 제정신이 아니었다네.

그러나 곧 내가 이 나방을 가질 수도 없고 또 가져서도 안 된다는 게 분명해졌기 때문에 그것을 다시 가지고 올라가 없었던 일로 해 놓아야 한다는 생각이 들더군. 나는 누구를 만나거나 발각될지도 모른다는 불안을 무릅쓰고 재빨리 계단을 뛰어 올라가 1분 후에는 다시 에밀의 방에 들어가 있었지. 나는 조심스럽게 주머니에서 손을 꺼내어 나방을 책상 위에 올려놓았는데, 그 순간 이미 불행한 사태가 벌어졌다는 걸 깨닫고는 울음을 터뜨릴 지경이 되었다네. 공작나방이 부서진 걸세. 오른쪽 앞날개와 오른쪽 더듬이가 떨어져 나갔더군. 떨어진 날개를 조심조심 주머니에서 꺼내 보았으나 다시 붙인다는 것은 생각도 할 수 없을 지경이었다네.

도둑질을 했다는 감정보다 내가 부서뜨린 그 아름답고 희귀한 것을 볼 때 내 가슴은 더 아팠다네. 내 손가락 위에 그 부드러운 갈색의 날개 비늘이 묻어 있는 것과 부서진 날개가 놓여 있는 걸 보니 마치 모든 소유물과 기쁨을, 다만 그것들의 전적인 가치를 재인식하기 위해 내버린 것 같은 느낌이 들더군.

처량한 심정으로 집에 돌아와 오후 내내 집 앞 작은 정원에 앉아 있다가 어두워져서야 어머니에게 모든 걸 털어 놓고 말씀드려야겠다는 용기가 났지. 어머니가 얼마나 놀라고 슬퍼하실까 짐작할 수 있었지만, 벌을 견뎌 내는 것보다 고백하는 것이 더 값지다고 생각하실지도 모른다고 느꼈네.

어머니는 단호하게 말씀하셨네. "네가 에밀에게 가서 그것을 직접 말해야 한다. 그것이 네가 할 수 있는 유일한 일이야. 그렇게 하기 전에는 나는 너를 용서할 수가 없어. 네가 갖고 있는 것 중에서 보상될 만한 물건을 찾아 보아라. 그리고 용서를 구해야 한다."

그가 모범 소년이 아니라면 그것은 훨씬 쉬웠을 걸세. 그는 나를 이해하지 못하리라는 것, 어쩌면 내 말을 믿으려 들지도 않으리라는 것이 틀림없었으니 말일세. 저녁이 되고 밤이 되도록 나는 용기를 내지 못했다네. 그때 아래층 현관에서 어머니가 나를 보시더니 조용히 말씀하셨네. "오늘이라야만 한다. 이제 가 보거라!"

나는 에밀의 집으로 가 아래층에서 그를 찾았지. 그는 나오자마자, 누군가가 공작나방을 망가뜨렸는데 그게 어떤 심술궂은 녀석의 짓인지 혹은 새나 고양이의 짓인지 모르겠다고 말하는 거였네. 그래서 나는 함께 올라가 좀 보여 달라고 했다네. 그가 방문을 열고 촛불을 켜자 판때기 위에 부서져 나간 그 나방이 보였지. 그리고 에밀이 부서진 날개를 조심스럽게 펼쳐, 축축한 압지에 올려놓고는 다시 원상 복귀시키려는 작업을 시도했다는 걸 알 수 있었네. 하지만 그것은 절대로 원상 복귀될 수가 없는 일이었지. 더듬이도 떨어져 나갔고.

나는 그것이 내 소행이라고 말하면서 여러 가지 이야기로 해명을 하고자 애를 써 보았네.

그러나 에밀은 내게 화를 내거나 소리를 지르는 대신 이 사이로 피이 하고 경멸을 표시하더니 한참 동안 나를 조용히 쳐다보는 거야. 그러고는 "그래그래, 너는 바로 그런 애야."라고 말하는 거야.

나는 그에게 내가 갖고 있는 것 중에서 무엇이든 주겠다고 했는데도, 그는 계속 냉랭하고 경멸에 찬 눈초리로 나를 쳐다보는 것이었네. 결국 나는 내가 수집한 나비 전부를 주겠다고 했다네. 그러나 그는 이렇게 말하는 거야. "고맙지만, 나는 네 수집품을 벌써 알고 있어. 네가 나비를 어떻게 다루는가가 오늘 다시 확인되었단 말이야."

그 말을 듣는 순간 나는 그의 목덜미를 움켜잡아 거꾸러뜨리고 싶은 심정이었으나 꼼짝 못 하고 형편없는 무법자가 되어 그 자리에 서 있었고, 에밀은 여전히 경멸을 품은 채 마치 우주의 질서처럼 차갑게 내 앞에 서 있었다네. 그는 단 한마디도 욕을 하지 않았고 그저 바라보는 것만으로 충분히 경멸했던 거야.

그때 나는 처음으로, 한번 결딴난 일은 다시 손을 써 볼 수 없다는 사실을 알게 되었지. 집으로 돌아가니 다행히도 어머니는 아무것도 묻지 않고 내게 키스를 해 주셨지. 시간이 너무 늦었기 때문에 잠자리에 들 수밖에 없었지만, 잠들기 전에 몰래 식당에서 그 커다란 갈색 상자를 가져와 침대에 올려놓고는 어둠 속에서 그걸 열었지. 그러고는 나비들을 꺼내어 차례로 하나씩 손가락으로 가루를 만들어 버렸다네.

(1911년)

《나비》(범우사, 1989)

우량품

존 골즈워디

존 골즈워디 (John Galsworthy, 1867~1933)

영국의 소설가이자 극작가이다. 부유한 변호사의 아들로 태어나 옥스퍼드대학교에서 법률을 전공하여 변호사가 되었다. 그러나 그는 변호사로 활동하지 않고 글쓰기를 시작했다. 그의 작품에는 사회의 부정으로 학대받고 희생되는 사람에 대한 의분이 담겨 있다. 또한 자유주의·인도주의적인 입장에서 사회의 모순을 지적하면서도 그것을 고쳐 나가는 인간의 미래에 대한 가능성을 제시했다. 희곡으로 〈은상자〉 〈투쟁〉 〈정의〉, 장편 소설로 《포사이트가(家)의 이야기》, 다수의 단편 소설을 발표했으며, 1932년에 노벨 문학상을 수상했다.

나는 그 사람을 아주 어릴 때부터 알았다. 아버지가 항상 그에게서 구두를 맞춰 신었기 때문이다. 그는 작은 가게 두 채를 터서 만든 구두점을 친형과 함께 운영했다. 구두점 앞은 이제 좁은 뒷골목 정도가 되었으나 한때는 런던 웨스트엔드에서 가장 번화한 곳이었다.

형제네 가게는 너무 단조로워 오히려 눈에 띄었다. 간판에는 왕실에 납품한 구두임을 자랑하는 문구 따위를 찾아볼 수 없었고, 그의 독일 성(姓)을 따서 '게슬러 형제'라고만 적혀 있었다. 진열창 너머로는 구두가 몇 켤레 보였다.

나는 바뀌지 않는 전시용 구두들의 정체가 늘 궁금했다. 그는 주문받은 대로만 구두를 만들었으므로 전시용 구두를 절대 판매하지 않았다. 더구나 그가 만든 구두가 손님 발에 맞지 않아 전시용 구두가 되었다고는 상상하기 어려웠다. 혹시 다른 가게에서 산 구두인 걸까? 하지만 그것도 말이 되지 않았다. 그는 남이 만든 구두를 자기 가게에 둘 사람이 아니었다. 전시용 구두들은 무척 아름다웠다. 펌프스¹는 매끈한 자태를 뽐냈고, 끈이 달린 에나멜가죽 구두는 마음을 혹하게 했다. 그런가 하면 갈색 승마용 장화는 어두운 광택이 멋들어지게 돌아 새 제품임에도 100년 전 제품처럼 고풍스러웠다. 구두의 정령을 만난 사람만이 만들 수 있는 작품 같았다. 그만큼 신발이라는 물건의 본질을 완벽히 담고 있었다. 물론 처음부터 이렇게 생각했던 것은 아니지만, 그의 가게에서 구두를 맞추기 시작한 열네 살 즈음부터 이미 나는 그와 그의 형에게서 품위란 것을 어렴풋

---

1 펌프스(pumps) 끈이나 고리가 없고 발등이 깊이 파져 있는 여성용 구두.

이 느꼈다. 구두를 만든다는 것, 특히 그 사람처럼 명품을 만든다는 것은 그때나 지금이나 신비하고도 놀랍게 느껴진다.

한번은 어린 시절 내가 그에게 발을 쭉 뻗은 채로 수줍게 말을 건넸던 기억이 난다.

"구두 만들기가 참 힘드시죠, 게슬러 아저씨?"

무뚝뚝해 보이던 그가 붉은 수염 사이로 씩 웃더니 대답했다.

"이건 일이 아니라 예술인걸요!"

어떻게 보면 그는 가죽으로 만들어진 사람 같았다. 주름이 자글자글한 누런 얼굴, 붉고 구불거리는 머리카락과 수염, 볼에서 입가로 비스듬히 이어지는 잔주름, 거칠고 높낮이가 없는 목소리가 그런 인상을 주었다. 가죽이 원체 무뚝뚝하고 억세고 둔한 물건이듯 그의 얼굴에도 그런 기질이 묻어났지만, 두 눈만은 예외였다. 회색빛이 감도는 푸른 눈은 묵묵히 이상을 좇는 자다운 진지함을 간직하고 있었다. 그의 형은 모든 면에서 그보다 유순하고 연약해 보였으나 무척 성실하다는 점에서 그와 비슷했다. 처음에 나는 두 사람을 잘 분간하지 못해 대화 마지막에 "내 동생에게 물어보죠."라고 말하는 사람은 그의 형이고, 아니면 그 사람이겠거니 생각했다.

나이를 먹고 흥청망청 돈을 쓰다 여기저기 외상값을 쌓아 둔 사람도 게슬러 형제에게만큼은 제때 돈을 건넸다. 형제네 가게를 방문해 철테 안경 너머로 푸른 눈을 반짝이는 그에게 발을 보여 주고 나면, 구두값을 두 켤레 이상 외상으로 달아 놓는 것이 어쩐지 부적절하게 느껴지기 때문이었다. 두 켤레 정도면 형제네 가게의 단골손님을 의미했다.

그도 그럴 것이 게슬러 씨가 만든 구두는 아주 오래갔기 때문에 손님들이 가게를 자주 방문할 일이 없었다. 그의 구두는 잠깐 쓰고 버리는 물건을 뛰어넘어 구두의 본질을 박음질해 간직했다.

보통 가게를 들를 때면 '얼른 물건만 둘러보고 나가야지!'라고 마음먹는 사람도 형제네 가게에서는 교회에 온 것처럼 차분하게 행동했고, 나무 의자에 앉아 주인이 나와 보기를 가만히 기다렸다. 그러다 보면 가죽 냄새가 은은히 풍기는 컴컴한 위층 층계참에서 그 사람이나 그의 형이 얼굴을 빼꼼 내밀었다. 목을 가다듬는 소리와 함께 실내화를 신고 좁은 나무 계단을 내려오는 소리가 들리고 나면, 마침내 그가 셔츠 바람으로 손님 앞에 나타났다. 그는 가죽 앞치마를 두른 셔츠의 소매를 말아 올린 채 살짝 구부정하게 서 있었고, 눈을 연신 껌벅였다. 구두의 꿈에서 막 깨어난 사람 같기도, 대낮의 햇빛 때문에 단잠을 방해받아 뾰로통한 올빼미 같기도 했다.

나는 그에게 "잘 지내시죠, 게슬러 씨? 러시아산 가죽으로 만든 구두를 주문해도 될까요?" 같은 말을 건네곤 했다.

그가 말없이 조금 전 걸어 나온 곳이나 가게 한구석으로 사라지고 나면, 나는 다시 나무 의자에 앉아 가죽 냄새를 음미하며 그를 기다렸다. 얼마 후 그는 핏줄이 비치는 야윈 손에 금빛이 감도는 갈색 가죽 조각을 들고 돌아왔다. 그리고 가죽 조각에서 눈을 떼지 못하며 "정말 아름답지 않습니까!"라고 감탄했다. 내가 정말 그렇다고 맞장구치면 그는 "언제쯤 보내 드릴까요?"라고 물었다. 내가 "아! 완성하는 대로 보내 주세요."라고 답하면 그는 "보름 후가 어떻습니까?"라고 다시 물었다. 그의 형일 경우에는 "내 동생에게 물어보지요!"라고 말했다.

그러고 나면 내가 "감사합니다! 그럼 안녕히 계세요, 게슬러 씨."라고 조용히 인사했고, 그는 가죽 조각에 시선을 고정한 채 "안녕히 가세요!"라고 대답했다. 몸을 돌려 문가로 걸어가고 있으면, 그가 구두의 꿈속으로 되돌아가려는 듯 실내화를 끌며 계단을 오르는 소리가 들렸다.

그런데 내가 이제껏 신어 보지 않은 종류의 구두를 주문했을 때는 반드시 거쳐야 하는 절차가 있었다. 먼저 그는 내 구두를 벗겨 손에 들고는 애정과 비판이 듬뿍 담긴 눈으로 한참을 살폈다. 그것을 만들던 때의 기쁨을 떠올리는 것 같으면서도, 자신의 걸작을 함부로 다룬 날 나무라는 것 같기도 했다. 다음으로는 내

발을 종이 위에 올려놓고서 연필로 발 가장자리를 두세 번 따라 그렸고 신중한 손짓으로 발의 너비를 쟀다. 그렇게 내게 필요한 것이 무엇인지에 집중했다.

나는 그날 그와 나눈 대화를 아직도 잊지 못한다.

"게슬러 씨, 저번에 맞춘 산책용 구두가 삐걱거려요."

그는 잠시 말없이 날 바라보았다. 방금 한 말을 취소하거나 자세히 설명해 주기를 기다리는 눈치였다.

"그럴 리가 없는데."

"아녜요. 정말 삐걱거려요."

"비 오는 날 신고 나간 적이 있나요?"

"아뇨."

그가 그 구두에 대한 기억을 끄집어내려는 듯 눈을 내리깔고 고민하는 모습을 보자 괜히 무거운 말을 꺼낸 것 같아 미안해졌다.

"제게 보내 보세요! 한번 살펴보겠습니다."

그가 말했다.

순간 삐걱거리는 구두에 대한 연민이 샘솟았다. 그가 얼마나 마음 아파하며 그 구두를 오랫동안 살필지 눈에 선했다.

"어떤 구두는 처음부터 불량으로 만들어지기도 해요. 손볼 수 없다 싶으면 그 구두값은 받지 않겠습니다."

하루는 대형 구두점에서 급히 샀던 구두를 신고서 무심코 그의 가게를 들른 적이 있었다. (이런 적은 정말 딱 한 번뿐이었다.) 그는 주문을 받았으나 평소처럼 가죽 조각을 보여 주지 않았고, 질 나쁜 가죽으로 만들어진 내 구두를 뚫어지게 쳐다보았다. 그러다 마침내 입을 열었다.

"제가 만든 구두가 아니군요."

그의 목소리는 분노도 슬픔도 경멸도 담고 있지 않았다. 다만 피를 얼어붙게 할 만큼 차분했다. 그는 내 왼쪽 구두의 한 부분을 손가락으로 꾹 눌렀다. 그곳

은 잔뜩 멋을 부렸으나 발을 불편하게 했다.

"여기가 아프겠는데요. 대기업들은 순 엉터리예요. 쓰레기들!"

그는 마음속에 무언가 복받친 듯 길게 푸념을 늘어놓기 시작했다. 그가 자기 사업의 현실과 어려움을 털어놓은 것은 이때가 처음이자 마지막이었다.

"대기업들이 다 해 먹고 있어요. 좋은 제품이 아니라 번드르르한 광고로 다 해 먹고 있다고요. 우리 가게 구두를 좋아하는 손님들까지 모두 빼 가고 있지요. 그래서 내가 이런 신세가 된 겁니다. 일거리가 없어요. 앞으로 주문이 줄어들 일만 남았네요."

그의 주름진 얼굴에 지금껏 몰랐던 고민과 고생의 흔적이 엿보였다. 붉은 줄로만 알았던 수염도 어느새 희끗희끗해져 있었다.

나는 이 흉한 구두를 살 수밖에 없었던 이유를 그에게 열심히 설명했다. 그러나 그의 표정과 목소리가 못내 마음에 걸려 결국 새 구두를 여러 켤레 주문하고 말았다. 다 내가 자초한 일이었다. 이때 주문한 구두들은 유달리 오래갔다. 따라서 나는 2년 가까이 그의 가게를 방문하지 않았다.

드디어 다시 찾았을 때, 가게는 놀랍게 변해 있었다. 작은 두 창문 중 하나에 다른 가게 이름이 적혀 있었고, 왕실 납품 구두임을 홍보하는 간판도 새로이 걸려 있었다. 낯익은 전시용 구두들은 예전처럼 널찍한 공간에 폼 나게 진열된 것이 아니라 한쪽 창문에 아무렇게나 놓여 있었다. 이제 공간을 반쪽만 쓰게 되어 좁아진 가게 안은 예전보다 컴컴해졌고 가죽 냄새도 짙어졌다. 그가 위층 층계참에서 얼굴을 빼꼼 드러낸 다음 실내화를 끌고 내려오는 시간도 예전보다 길어졌다. 마침내 나타난 그가 녹슨 철테 안경 너머로 날 빤히 바라보며 물었다.

"예전에 그분 맞죠?"

"아! 네, 게슬러 씨……."

나는 우물쭈물 말을 꺼냈다.

"워낙 구두를 튼튼히 만들어 주셔서 한동안 올 일이 없었네요! 보세요, 아직도 이렇게 멀쩡하답니다!"

내가 발을 쭉 뻗자 그가 내 구두를 내려다보았다.

"그렇군요. 그런데 이제 사람들은 구두의 품질에는 관심이 없어 보여요."

죄책감이 들게 하는 그의 눈빛과 목소리를 견딜 수 없어 얼른 화제를 돌렸다.

"가게가 달라졌네요?"

그가 조용히 답했다.

"나가는 돈이 너무 많아서요. 구두 주문하시겠어요?"

나는 두 켤레면 충분했으나 결국 세 켤레를 주문하고 서둘러 가게를 나왔다. 왠지 내가 그 사람을, 또는 구두에 관한 그의 신념을 좌절시키는 음모에 가담한 것만 같았기 때문이다. 그러나 몇 달이 지나자 그런 죄책감이 가셨고, 결국 나는 구두값을 치른 뒤 그의 가게에 다시 가 보기로 했다. 속으로는 '아! 아무리 그래도 그 사람을 모른 척할 수는 없어! 그리고 이번에는 그 사람 형이 날 맞이할지도 모르잖아!'라고 생각하며.

그의 형은 어떤 식으로든 내게 죄책감을 줄 사람이 아니었다.

그리고 참 다행스럽게도, 정말 가게에는 그의 형으로 보이는 사람이 가죽 조각을 만지작거리고 있었다.

"게슬러 씨, 잘 지내시지요?"

그가 가까이 다가와 날 쳐다보았다.

"잘 지냅니다. 그런데 내 형이 얼마 전 세상을 떠났어요."

그가 느릿느릿 말했다.

다시 보니 눈앞의 남자는 그의 형이 아니라 바로 그 사람이었다. 하지만 어찌나 늙고 기력이 쇠했던지! 그가 내게 형 이야기를 꺼낸 것은 이때가 처음이었다. 나는 당황해 말을 더듬거렸다.

"아! 유감입니다……."

"예. 형은 좋은 사람이었어요. 구두 만드는 솜씨도 좋았고요. 그런데 이제 죽고 없네요."

그는 형이 죽은 이유를 넌지시 알리려는 듯, 어느새 자기 형처럼 많이 벗겨진 정수리를 가볍게 툭툭 쳤다.

"형은 가게 절반을 처분한 후로 많이 힘들어했어요. 그건 그렇고, 구두 주문하시겠어요?"

그가 가죽 조각을 손에 쥐며 물었다.

"이 가죽 참 아름답지요."

나는 구두를 여러 켤레 주문했다. 받아 보기까지 아주 오랜 시간이 걸렸으나 구두는 어느 때보다 훌륭했다. 평생 신어도 닳지 않을 것 같았다. 얼마 후, 나는 해외로 떠났다.

런던으로 돌아왔을 때는 1년이 조금 넘은 후였다. 나는 가장 먼저 그를 만나러 그의 가게로 향했다. 마지막으로 만났을 때 예순 정도였던 그는 이제 일흔다섯 살쯤으로 보였다. 수척하고, 몹시 지쳐 보였으며, 몸을 살짝 떨고 있었다. 처음에는 나를 알아보지도 못했다.

"아! 게슬러 씨. 이 구두 정말 훌륭하더군요! 외국에서 거의 매일 이것만 신었는데 아직도 닳지 않았답니다. 보이시죠?"

마음 아파하며 그에게 인사를 건넸다.

그는 러시아산 가죽으로 만든 내 구두를 물끄러미 들여다보며 서서히 안정을 되찾는 듯 보였다. 발등 쪽에 손을 갖다 대며 그가 물었다.

"이쪽은 잘 맞던가요? 이걸 만들 때 고생했던 기억이 나는군요."

나는 구두가 내 발에 아주 잘 맞는다고 답했다.

"구두 주문하시겠어요? 얼마 안 걸릴 거예요. 요즘 워낙 일이 없어서."

"그럼요, 그럼요! 종류대로 다 맞추고 싶어요!"

"일단 새로 본을 떠야겠어요. 발이 자랐을 테니까."

그가 아주 느리게 내 발 모양을 본뜨기 시작했고 발가락을 유심히 살피다가 딱 한 번 고개를 들더니 말했다.

"내 형이 죽었다고 말했던가요?"

너무 늙어 버린 그를 지켜보기란 고통스러운 일이었다. 나는 서둘러 가게를 나왔다.

어느 날 저녁, 구두가 도착했을 때는 감탄하지 않을 수 없었다. 상자를 열어 보니 구두 네 켤레가 나란히 놓여 있었다. 나는 그것들을 하나씩 신어 보았는데 아무런 흠도 보이지 않았다. 모양과 착용감, 마감과 가죽의 품질까지, 지금껏 그가 만든 구두 가운데 단연 최고였다. 청구서는 산책용 구두 구멍에 꽂혀 있었다.

구두값은 평소대로였지만 나는 적잖이 놀랐다. 그가 정해진 결산일 전에 청구서를 보낸 적은 한 번도 없었기 때문이다. 나는 곧장 아래로 내려가 수표를 쓴 다음 직접 그에게 부쳤다.

일주일 후, 그의 가게 근처를 지나던 나는 새로 맞춘 구두가 내 발에 얼마나 딱 맞는지 그에게 말해 주고 싶어졌다. 그런데 가게 앞에 도착해 보니 그의 이름이 적힌 간판이 사라지고 없었다. 진열창에 놓인 매끈한 펌프스와 끈이 달린 에나멜가죽 구두와 갈색 승마용 장화만이 여전했다.

나는 어리둥절하여 가게로 들어갔다. 작은 가게 두 채를 다시 하나로 합친 내부에는 영국인으로 보이는 젊은 남자가 있었다.

"게슬러 씨 계십니까?"

내가 물었다.

젊은 남자가 어색하지만 친절한 눈빛으로 나를 바라보았다.

"아뇨, 안 계세요. 이제는 저희가 부족함 없이 손님을 모시겠습니다. 얼마 전이 가게를 사들였거든요. 옆문에 걸려 있던 저희 가게 이름을 한 번쯤 보셨겠지요? 높으신 분들의 구두를 만들기도 한답니다."

"그건 알겠습니다. 그럼 이제 게슬러 씨는 어디로 가셨나요?"

"아! 돌아가셨어요."

"돌아가시다니! 지난주 수요일에 그분에게서 구두를 받았는데요."

"아! 갑자기 돌아가셨어요. 그 불쌍한 양반이 글쎄, 굶어 죽었습니다."

"세상에!"

"의사 말로는 서서히 굶어 죽었대요. 죽어라 일하다 정말 돌아가신 거예요! 끝까지 가게를 포기하지 않고, 자기가 만든 구두에 누가 손대는 꼴을 못 보는 분이었지요. 그분은 주문이 들어오면 오랫동안 공들여 구두를 만들었어요. 하지만 손님들은 기다려 주지 않잖아요. 결국에는 손님들이 다 떠났는데도 그분은 계속 앉아서 일하고 또 일했어요. 물론 런던에서 그분보다 구두를 잘 만드는 사람은 아무도 없어요. 하지만 경쟁이 얼마나 치열한데요! 그분은 가게 홍보를 일절 안 하셨지요. 그러면서 제일 비싼 가죽만 고집하고 혼자서 모든 걸 하다 보니 이렇게 되고 만 거예요. 별수 있었겠습니까?"

"아무리 그래도 굶어 죽다니요?"

"좀 과장된 말일 수도 있어요. 분명한 건 그분이 마지막 순간까지 쉬지 않고 구두를 만들었다는 거예요. 제가 그분을 유심히 관찰하곤 했거든요. 그분은 먹을 시간도 없이 일만 하는데도 돈 한 푼 모으지 못했답니다. 월세를 내고 최고급 가죽을 사느라 모조리 써 버렸으니까요. 이렇게 오래 버틴 게 신기할 따름이에요. 가끔은 버럭 성질을 내기도 하고 확실히 괴짜 같은 구석이 있었지요. 그래도 구두는 참 잘 만들었어요."

"맞아요. 구두를 참 잘 만들었는데……."

나는 눈물로 흐려진 눈을 들키지 않으려 황급히 가게를 나섰다.

(1912년)

번역 송예슬

선거 사무실의 아이비 기념일[*]

제임스 조이스

제임스 조이스 (James Joyce, 1882~1941)

아일랜드의 소설가 겸 시인이다. '의식의 흐름'이라는 새로운 수법으로 인간의 복잡 미묘한 내면 심리의 갈등을 묘사하여, 20세기 심리 소설의 형성에 영향을 미쳤다. 대표작으로 《율리시스》 《젊은 예술가의 초상》 《더블린 사람들》, 희곡 〈망명자들〉, 시집 《실내악》, 유작 소설 《피네간의 경야》 등이 있다.

* 아이비 기념일(Ivy Day) 아일랜드를 영국으로부터 독립시키려 노력했던 아일랜드 민족주의 정치가 찰스 스튜어트 파넬(1846~1891)을 기리는 날이다. 파넬의 추종자들은 10월 6일이 되면 옷깃에 담쟁이(Ivy) 잎사귀를 달아 그의 죽음을 추모한다.

잭 영감은 판지 조각으로 타다 남은 숯을 긁어모아 하얗게 변해 가는 석탄 더미 위에 찬찬히 뿌렸다. 불룩한 석탄 더미가 숯으로 얇게 뒤덮이자 그의 얼굴은 어둠 속으로 사라졌다. 그러나 불에 부채질을 시작하자 이내 맞은편 벽에 웅크린 그의 그림자가 떠올랐고 그의 얼굴도 다시 모습을 드러냈다. 뼈가 앙상하고 수염으로 뒤덮인 노인의 얼굴이었다. 그는 난롯가에 앉아 촉촉한 푸른 눈을 껌뻑였고, 침이 고인 입이 이따금 벌어지면 기계적으로 입술을 한두 번 달싹거려 오므렸다. 숯에 불씨가 붙자 그는 판지 조각을 벽에 걸어 두며 한숨을 푹 내쉬었다.

"이제 좀 나아질 겁니다. 오코너 씨."

오코너 씨는 젊은 나이에 벌써 머리가 희끗희끗했고, 얼굴에 오돌토돌한 부스럼과 여드름이 잔뜩 나 있었다. 그는 담뱃잎을 올린 종이를 매끈한 원기둥 모양으로 말다가 영감의 말에 골똘히 생각에 잠겨 종이를 도로 폈다. 그러다 또 골똘히 생각에 잠긴 표정으로 종이를 말아 잠시 뜸을 들인 다음 종이에 침을 발랐다.

"티어니 씨가 언제 돌아오겠다던가요?"

오코너 씨가 쉰 목소리로 물었다.

"그런 말 없었는데요."

오코너 씨는 담배를 입에 물고 주머니를 뒤적거리기 시작했다. 그가 꺼낸 것은 얇은 명함 뭉치였다.

"성냥을 가져다 드리지요."

잭 영감이 말했다.

"괜찮습니다. 이걸 쓰면 돼요."

오코너 씨는 명함 한 장을 꺼내 그 안에 적힌 문구를 읽었다.

시 의회 의원 선거

왕립 증권 거래소 선거구

———

빈민 구제법 관리 위원 리처드 J. 티어니입니다.

다가오는 선거에서 왕립 증권 거래소 선거구에 출마하오니

귀하의 표와 성원을 부탁드립니다.

오코너 씨는 티어니 씨의 선거 사무장에게 고용되어 선거구 일부 지역을 돌아다니며 선거 운동을 벌여야 했으나, 이날은 궂은 날씨에다 신발까지 다 젖어 버린 바람에 위클로가(街)에 있는 선거 사무실에서 관리인 잭 영감과 난롯가에 앉아 하루 대부분을 보내는 중이었다. 두 사람은 짧은 해가 저물어 어두워진 후로 줄곧 이렇게 앉아 있었다. 이날은 10월 6일, 바깥은 음산하고 쌀쌀했다.

오코너 씨는 명함 한쪽을 쭉 찢어 불을 붙인 다음 담배에 갖다 댔다. 그러자 불빛이 그의 외투 깃에 달린 어둡고 윤이 나는 담쟁이 잎사귀를 비췄다. 가만히 지켜보던 잭 영감은 오코너 씨가 담배를 피우는 동안 판지 조각을 다시 집어 들어 천천히 불에 부채질을 시작했다.

영감이 조금 전까지 하던 말을 계속했다.

"아무튼, 자식 농사가 참 어렵습니다. 내 아들놈이 그렇게 될 줄 누가 알았겠어요! 기독형제학교에도 보내 보고 할 수 있는 건 다 해 줬더니만 술이나 퍼마시고 있다니까요. 어떻게든 사람 구실은 하게 만들려 했건만."

그가 지친 표정으로 판지 조각을 제자리에 걸어 놓았다.

"내가 이렇게 늙지만 않았어도 당장에 그놈 버르장머리를 바꿔 놓을 텐데요. 따라다닐 기력만 남았어도 몽둥이를 들고 다니면서 흠씬 패 줄 거예요. 왕년에는 자주 그랬었죠. 그런데 또 애 엄마란 여자는 쓸데없이 애를 감싸고돌질 않나……."

"그게 자식을 망치는 길인데."

오코너 씨가 말했다.

"정말 그래요. 키워 준 은혜는 모르고 어찌나 건방진지. 내가 좀 취했다 싶으면 어김없이 기어오른다니까요. 아들이 아비에게 그따위 말버릇이라니 도대체 세상이 어떻게 되려고 이런답니까?"

"아들이 몇 살인데요?"

"열아홉 살이요."

"어디 취직이라도 시키는 게 어떻습니까?"

"아무렴요. 그 주정뱅이 놈이 학교를 그만둔 후로 나라고 가만히 있었겠습니까? '이 아비가 널 평생 먹여 살릴 순 없다. 그러니 일자리를 알아 봐라.' 이렇게 말했죠. 그런데 이놈이 돈을 벌기 시작하니까 더 막 나가더라고요. 돈을 몽땅 술 마시는 데 써 버리지 뭡니까?"

영감의 말에 오코너 씨가 고개를 절레절레 흔들었다. 영감도 말없이 난롯불을 바라보았다. 그때 누군가 문을 열고 들어와 큰 소리로 인사했다.

"안녕들 하신가? 프리메이슨¹ 밀회라도 열리는 모양이지?"

"저자는 누굽니까?"

영감이 오코너 씨에게 물었다.

"어두운 데서 뭘 하고 있는 거야?"

---

1 프리메이슨(Freemason) 세계 동포주의, 인도주의, 개인주의, 합리주의, 자유주의 이념을 바탕으로 상호 친선, 사회사업, 박애 사업 따위를 벌이는 단체.

낯선 남자의 목소리였다.

"하인스, 자네인가?"

오코너 씨가 말을 건넸다.

"그래, 나일세. 어두운 데서 뭘 하고 있었어?"

하인스 씨가 난롯가로 다가왔다.

키가 크고 몸이 마른 하인스 씨는 연갈색 콧수염을 기른 젊은이였다. 금방이라도 떨어질 것 같은 빗방울이 모자챙에 달려 있었고 짧은 외투 깃은 세워져 있었다.

"매트, 잘되어 가고 있어?"

그가 오코너 씨에게 물었다.

오코너 씨는 고개를 내저었다. 잭 영감은 자리에서 일어나 방 안을 더듬거려 초 두 자루를 들고 돌아왔고, 난롯불로 하나씩 불을 붙여 테이블에 올려놓았다. 그러자 휑한 방이 형체를 드러냈고 붉게 타오르는 난롯불의 선명함이 덜해졌다. 벽에는 선거 연설문 한 장만 덜렁 붙어 있었다. 방 한가운데에는 서류 더미가 쌓인 작은 테이블이 덩그러니 놓여 있었다.

하인스 씨가 벽난로 선반에 몸을 기대며 물었다.

"돈은 받았어?"

"아직. 그 사람이 오늘 밤에도 우리 사정을 모른 척하지 않기를 간절히 바라고 있네."

오코너 씨가 대답했다.

"주겠지. 너무 걱정하지 마."

하인스 씨가 웃으며 말했다.

"일을 제대로 해 볼 생각이면 이런 문제는 얼른얼른 해결해 줘야 할 텐데."

오코너 씨가 말했다.

"영감님 생각은 어때요?"

하인스 씨가 비꼬는 투로 잭 영감에게 물었다.

"어쨌든 그분은 문제를 해결할 돈을 갖고 있지요. 그 부랑아 같은 놈이랑은 다르게."

잭 영감은 난롯가 자리에 앉으며 대답했다.

"부랑아 같은 놈이요?"

하인스 씨가 되물었다.

"콜건이지 누굽니까?"

잭 영감의 말투에 경멸이 묻어났다.

"지금 콜건이 노동자 출신이라고 그렇게 말하는 건가요? 성실히 일하는 벽돌공이 술 장사꾼과 뭐 그리 다르길래? 노동자에게도 시 의회에 들어갈 권리가 있는 것 아닙니까? 좀 있어 보이는 사람이면 아무한테나 굽실대는 신사 나부랭이보다야 노동자가 낫지 않은가요? 안 그런가, 매트?"

"일리 있는 얘기야."

오코너 씨가 대꾸했다.

"꿍꿍이 없이 정직한 사람이야. 노동 계급을 대표하려고 출마하는 거지. 자네가 돕는 후보는 괜찮은 자리나 얻으려는 속셈이고."

"물론 노동 계급을 대표할 사람도 필요하죠."

잭 영감이 끼어들었다.

"노동자들은 온갖 궂은일은 다 하는데 정작 돈은 못 벌어요. 그들의 노동력이 모든 걸 만들고 있는데도 말이죠. 노동자들은 자기 아들이나 조카나 사촌에게 돈벌이가 좋은 일자리를 구해 주는 짓 따위는 하지 않아요. 독일 혈통 군주[2]의 비위를 맞추려고 더블린의 명예를 진흙탕에 처박지도 않을 거고요."

"그건 또 무슨 말입니까?"

---

2 독일 혈통 군주 여기서는 당시 영국 왕이었던 에드워드 7세의 아버지인 앨버트 공의 가문이 독일 출신임을 두고 하는 말이다.

잭 영감이 물었다.

"내년에 에드워드왕이 방문하면 환영사를 하자는 의원들이 있는데 모르셨어요? 우리가 뭣 하러 외국 왕에게 머리를 조아려야 하죠?"

"우리 후보님은 환영사에 찬성표를 던지지 않을 거야. 민족당 후보시니까."

오코너 씨가 말했다.

"과연 그럴까? 어떻게 될지 지켜보자고. 난 그자를 알아. 오죽하면 별명이 '사기꾼 티어니'겠어?"

하인스 씨가 반문했다.

"하기야! 어쩌면 자네 말이 맞을지도 모르겠군. 그건 그렇고 얼른 돈이나 줬으면 좋겠어."

세 남자는 잠시 말이 없었다. 잭 영감은 숯을 더 긁어모으기 시작했다. 하인스 씨는 모자를 벗어 물기를 털어 낸 다음 세워진 외투 깃을 내렸다. 그러자 외투 깃에 달린 담쟁이 잎사귀가 드러났다.

"만약 이분이 살아 계셨더라면 환영사 얘기는 나오지도 않았을 텐데."

하인스 씨가 잎사귀를 가리키며 말했다.

"옳은 말씀."

오코너 씨가 고개를 끄덕였다.

"아! 축복받은 시절이었죠! 그때는 꽤 살 만했어요."

잭 영감도 거들었다.

다시 침묵이 흘렀다. 그때 추위에 귀가 꽁꽁 얼어붙은 키 작은 남자가 코를 훌쩍이며 요란하게 들어왔다. 남자는 손으로 불을 피우기라도 하려는 것처럼 빠르게 두 손을 비비대며 난롯가로 빠르게 걸어왔다.

"돈 소식은 없습니다, 여러분."

남자가 말했다.

"여기 앉으시지요, 헨치 씨."

잭 영감이 자리를 내주었다.

"아, 괜찮습니다. 안 그러셔도 되는데."

헨치 씨는 이렇게 말하면서도 하인스 씨를 향해 짧게 고개를 끄덕여 인사한 뒤 잭 영감이 비워 준 의자에 앉았다.

"자네 온저가(街)는 다 돌았어?"

헨치 씨가 오코너 씨에게 물었다.

"응."

오코너 씨는 메모지를 찾아 주머니를 뒤적거렸다.

"그라임스도 만나 봤고?"

"그럼."

"뭐라던가? 지지하겠대?"

"확답은 못 받았어. '누구에게 투표할지 아무에게도 말하지 않겠소.'라고 하던데. 그래도 내 생각엔 괜찮을 거라고 봐."

"무슨 근거로?"

"추천인들이 누구냐고 묻길래 내가 말해 줬거든. 버크 신부 이름도 물론 말했고. 그러니 괜찮을 거야."

헨치 씨가 코를 훌쩍이며 난롯가로 두 손을 뻗어 아주 빠른 속도로 비비대다가 말했다.

"안 되겠군. 영감님, 우리 석탄을 조금만 더 땝시다. 남은 게 어디 있을 텐데."

잭 영감이 석탄을 찾으러 방을 나섰다.

"그건 그렇고 돈은 결국 못 받아 냈어. 내가 돈 얘기를 꺼내니까 그 쩨쩨한 놈이 글쎄, '아이고, 헨치 씨. 상황이 잘 풀리면 꼭 보답하리다. 믿어 주시오.'라고 하더라니까. 못돼 먹은 놈 같으니! 딱 그 정도인 놈이야, 안 그래?"

헨치 씨가 고개를 저었다.

"내가 뭐랬어? '사기꾼 티어니'라니까."

하인스 씨가 말했다.

"암, 사기꾼이고말고. 조그만 돼지 눈깔을 괜히 달고 있는 게 아니더군. 망해 버리라지! 사내답게 돈으로 주면 될 것을 '아이고, 헨치 씨. 패닝 씨와 먼저 상의해야 해서 말이지요……. 나간 돈이 워낙 많아서.'라고 둘러대는 건 뭐람? 빌어먹을 자식! 제 아버지가 메리즈 레인에서 헌 옷 가게를 하던 시절은 다 잊어버린 모양이야."

헨치 씨가 말했다.

"그게 사실이야?"

오코너 씨가 물었다.

"그럼. 정말 안 들어 봤단 말이야? 일요일 아침마다 술집이 문을 열기 전에 남자들이 조끼나 바지를 사러 그 가게를 들르곤 했단 말이지[3]. 그런데 세상에! 알고 보니 그 사기꾼 아비란 작자가 가게 한구석에 검은 술통을 숨겨 두고 팔았다는 거야. 이제 알겠어? 다 그렇게 된 거야. 그자가 거기서 처음 세상을 배운 거라고."

헨치 씨가 대답했다.

이때 잭 영감이 석탄 덩어리를 몇 개 들고 와서 난롯불에 집어넣었다.

"이거 아주 머리 아프게 됐네. 돈도 안 줄 거면서 우리한테 일을 시킬 생각을 하다니?"

오코너 씨가 중얼거렸다.

"나도 별수가 없어. 집에 가면 압류 집행관이 와 있는 게 아닌지 모르겠네."

헨치 씨가 말했다.

하인스 씨는 웃으며 어깨 힘으로 벽난로 선반에서 몸을 일으켜 떠날 채비를 했다.

---

3 일요일 아침마다 술집이 문을 열기 전에 남자들이 조끼나 바지를 사러 그 가게를 들르곤 했단 말이지 일요일에는 오후에만 술을 팔 수 있는 당시 법 때문에, 술집이 열기 전에 몰래 불법으로 술을 팔았다는 의미이다.

"에드워드왕이 오면 다 괜찮아지려나. 자, 그럼 친구들, 난 이만 가 봐야겠어. 나중에 보자고. 잘들 있게."

그는 느릿느릿 사무실을 나섰다. 헨치 씨도, 잭 영감도 말이 없었다. 그러다 문이 닫힐 즈음, 침울하게 난롯불을 바라보던 오코너 씨가 대뜸 소리 내어 하인스 씨에게 인사했다.

"잘 가게, 조."

잠시 뜸을 들이던 헨치 씨도 문가를 향해 고개를 끄덕였다. 그리고 난로 반대 편에 있는 오코너 씨에게 물었다.

"아니, 저 친구는 왜 여기 온 거야? 무슨 속셈으로?"

"아, 불쌍한 우리 조! 돈에 쪼들리거든. 우리처럼."

오코너 씨가 난롯불에 담배꽁초를 던지며 대답했다.

헨치 씨는 세차게 코를 훌쩍였고, 가래침을 한 번에 얼마나 많이 뱉었는지 하마터면 난롯불이 치익 소리와 함께 꺼질 뻔했다.

"내 솔직한 생각을 말하자면 말이야, 저자는 반대편 진영 사람 같아. 콜건이 보낸 첩자라고. '저쪽이 자네를 의심하지는 않을 테니 가서 동정을 살피고 오시오.'라는 지령을 받았을 거야. 뭔 말인지 알겠어?"

"그렇지만 우리 조는 점잖은 사람인걸."

오코너 씨가 대꾸했다.

"그자 아버지야 점잖고 존경받을 만한 분이었지. 불쌍한 래리 하인스 씨! 한창때 좋은 일도 참 많이 하셨는데! 하지만 저 친구는 확실히 진짜배기는 아냐. 돈이 쪼들려서 힘든 건 이해하겠어. 아무리 그래도 염탐질이나 하고 다니다니. 사내답지 못하잖아?"

헨치 씨가 말했다.

"나도 저자가 여기 오는 게 그리 반갑지 않아요. 그쪽에 가서 자기 할 일이나 하라고 해요. 괜히 여기 와서 기웃거리지 말고."

잭 영감이 투덜거렸다.

"난 잘 모르겠는데."

오코너 씨는 여전히 확신이 서지 않은 듯 말하며 담뱃잎과 종이를 꺼냈다.

"내가 볼 때 조 하인스는 정직한 사람이야. 글도 잘 쓰고. 자네도 그 사람이 쓴 글…… 그거 기억하지?"

"산에 남아 투쟁하는 페니언 당원들[4] 중에도 똑똑한 사람들이 꽤 있지 않은가. 그놈들에 대한 내 생각을 솔직히 말해 볼까? 나는 그들 중 절반은 아일랜드 총독에게 매수되었다고 봐."

"그렇게까지 말할 근거는 없지요."

잭 영감이 말했다.

"하지만 사실이라니까요."

헨치 씨가 말을 이었다.

"그자들은 분명 총독 밑에서 일하고 있어요……. 그게 꼭 하인스라고 말하진 않겠지만……. 아냐, 하인스는 그래도 그보다는 나은 것 같아……. 하지만 사팔뜨기인 귀족 나부랭이, 그 애국자 양반, 자네도 누구인지 알지?"

오코너 씨가 고개를 끄덕였다.

"그자는 시어 소령[5]의 직계 후손이지! 아, 참된 애국자 집안이고말고! 그자는 단돈 4펜스에 고국을 팔고도 남을 사람이야. 무릎 꿇고 예수님에게 기도할 때는 팔아먹을 고국을 주셔서 감사하다고 지껄이려나."

그때 누군가 문을 두드렸다.

"들어오쇼!"

헨치 씨가 외쳤다.

---

4 페니언 당원들(Fenians) 아일랜드 독립운동가 제임스 스티븐스가 만든 무장 단체로, 영국으로부터의 독립과 민주 공화국 수립을 위해 무력 항쟁했다.
5 시어 소령 여기서 언급된 헨리 찰스 시어 소령은 더블린 경찰청장을 지내며 아일랜드 독립운동가들을 체포하는 데 앞장선 인물이었다. 아일랜드 민족주의자들 사이에서 시어 소령은 매국노의 상징이었다.

웬 남자가 남루한 성직자 혹은 가난한 배우 행색으로 문가에 서 있었다. 작달막한 몸에 단추를 꼼꼼히 채운 검은 옷을 입고 있었는데, 프록코트[6]는 다 해어졌고 촛불이 비춘 단추에는 아무것도 씌워 있지 않았다. 외투 깃은 목까지 세워져 있어 성직자의 것인지 평신도의 것인지 분간이 가지 않았다. 머리에는 딱딱한 펠트 재질에 챙이 둥그런 검은 모자를 쓰고 있었다. 빗물에 젖어 번들거리는 얼굴은 불그스름한 양쪽 광대 부분을 제외하고는 누런 치즈빛을 띠었다. 아주 기다란 입은 실망감에 갑자기 벌어졌지만, 새파란 두 눈은 기쁨과 놀라움으로 커졌다.

"키언 신부님! 맞으시죠? 어서 들어오세요!"

헨치 씨가 벌떡 일어나 인사했다.

"아, 아닙니다. 아닙니다."

키언 신부는 어린애를 어르기라도 하듯 입을 내밀며 재빨리 대답했다.

"이쪽으로 오셔서 앉으시겠어요?"

"아닙니다. 괜찮아요!"

키언 신부는 부드러운 목소리로 조심스럽고 상냥하게 거절했다.

"여러분을 방해하고 싶지 않습니다! 저는 그저 패닝 씨에게 볼일이 좀 있어서……."

"그 사람은 지금 '블랙이글 술집'에 있어요. 여기 앉아서 기다리시지 그러세요?"

헨치 씨가 제안했다.

"아뇨, 아뇨. 괜찮습니다. 그리 중요한 일도 아닌데요. 아무튼 고맙습니다."

키언 신부가 도로 나가자 헨치 씨가 촛대를 들고 따라가 아래로 향하는 계단을 비춰 주었다.

---

6 프록코트(frock coat) 남자용의 서양식 예복의 하나로, 보통 검은색이며 저고리 길이가 무릎까지 내려온다.

"아이고, 번거롭게 이러지 않으셔도 되는데!"

"아니에요. 계단이 너무 어둡잖아요."

"아닙니다. 잘 보이는걸요……. 아무튼 대단히 고맙습니다."

"이제 괜찮으시겠어요?"

"네, 괜찮아요. 고맙습니다. 정말 고마워요."

촛대를 들고 방으로 돌아온 헨치 씨가 테이블 위에 촛대를 내려놓았다. 그리고 다시 난로 앞에 앉았다. 잠시 침묵이 흘렀다.

"존, 솔직히 말해 봐."

오코너 씨가 담배에 불을 붙이며 헨치 씨에게 넌지시 물었다.

"응?"

"저자 정체가 뭐야?"

"좀 알아들을 수 있게 질문을 해 봐."

헨치 씨가 말했다.

"패닝과 저 사람 꽤 돈독해 보이던데. 카바나스 술집에서 어울리는 걸 자주 봤어. 저 사람 신부가 맞기는 한 거야?"

"으응. 내가 알기론 그래……. 아마 문제가 있는 사람일 거야. 저런 사람이 몇몇 있기는 해도 많지는 않으니 얼마나 다행인지! 어찌 보면 저 사람도 인생이 좀 꼬인 셈이지."

"돈은 어떻게 벌고?"

오코너 씨가 또 물었다.

"그것도 미스터리야."

"성당이나 교회, 아니면 어디 재단에 소속되어 있나?"

"아냐. 그냥 혼자서 여기저기 돌아다니는 것 같아……. 그나저나 부끄러운 말이지만, 저 사람이 들어왔을 때 나는 흑맥주가 도착한 줄 알았지 뭐야."

헨치 씨가 말했다.

"뭐 마실 것 없을까?"

오코너 씨가 주위를 둘러보았다.

"나도 목이 타네요."

잭 영감이 말했다.

"안 그래도 내가 그 째째한 자식한테 흑맥주 좀 보내 줄 수 있느냐고 세 번이나 부탁했었지. 아까 봤을 때도 말했었는데, 셔츠 바람으로 카운터에서 앨더만 카울리 의원하고 이야기하느라 정신이 팔렸더군."

헨치 씨가 말했다.

"다시 확실히 말해 두지 그랬어?"

오코너 씨가 물었다.

"카울리 의원하고 대화하는데 다가가기가 좀 그랬어. 한참 기다렸다가 눈이 마주쳤을 때 '조금 전 제가 말씀드린 그 문제는…….' 하니까 '괜찮을 겁니다, 헨치 씨.'라고 말을 끊어 버리는 거야. 에라, 그 땅딸보 새끼가 전부 다 까먹어 버린 거라고."

"그쪽에서 뭔가 일이 진행되고 있나 보네. 어제 서픽가(街)에서 세 사람이 진지하게 숙덕거리는 걸 봤는데."

오코너 씨가 생각에 잠긴 목소리로 말했다.

"무슨 수작인지 알 만해. 요즘에는 시장이 되려면 시 의원들에게 돈부터 꿔야 하거든. 그러면 그자들이 자기 입맛에 맞는 사람을 시장으로 밀어주지. 세상에! 나도 시장이 되어야 하나 진지하게 생각 중일세. 어때? 내가 그 자리에 어울릴까?"

헨치 씨가 말했다.

"빚지는 일이라면야……."

오코너 씨가 웃으며 말끝을 흐렸다.

"차를 타고 시장 관저를 빠져나간다고 생각해 봐. 나는 모피로 된 관복을 입고, 우리 잭 영감님은 분칠한 가발을 쓰고 내 뒤를 지키고, 어때?"

헨치 씨가 말했다.

"그럼 나는 개인 비서로 써 주게, 존."

"좋지. 키언 신부는 개인 목사로 고용해야겠어. 우리가 다 해 먹자고."

"솔직히 헨치 씨라면 지금 그 사람들보다 더 멋지게 사실 거예요. 언젠가 관저 수위로 일하는 키건 영감하고 대화하다가 '팻, 새로 모시는 분은 어떤가? 요즘은 연회도 뜸한 것 같던데.'라고 말을 건넸더니만 '연회는 개뿔! 그분은 아주 궁상맞게 산다고.'라고 하는 겁니다. 그리고 또 뭐라고 말했는지 아세요? 정말 믿기지 않았답니다."

잭 영감이 말했다.

"뭐라던가요?"

헨치 씨와 오코너 씨가 동시에 물었다.

"'명색이 더블린 시장이란 분이 저녁거리로 달랑 갈빗살 한 근을 사 오라고 시키는 것에 대해 어떻게 생각하나? 상류층이 그렇게 산다니 말이 돼?'라는 거예요. 저는 '이런, 이런!' 하고 놀랐죠. 키건 영감이 '시장 관저에 사는 분이 달랑 갈빗살 한 근이라니.'라고 계속 탄식하기에 저도 '맙소사! 도대체 뭐 하는 사람들이야?' 하고 말했답니다."

그때 문을 두드리는 소리가 들리더니 소년이 고개를 빼꼼 내밀었다.

"무슨 일이냐?"

잭 영감이 물었다.

"'블랙이글'에서 왔어요."

게걸음으로 들어온 소년이 바닥에 바구니를 내려놓자 유리병이 달그락거리는 소리가 났다.

잭 영감은 소년을 도와 바구니에 들어 있는 술병을 테이블로 옮기며 병 개수를 세었다. 할 일을 마친 소년은 바구니를 한쪽 팔에 끼고서 물었다.

"병은 어떻게 해요?"

"병이라니?"

영감이 물었다.

"우린 아직 마시지도 않았는데?"

헨치 씨가 껴들었다.

"병을 가져오라고 했어요."

"내일 오너라."

영감이 말했다.

"잠깐, 얘!"

헨치 씨가 소년을 불러 세웠다.

"오패럴 씨에게 가서 병따개를 빌려 오너라. 헨치 씨 부탁이라고 말하면 돼. 쓰자마자 돌려주겠다는 말도 전하고. 바구니는 거기 놔둬도 좋아."

소년이 방을 나섰고, 헨치 씨는 기분 좋게 두 손을 비비며 말했다.

"뭐, 아주 몹쓸 놈은 아니네. 자기가 한 말은 지키는 사람이야."

"그런데 잔이 없네요."

잭 영감이 말했다.

"뭐 그런 걸 신경 써요, 영감님. 병째로 마시는 사람들이 얼마나 많은데요."

"어쨌든 아무것도 없는 것보다 낫네."

오코너 씨가 말했다.

"나쁜 사람은 아냐. 패닝에게 너무 휘둘려서 그렇지. 좀 치사하게 굴긴 해도 사람 자체는 착하다고."

다시 헨치 씨가 말했다.

소년이 병따개를 가지고 돌아왔다. 잭 영감이 병 세 개를 딴 뒤 소년에게 병따개를 건네려고 할 때, 헨치 씨가 소년에게 물었다.

"너도 좀 마실래?"

"주신다면요."

잭 영감이 마지못해 새 병을 따서 소년 에게 주었다.

"너 몇 살이냐?"

그가 물었다.

"열일곱 살이요."

병을 건네받은 소년은 영감이 별말을 하지 않자 "헨치 아저씨, 정말 감사합 니다."라고 말한 뒤 술을 쭉 들이켰고, 테이블에 빈 병을 내려놓으며 소매로 입 가를 닦았다. 그리고 병따개를 집어 들고서 인사말을 중얼거리며 문밖으로 나 갔다.

"다들 저렇게 시작하더이다."

잭 영감이 말했다.

"가랑비에 옷 젖는다고들 하죠."

헨치 씨가 맞장구쳤다.

잭 영감이 코르크 마개를 딴 세 병을 나눠 주었고, 세 사람은 동시에 술을 쭉 들이켰다. 그리고 병을 각자 손이 닿는 벽난로 선반에 올려 두고는 기분 좋게 긴 숨을 내쉬었다.

"오늘은 꽤 성과가 좋았어."

헨치 씨가 잠시 뜸을 들이다가 말했다.

"그런가, 존?"

"응. 크로프턴과 돌아다니면서 도튼가(街)에서 한두 표는 확실히 확보했거든. 우리끼리 얘기지만, 크로프턴 말이야. (물론 점잖은 사람이긴 하다만) 선거 운동원 으로는 꽝이더군. 지나가는 개한테도 말 한마디 못 걸던데. 내가 열심히 떠드는 동안 옆에 멀뚱히 서서 구경하기만 했다니까."

이때 두 남자가 사무실에 들어왔다. 한 명은 아주 뚱뚱해서 푸른 정장이 금방이라도 흘러내릴 것처럼 몸집이 둥그스름했다. 커다란 얼굴은 어린 황소 같은 느낌을 주었고, 푸른 눈은 부리부리했으며, 콧수염은 희끗희끗했다. 다른 한 명은 홀쭉한 체구와 깔끔히 면도한 얼굴 때문에 훨씬 어리고 연약해 보였다. 그는 높이 올라온 더블칼라 차림에 머리에는 챙이 넓은 중산모를 쓰고 있었다.

"아, 크로프턴 왔는가! 양반은 못 되는군……."

헨치 씨가 뚱뚱한 남자에게 인사를 건넨 뒤 혼자 중얼거렸다.

"술은 어디서 난 거야? 무슨 경사라도 났어?"

앳된 남자가 물었다.

"역시 라이언스가 술 냄새는 기가 막히게 맡는구면!"

오코너 씨가 웃음을 터트렸다.

"크로프턴과 내가 비 오는 날 오들오들 떨어 가며 표를 구걸하는 동안 안에서 이러고 있었단 말이야?"

라이언스 씨가 말했다.

"무슨 소리. 내가 5분만 돌아다녀도 자네들이 일주일 동안 얻을 표보다 더 많은 표를 얻을 텐데."

헨치 씨가 거들먹거렸다.

"두 병만 새로 땁시다, 영감님."

오코너 씨가 말했다.

"무슨 수로요? 병따개도 없는걸요?"

잭 영감이 반문했다.

"잠깐, 잠깐! 이 방법을 모른단 말이야?"

헨치 씨가 자리에서 벌떡 일어났다.

그는 테이블에서 병 두 개를 들어 난롯불 가까이에 가져간 다음 난로 선반 위에 올려놓았다. 그리고 도로 자리에 앉아 남은 술을 들이켰다. 라이언스 씨는 테이블 가장자리에 앉아서 모자를 뒤로 젖힌 다음 다리를 흔들거렸다.

"내 병이 뭐였더라?"

그가 물었다.

"이놈일세."

헨치 씨가 병 하나를 가리켰다.

크로프턴 씨는 상자 위에 걸터앉아 선반 위에 놓인 나머지 병을 뚫어지게 쳐다보았다. 그가 말이 없는 데에는 두 가지 이유가 있었다. 첫째는 그야 당연히 할 말이 없기 때문이었고, 둘째는 여기에 모인 사람들과 자기는 급이 다르다고 생각하기 때문이었다. 그는 원래 보수당의 윌킨스 후보 밑에서 일하는 선거 운동원이었는데, 보수당이 후보를 사퇴시키고 남은 두 후보 중 그나마 낫다고 판단한 민족당 후보를 지지하기로 하면서 티어니 씨 밑으로 들어와 일하게 된 터였다.

몇 분이 더 지나자 그제야 '폭!' 하고 라이언스 씨 병의 코르크 마개가 튀어올랐다. 라이언스 씨는 벌떡 일어나 난롯가로 다가가 병을 들고 제자리로 돌아갔다.

"크로프턴, 안 그래도 조금 전까지 자네와 내가 오늘 표를 꽤 괜찮게 모았다고 얘기하고 있었다네."

헨치 씨가 말했다.

"누구 표를 얻었는데?"

라이언스 씨가 물었다.

"일단 파크스에게서 한 표, 앳킨슨에게서 한 표, 그리고 도슨가의 워드 영감에게서 한 표를 얻었지. 그 노인 꽤 괜찮더라고. 상류층에다 오랜 보수파니까! 그 양반이 '그런데 자네 쪽 후보는 민족당 소속이 아닌가?'라기에 내가 '그래도 아주 존경할 만해요. 이 나라를 위해서라면 뭐든 할 분이죠. 고액 지방세 납세자이기도 하고요. 시내에 엄청난 규모의 부동산을 갖고 있고 사업체도 세 개나 소유하고 있어요. 그러니 자신을 위해서라도 세금을 낮추려 하지 않겠어요? 참 대단하고 훌륭한 모범 시민이지요. 참, 빈민 구제법 관리 위원이기도 해요. 특정 파벌에는 전혀 속해 있지 않고요.'라고 설명했지. 이런 사람들은 이렇게 설득해야 하는 거야."

"그럼 왕 환영사에 대해서는 뭐라고 말해야 하지?"

라이언스 씨가 술을 들이켠 후 입맛을 다시며 물었다.

"들어 봐. 내가 워드 영감에게도 말했듯이 우리나라에 필요한 건 자본이야. 왕이 방문한다는 건 돈이 들어온다는 뜻이지. 그러면 더블린 시민들이 그 혜택을 보게 된다 이 말이야. 저기 부둣가에 문 닫은 공장들을 한번 봐 봐! 지금 놀고 있는 공장이며 제분소며 조선소며, 이런 것들을 가동하기만 해도 돈이 돌 거야. 우리는 자본만 있으면 돼."

다시 헨치 씨가 말했다.

"하지만 존, 그렇다 하더라도 우리가 왜 영국 왕을 반겨야 하지? 파넬이었다면……."

오코너 씨가 말했다.

헨치 씨가 그의 말을 자르며 대꾸했다.

"파넬은 죽었잖나. 자, 내 생각은 이래. 지금 영국 왕은 머리가 하얗게 셀 때까지 기다렸다가 겨우 자기 노모에게서 왕위를 물려받았어. 세상 물정을 아는 사람이고, 우리를 좋게 생각하고 있어. 아주 낙천적이고 괜찮은 양반이라고. 허튼 짓할 리 없어. 스스로 이렇게 생각할 테지. '선왕은 척박한 아일랜드 땅에는 한 번도 방문한 적이 없어. 내가 직접 가서 그들이 어떻게 생겨 먹었는지를 봐야겠어.'라고. 좋은 뜻으로 이곳에 방문하려는 사람을 꼭 모욕해야 하는 걸까? 응? 내 말이 틀렸어, 크로프턴?"

크로프턴 씨는 고개를 끄덕였다.

이때 라이언스 씨가 시비조로 껴들었다.

"그런데 자네도 알겠지만, 에드워드왕의 사생활[7]은 그다지……."

그러자 헨치 씨가 다시 말을 가로막았다.

"과거는 과거로 묻어 두자고. 나는 그자를 인간적으로 좋아해. 그도 자네나 나처럼 평범한 사람일 뿐이야. 술을 좋아하고, 어쩌면 난봉꾼일지도 모르지. 스포츠에는 확실히 소질이 있고. 젠장, 우리 아일랜드 사람들이 좀 정정당당해질 수 없는 거야?"

"좋다 이거야. 하지만 파넬의 경우[8]를 보자고."

라이언스 씨가 말했다.

"도대체 두 경우의 유사점이 뭔데?"

헨치 씨가 그의 말을 받아쳤다.

"내 말은, 우리에게도 좇을 이상이 있다는 거야. 왜 우리가 그런 자를 환영해야 하는데? 파넬이 그런 짓을 저질렀어도 우리의 지도자로 적합하다고 말할 거야? 그게 아니라면 우리가 왜 에드워드 7세를 인정해야 하지?"

라이언스 씨가 말했다.

이때 오코너 씨가 입을 열었다.

"오늘은 파넬 기념일이야. 괜히 안 좋은 말 하지 말자고. 지금은 돌아가셨지만, 모두의 존경을 받는 분이야. 심지어 보수당원들도 그를 존경해."

그는 이렇게 말하며 크로프턴 씨를 돌아보았다.

'폭!' 뒤늦게 크로프턴 씨의 코르크 마개가 튀어 올랐다. 그는 상자에서 일어나 난로에 다가갔다. 그리고 병을 들고 자리로 돌아온 후에 중후한 목소리로 말했다.

"우리 진영도 그분을 존경하지. 그분은 진정한 신사였으니까."

---

7 에드워드왕의 사생활 에드워드 7세는 복잡한 여자관계로 숱한 염문설에 휘말렸다.
8 파넬의 경우 파넬은 자기 당원의 아내와 불륜을 저지른 사건으로 정치적 입지와 도덕성에 심각한 타격을 입고 결국 실각하게 되었다. 숱한 염문설에도 정치적 입지에 변함이 없었던 에드워드 7세와 대비된다.

"크로프턴, 말 한번 잘했네!"

헨치 씨가 들뜬 목소리로 말했다.

"말썽 피우는 의원들을 다룰 줄 아는 유일한 분이었어. '앉아, 이놈들아! 누워, 이 똥개들아!' 이렇게 그들을 다루셨지. 아, 조! 어서 들어와!"

그는 문을 열고 들어오는 하인스 씨를 향해 소리쳤다.

하인스 씨는 천천히 걸어왔다.

"영감님. 맥주병을 하나 더 따시죠. 참, 병따개가 없지! 병을 이리로 주면 여기 선반에 올려놓을게요."

헨치 씨가 말했다.

잭 영감이 그에게 병을 건넸고, 그가 선반에 병을 올려놓았다.

"어서 앉아, 조. 그분에 대해 얘기하고 있었어."

오코너 씨가 말했다.

"응, 맞아!"

헨치 씨도 맞장구쳤다.

하인스 씨는 말없이 라이언스 씨와 가까운 테이블 가장자리에 앉았다.

"어쨌거나 그분을 배신하지 않을 사람이 한 명 있지. 조, 바로 자네를 얘기하는 거야! 자네는 남자답게 끝까지 그분 곁을 지켰지!"

헨치 씨가 하인스 씨에게 말했다.

이때 갑자기 오코너 씨가 제안했다.

"어이, 조. 자네가 쓴 시를 들려주게. 기억하지? 지금 가지고 있어?"

"아, 옳지! 한번 읊어 봐. 크로프턴, 자네도 들어 봤어? 지금 한번 들어 보게. 아주 걸작이야."

헨치 씨도 거들었다.

"어서, 조."

오코너 씨가 계속 그를 부추겼다.

하인스 씨는 사람들이 말하는 시가 무엇인지 금방 떠오르지 않는 듯 잠시 곰곰이 생각하더니 말했다.

"아, 그 얘기로군……. 오래전에 지은 건데."

"어서 읊어 봐!"

오코너 씨가 신이 나 말했다.

"쉿, 쉿. 자, 지금이야, 조!"

헨치 씨가 분위기를 잡았다.

하인스 씨는 한동안 뜸을 들였다. 그러더니 말없이 모자를 벗어 테이블에 올려놓은 다음 자리에서 일어났다. 머릿속으로 시를 미리 외워 보는 듯했다. 꽤 오래 머뭇거리던 그가 마침내 입을 뗐다.

파넬의 죽음

1891년 10월 6일

하인스 씨는 한두 번 목을 가다듬더니 시를 읊기 시작했다.

그가 가셨네. 우리의 무관의 왕이 가셨네.

오, 아일랜드여, 비통하고 슬퍼하라.

현세의 포악한 위선자 무리 앞에 쓰러져

그가 고이 세상을 떠나셨네.

비열한 자들의 손에 쓰러져

수렁에서 영광의 자리로 올라가셨으니

아일랜드의 희망과 꿈이

왕을 보내는 장작더미 위에서 스러지는구나.

궁전에서 오두막에서 초가집에서
아일랜드의 영혼이 깃든 곳 어디에서건
그의 죽음을 슬퍼하며 고개를 숙이네.
이 땅의 운명을 일으키려 한 그가 가셨네.

아일랜드를 부흥시켰을 그가
초록색 국기를 영광스럽게 휘날리게 했을 그가
온 세계 나라들 앞에서
이 땅의 정치인과 시인과 전사를 드높였을 그가 가셨네.

그는 꿈꾸었네. (아, 하나 정말로 꿈이었구나!)
자유란 꿈을, 자유란 우상을
하나 그것을 움켜쥐려 할 때 배반이 나타나
그가 사랑한 것과 그를 갈라놓았네.

비겁하고 비열한 자들의 수치로다.
자신들의 왕을 내친 자들이여, 입맞춤으로
그의 친구일 리 없는 간사한 오합지졸 사제들에게
그를 팔아넘긴 자들이여.

떳떳하게 그들을 물리치신
그 고결한 이름을 더럽히려 한 자들이여.
그 기억을 떠올릴 때마다
영원토록 수치심에 떨기를.

그는 용맹한 자가 쓰러지듯 쓰러지셨도다.
최후의 순간까지 고귀하고 의연했으니
이제 죽음으로 아일랜드의 과거 영웅들과
하나가 되었구나.

이제 어느 소란도 그의 잠을 방해하지 않으리!
고요히 잠들어 계시니, 인간의 고통도
높은 야망도, 영광의 정상에 오르도록
더는 그를 부추기지 않으리.

저들은 바람대로 그분을 물리쳤네.
하지만 아일랜드여, 소망하라.
먼동이 밝아 올 때
그의 영혼이 불사조처럼 불꽃에서 피어오르기를.

우리에게 자유의 세상을 가져다줄 그날.
그날이 오거든 아일랜드여,
기쁨의 축배를 들어 기억해 다오.
하나의 슬픔, 파넬의 죽음을.

하인스 씨는 자리에 앉았다. 잠시 침묵하던 사람들은 박수갈채를 보냈다. 라이언스 씨도 예외가 아니었다. 박수 소리는 한동안 이어졌다. 마침내 박수가 멎었고, 모두 말없이 술을 들이켰다.

'폭!' 하인스 씨 병의 코르크 마개가 튀어 올랐지만, 그는 모자도 쓰지 않고 상기된 얼굴로 가만히 앉아 있었다. 주변의 소리가 들리지 않는 듯했다.

"아주 대단했어, 조!"

오코너 씨가 말했다. 그는 벅차오르는 감정을 애써 가라앉히며 담배 종이를 주머니에 넣었다.

"크로프턴, 자네는 어떻게 생각하나? 좋지 않은가? 어때?"

헨치 씨가 큰 소리로 물었다.

크로프턴 씨는 아주 훌륭한 시였다고 말했다.

(1914년)

번역 송예슬

라쇼몬

아쿠타가와 류노스케

아쿠타가와 류노스케(芥川龍之介, 1892~1927)

일본 도쿄시에서 태어났다. 도쿄대학교 영문과 재학 중에 나쓰메 소세키의 문하로 들어갔으며 〈노년〉을 발표하면서 작가의 길에 들어섰다. 발표한 작품은 대부분 단편으로, 영미권 문학의 영향을 받아 정연한 논리성과 뚜렷한 필치가 가장 큰 특징이다. 특히 역사물, 종교, 자연주의, 판타지, 사소설에 이르기까지 형식과 주제를 자유롭게 넘나드는 필력을 통해 예술 지상주의, 합리주의를 실현한 것으로 평가받았다. '일본 근대 문학의 아버지'로 후대 작가와 문학계에 무수한 영향을 남긴 그의 이름을 딴 문예상인 '아쿠타가와상'은 그의 사후에 제정되었다. 대표작으로는 〈코〉〈마죽〉〈어떤 바보의 일생〉〈톱니바퀴〉〈갓파〉 등이 있다.

어느 날 해 질 녘이었다. 하인 하나가 라쇼몬[1] 아래서 비를 긋고 있었다.

널따란 문 아래에는 이 남자 말고는 아무도 없었다. 다만 군데군데 붉은 칠이 벗겨진 커다란 원주에 귀뚜라미 한 마리가 붙어 있었다. 라쇼몬은 스자쿠 대로에 있었으니 이 남자 말고도 이치메가사[市女笠][2]든가 모미에보시[3]를 쓴 사람이 두세 명쯤 더 비를 긋고 있을 법도 했다. 그러나 이 남자 말고는 아무도 없었다.

이유인즉, 최근 두세 해 동안, 교토에는 지진이며 회오리바람, 화재와 기근 등의 재난이 연달아 일어났다. 그 때문에 성내는 심상치 않은 쇠락을 맞이하고 있었다. 옛 기록에 따르면 불상이나 불구[4]를 패고 쪼개다 보니 단청이나 금은박을 입힌 나무들이 길바닥에 쌓여 장작 대신 팔릴 정도였다는 것이다. 성내가 그런 꼴이었으니 라쇼몬의 수리 같은 건 애당초 어느 누구도 거들떠보지 않았다. 그러자 옳거니 하고 여우나 너구리 들이 와 살았다. 도둑들도 몰려와 살았다. 그러더니만 결국은 돌볼 사람 없는 시체들을 이 문에 가져다 버리고 가는 풍습까지 생겼다. 그래서 땅거미가 지고 나면 사람들이 기분 나쁘다며 이 문 근처에는 발을 들이지 않게 되어 버린 것이다.

그 대신 까마귀들은 또 어디서 오는 건지 잔뜩 몰려들었다. 낮에 보면 그 까마귀들이 몇 마리씩이나 높다란 치미[5] 부근에서 원을 그리며 울고 있었다. 특히

---

1 라쇼몬[羅生門] 헤이안 시대 수도 교토의 성문. 헤이안 시대는 일본 역사 시대 구분 가운데 하나로 794년 간무왕이 헤이안쿄(현재의 교토)로 천도한 때부터 1185년 가마쿠라 막부가 들어서기 전까지의 시기이다.
2 이치메가사 가운데가 상투처럼 높이 솟은 여성용 삿갓. 초기에는 여자 상인들이 주로 씀.
3 모미에보시[揉烏帽子] 귀인, 무사들이 쓰던 길쭉하고 뒤로 굽은 건(巾)의 일종.
4 불구(佛具) 부처 앞에 쓰는 온갖 기물.

문 위쪽으로 하늘이 저녁노을에 붉게 물들 때면, 새들은 마치 깨라도 뿌려 놓은 듯이 또렷하게 보였다. 까마귀는, 물론 문 위에 있는 시체를 쪼아 먹으러 오는 것이었다. 하지만 오늘은 시간이 늦어서인지 한 마리도 보이지 않았다. 다만 여기저기 무너지기 시작해서 그 깨어진 틈새를 비집고 풀이 기다랗게 자라난 돌계단 위로 하얗게 말라붙은 까마귀 똥이 점점이 보일 뿐이었다. 하인은 일곱 단 돌계단 맨 꼭대기에 낡아 빠진 군청색 솜옷의 엉덩이를 걸치고 앉아서, 오른쪽 뺨에 난 큼직한 여드름을 신경 쓰면서 비 내리는 모습을 멍하니 쳐다보고 있었다.

작가는 조금 전 '하인이 비를 긋고 있었다.'라고 썼다. 하지만 하인은 비가 그친다 한들 특별히 할 일도 없었다. 평소 같았으면 물론 주인집으로 돌아가야 했으리라. 그런데 그 주인이 사나흘 전에 그를 내보내고 말았다. 앞에서도 썼듯이 당시 교토는 심상치 않을 만큼 쇠퇴하고 있었다. 지금 이 하인이 오랫동안 일하던 주인집에서 나가게 된 것도 실은 이 쇠퇴의 작은 여파에 다름 아니었다. 그러니 '하인이 비를 긋고 있었다.'라고 하기보다는 '비를 만난 하인이 오갈 데가 없어 어쩔 줄 모르고 있었다.'라고 하는 편이 맞을 것이다. 게다가 그날 날씨도 이 헤이안 시대 하인의 센티멘털리즘에 적잖은 영향을 주었다. 신시[6]가 지나면서 퍼붓기 시작한 비는 여전히 갤 기미가 없었다. 그래서 하인은 다른 건 다 관두고라도 당장 내일부터 어떻게든 수를 내야 할 텐데 하고, 말하자면 어떻게도 할 수 없는 일을 어떻게든 해 보려고, 부질없는 생각들을 해 가며 아까부터 스자쿠 대로에 내리는 빗소리를 무심코 듣고 있었던 것이다.

비는, 라쇼몬을 감싸고 멀리서부터 쏴아 하는 소리를 모아 왔다. 저녁 어둠이 점차 하늘을 가라앉히고 올려다본 문의 지붕은 비스듬하게 튀어나온 기와 끝으로 묵직하고 어두운 구름을 받치고 있었다.

---

5 치미(鴟尾) 전각, 문루 따위 전통 건물의 용마루 양쪽 끝머리에 얹는 장식 기와.
6 신시 오후 4시경.

어떻게도 할 수 없는 일을 어떻게든 하기 위해서는 수단 방법을 가릴 여유가 없다. 가리고 있다가는 담벼락 아래나 길바닥 위에서 굶어 죽을 뿐이다. 그리고 이 문 위로 실려 와 개처럼 버려질 수밖에 없는 것이다. 뭐든지 가리지만 않는다면…… 하고 하인의 생각은 몇 번이나 똑같은 길을 오가던 끝에 마침내 이런 결론에 이르렀다. 하지만 이 '않는다면'이라는 게 아무리 시간이 지나도 결국 '않는다면'에 머무를 따름이었다. 하인은 수단을 가리지 않는다는 것에는 긍정하면서도 이 '않는다면'의 매듭을 짓기 위해서 당연히 그 뒤에 따르게 될 '도둑놈이 되는 수밖에 없다.'라는 사실을 적극적으로 긍정할 용기를 내지는 못하고 있었던 것이다.

하인은 크게 재채기를 하고서는 지친 듯이 자리에서 일어섰다. 저녁이 되어 서늘함이 찾아온 교토는 벌써 화로가 그리울 정도로 쌀쌀했다. 석양이 지며 바람은 문기둥과 기둥 사이로 가차 없이 불어닥쳤다. 붉게 칠한 기둥에 붙어 있던 귀뚜라미도 벌써 어딘가로 가 버렸다.

하인은 목을 움츠리고 노란 물을 들인 내의 위에 걸친 군청색 겉옷 옷깃을 세우고 문 주변을 둘러보았다. 비바람 걱정 없고 다른 사람 눈에 띌 염려도 없는, 하룻밤 편히 잘 수 있을 법한 곳이 있다면 어쨌든 거기서 밤을 보내자 싶었기 때문이었다. 그런데 다행히도 문 위 누각으로 올라가는, 폭이 넓고 역시 붉게 칠한 계단이 눈에 들어왔다. 위쪽은 사람이 있다고 해도 어차피 죽은 자들뿐이다. 하인은 허리에 찬, 나무 자루 붙은 칼이 칼집에서 빠지지 않도록 조심해 가며 짚신 신은 발을 그 계단의 가장 아랫단에 얹었다.

그러고 나서 몇 분인가 지났다. 라쇼몬 누각 위로 오르는, 널따란 계단 중간쯤에서 남자 하나가 고양이처럼 몸을 웅크리고 숨을 죽여 가며 위쪽을 살피는 중이었다. 누각 위에서 비치는 불빛이 희미하게 그 남자의 오른쪽 뺨을 비추었다. 짧은 수염 속에 벌겋게 곪은 여드름이 뺨에 나 있었다. 하인은 애당초 이 위에 있는 사람이라고는 죽은 자들뿐이라고 믿고 있었다. 그런데 계단을 두세 단 올

라가 보니 위에서 누군가 불을 밝혀 놓고 더구나 그 불을 이리저리로 옮기고 있는 모양이었다. 흐릿하고 노란빛이 구석구석 거미줄이 쳐져 있는 천장 아래 흔들리며 비쳤기 때문에 금세 알 수 있었다. 이렇게 비 내리는 밤에 라쇼몬 위에서 불을 밝히고 있다니 어쨌든 보통 사람일 리는 없었다.

하인은 도마뱀처럼 발소리를 죽이며 경사진 계단을 맨 끝까지 기듯이 겨우 올라갔다. 그리고 할 수 있는 한 몸을 납작하게 붙이고 목을 가능한 한 앞으로 뺀 채, 살금살금 누각 안을 들여다보았다.

누각 안에는 소문대로, 시체가 몇 구인가 아무렇게나 버려져 있었는데 불빛이 비치는 범위가 생각보다 좁아서 그 수가 몇인지는 알 수 없었다. 다만 희미하게나마 알 수 있는 것은 그 안에 벌거벗은 시체와 옷을 입은 시체가 뒤섞여 있다는 사실이었다. 물론 남자와 여자가 뒤죽박죽 섞여 있는 듯했다. 또한 그 시체들은 한때 그것이 살아 있는 인간이었다는 사실마저 의심스러울 지경으로, 흙을 빚어 만든 인형처럼 입을 벌리거나 손을 내팽개친 채 아무렇게나 바닥에 구르고 있었다. 나아가 어깨라든가 가슴처럼 튀어나온 부분에는 흐릿한 불빛을 받고, 패인 부분의 그림자는 한층 어두운 그대로, 영원한 벙어리가 된 듯 말이 없었다.

하인은 그 시체들이 썩어 가는 냄새에 자기도 모르게 코를 감싸 쥐었다. 하지만 그의 손은 다음 순간 코를 쥐는 것도 잊고 말았다. 어떤 격렬한 감정이 이 남자의 후각을 거의 다 빼앗아 갔던 것이다.

하인의 눈은 그때 처음으로 시체들 사이에 웅크리고 있는 인간을 발견했다. 노송나무 껍질 같은 색깔의 옷을 입은 키가 작고 여위고 머리가 허옇게 센 원숭이 같은 노파였다. 그 노파는 오른손에 불을 붙인 소나무 가지를 들고 시체 하나의 얼굴을 엿보듯 들여다보고 있었다. 머리카락이 긴 것으로 봐서 아마도 여자 시체일 터였다.

하인은, 6할은 공포에, 남은 4할은 호기심에 사로잡혀 한동안은 숨을 쉬는 것도 잊고 있었다. 옛날 누군가의 말을 빌자면[7] '머리카락이 쭈뼛 서는' 듯한 느낌이 들어서였다. 노파는 소나무 가지를 바닥 판자 사이에 끼우더니 지금까지 쳐다보던 시체의 머리에 두 손을 올리고는, 마치 어미 원숭이가 새끼 원숭이의 이를 잡듯이, 그 기다란 머리카락을 한 올씩 뽑기 시작했다. 머리카락은 손이 가는 대로 뽑히는 듯했다.

그 머리카락이 한 올씩 뽑히는 데 따라 하인의 마음에서는 공포심이 조금씩 사라져 갔다. 그리고 동시에 노파에 대한 격렬한 증오가 조금씩 솟구쳤다. 아니, '노파에 대한'이라고 하면 어폐가 있을지도 모른다. 오히려 모든 악에 대한 반감이 시시각각 더 강해져만 갔던 것이다. 이때 누군가가 이 하인에게 조금 전 문 아래서 생각하고 있던, 굶어 죽을 것인가, 도둑이 될 것인가 하는 문제를 새삼 끄집어냈더라면, 아마도 하인은 아무런 미련도 없이 굶어 죽는 쪽을 택했을 것이다. 그럴 정도로 이 남자가 악을 증오하는 마음은 노파가 바닥에 꽂아 둔 소나무 가지처럼 기세 좋게 타오르기 시작했던 것이다.

하인은 물론, 어째서 노파가 죽은 자의 머리카락을 뽑고 있는지 알 수 없었다.

---

7 빌다 '빌리다'의 잘못.

따라서 합리적으로는 그것을 선과 악 중 어느 쪽으로 정리해야 할 것인지도 몰랐다. 하지만 하인에게 있어서 이 비 오는 밤에 라쇼몬 아래서 죽은 자의 머리카락을 뽑는다는 행위는 그것만으로도 이미 용서할 수 없는 악이었다. 물론 하인은 조금 전까지 자신이 도둑이 될 생각을 하고 있었다는 사실 따위는 까맣게 잊고 있었던 것이다.

그래서 하인은 양발에 힘을 주고 느닷없이 계단 위로 뛰어올랐다. 그러고는 칼자루를 손에 쥔 채 성큼성큼 노파 앞으로 다가섰다. 노파가 기겁을 한 것은 말할 것도 없었다.

노파는 하인을 보더니, 마치 새총이라도 맞은 듯이 펄쩍 뛰어올랐다.

"거기 서, 어딜 가는 거야?"

하인은 노파가 시체들에 걸려 가며 허둥지둥 도망치려 하는 앞을 막아서며 이렇게 소리쳤다. 노파는 그래도 하인을 떠밀고 도망치려 했다. 하인은 또 그걸 안 보내겠다고 밀어냈다. 두 사람은 시체들 속에서 한동안 말도 없이 엎치락뒤치락했다. 그러나 승패는 처음부터 정해져 있었다. 하인은 마침내 노파의 팔을 붙잡고 억지로 그 자리에 주저앉혔다. 마치 닭의 다리처럼 뼈와 가죽뿐인 팔이었다.

"무슨 짓을 하고 있었지? 말해. 대답 못 하면 이거야."

하인은 노파를 밀쳐 내더니 느닷없이 칼집에서 칼을 뽑아 새하얀 칼날을 그 눈앞에 들이댔다. 하지만 노파는 말이 없었다. 양손을 부들부들 떨면서 어깨를 들썩이며 숨을 몰아쉬고 눈알이 밖으로 튀어나올 만큼 눈을 치뜨고는 벙어리처럼 고집스럽게 침묵했다. 그걸 보고 하인은 처음으로 명백하게 이 노파의 생사가 완전히 자신의 의지에 달려 있다는 사실을 의식했다. 그리고 그 의식은 지금까지 요란하게 타오르던 증오심을 어느 틈에 식혀 놓았다. 뒤에 남은 것은 그저, 어떤 일을 했는데 그것이 원만하게 성취되었을 때 느끼는 편안한 자신감과 만족감뿐이었다. 그래서 하인은 노파를 내려다보며 조금 부드러워진 목소리로 이렇게 말했다.

"나는 검비위사(檢非違使)[8]에 속한 관리 같은 게 아냐. 그저 이 문 밑을 지나가던 나그네지. 그러니까 너를 포승으로 묶어다가 어떻게 하겠다는 둥 그런 소린 안 해. 단지 지금 이 문 위에서 뭘 하고 있었는지만 나한테 이야기하면 돼."

그러자 노파는, 치뜨고 있던 눈을, 한층 더 커다랗게 뜨고는 하인의 얼굴을 뚫어지게 바라보았다. 눈꺼풀이 벌건, 육식조[9]같이 날카로운 눈이었다. 그러더니 주름이 늘어져 거의 코와 붙어 버린 듯한 입술을, 뭔가 씹듯이 움찔거렸다. 목이 하도 가늘어서 튀어나온 목울대가 움직이는 것이 보였다. 그때, 그 목에서 까마귀가 우는 듯한 음성이 기신기신 가까스로 하인의 귀에 전해졌다.

"이 머리카락을 뽑아서, 뽑아설랑은, 가발을 만들려고 했던 거지."

하인은 노파의 답변이 의외로 평범한 것에 실망했다. 그리고 실망과 동시에, 조금 전의 증오가 차가운 경멸과 함께 마음속으로 되돌아왔다. 그러자 그러한 낌새를 상대방도 알아챈 것이리라. 노파는 한 손에 여전히 시체의 머리에서 뽑아낸 기다란 머리카락을 든 채 두꺼비가 그렁대는 듯한, 기어들어 가는 소리로 이렇게 말했다.

"물론 죽은 사람한테서 머리카락을 뽑는다는 게 얼매나[10] 못된 짓인가. 하지만 여기 있는 죽은 작자들은 죄다 그 정도 일쯤 당해도 싼 인간들이여. 우선은, 내가 지금 머리카락을 뽑던 여자 말인데 뱀을 네 치 길이로다가 토막을 쳐 말려 가지고는 말린 생선이랍시고 대궐 지키는 병졸들한테 팔러 다녔어. 역병으로 죽지 않았더라면 지금까지도 팔아먹고 돌아댕겼을[11] 거여. 게다가 이 여자가 파는 마른 생선은 맛이 좋다며, 병졸들이 줄창[12] 반찬거리로 사 대지 않았겠나. 나는

---

8 검비위사 헤이안 시대 교토에서 범죄 등을 단속하고 재판을 관장하던 관직. 현재의 경찰관과 재판관을 겸함.
9 육식조 솔개, 매 따위와 같이 다른 새나 짐승을 잡아먹는 사나운 새.
10 얼매나 '얼마나'의 방언.
11 돌아댕기다 '돌아다니다'의 방언.
12 줄창 '줄곧'의 잘못.

이 여자가 한 짓이 나쁘다고는 생각 안 혀. 안 그랬음 굶어 죽을 테니 어쩔 수가 없어 한 짓이니께. 근데 지금 또 내가 하던 일도 나쁘다고는 못 하겠구면. 이것도 안 하면 굶어 죽겠으니께 할 수 없이 한 거여. 할 수 없다는 게 뭔지를 이 여자도 알고 있을 테니, 아마 내가 한 짓도 눈감아 줄 거구면."

노파는 대강 이런 의미의 이야기를 주절거렸다.

하인은 칼을 칼집에 집어넣고 칼자루를 왼손에 잡은 채 차갑게 가라앉아 이야기를 듣고 있었다. 물론 오른손으로는 뺨 위에 벌겋게 고름이 고인, 큼직한 여드름을 매만지며 들었다. 하지만 그 이야기를 듣고 있자니 하인의 마음속에 어떤 용기가 생기기 시작했다. 그것은 아까 문 아래 서 있을 때에는 찾아볼 수 없었던 용기였다. 또한 아까 이 문 위로 올라와 노파를 붙잡았을 때의 용기와는 완전히 반대 방향으로 향하는 용기이기도 했다. 하인은 굶어 죽을지 도둑이 될지에 대한 고민만 없앤 것이 아니었다. 그때 이 남자의 마음이 어땠는가 하면, 굶어 죽는다는 선택지는 거의 떠오르지조차 않을 정도로 의식 저 너머에 밀려나 있었다.

"진정, 그렇단 말이지?"

노파의 이야기가 끝나자 하인은 빈정대는 듯한 음성으로 못을 박았다. 그러고는 한 걸음 앞으로 나서더니, 갑자기 여드름을 만지작대던 오른손을 뻗어 노파의 멱살을 움켜쥐며 물어뜯을 듯이 말했다.

"그렇다면, 내가 좀 벗겨 먹어도 원망할 건 없겠군. 나도 그렇게 안 하면 굶어 죽을 테니까 말이야."

하인은 재빨리 노파의 옷을 벗겨 냈다. 그러고 나서 발을 붙잡고 매달리려던 노파를 거칠게 시체들 위로 걷어차 떨쳐 내 버렸다. 계단까지는 고작 다섯 걸음 정도였다. 하인은 벗겨 낸 노송나무 껍질 같은 색의 기모노를 옆구리에 끼고는 눈 깜짝할 사이에 가파른 계단을 타고 밤의 밑바닥으로 내려왔다.

한동안 죽은 듯이 쓰러져 있던 노파가 시체들 가운데서 벌거벗은 몸을 일으킨 것은 잠시 뒤의 일이었다. 노파는 중얼거리는 것 같기도, 신음하는 것 같기도 한 소리를 내 가며 아직 타고 있던 불빛을 의지하여 계단까지 기어갔다. 그리고 거기서 짧은 백발을 거꾸로 늘어뜨린 채, 문 아래를 내려다보았다. 밖에는 그저 시커먼 동굴처럼 어두운 밤이 펼쳐져 있을 뿐이었다.

하인의 행방은 아무도 모른다.

(1915년)

《라쇼몬: 아쿠타가와 류노스케 단편선》(민음사, 2014)

버드나무 길

싱클레어 루이스

싱클레어 루이스 (Sinclair Lewis, 1885~1951)

미국 최초의 노벨 문학상 수상 작가이다. 대학 졸업 후, 잡지사와 출판사, 공사장 등에서 일하기도 했는데, 이러한 경험들은 그의 문학과 글쓰기에 많은 영향을 주었다. 첫 장편 소설 《우리 회사 사원 렌》은 사실주의 수법, 유머, 풍자 등을 개성 있게 잘 표현한 것으로 인정받았다. 《애로스미스》로 퓰리처상 수상자로 선정되기도 했지만, 문학상 또한 그가 작품 속에서 비난한 상업주의의 일부라는 이유로 수상을 거부했다. 루이스는 미국의 자만을 풍자하는 작품으로 많은 인기를 얻었으며 미국 문학의 비판적 리얼리즘을 구축한 작가로 평가받는다. 대표작으로는 《메인 스트리트》 《배빗》《애로스미스》《앨머 갠트리》 등이 있다.

1

재스퍼 홀트는 책상 서랍에서 판유리 한 장을 꺼냈다. 그는 유리 위에 종이 한 장을 깔고 이렇게 썼다.

"지금이야말로 선량한 자들이 그들의 일행을 도우러 올 때다."

상과 대학에서 서법[1]을 공부한 그는, 이 문장을 그의 작고 섬세한 손으로 학구파 노인의 필체처럼 보이게 다시 썼다. 꾸며 낸 그 서체를 열 번이나 베껴 쓴 후, 종이를 잘게 찢어 큼직한 재떨이에 넣고 태웠다. 전소하여[2] 너울거리는 재는 세면대로 가서 씻어 냈다. 그는 유쾌한 손짓으로 판유리를 톡톡 두드리며 서랍 속에 도로 집어넣었다. 깔려 있던 유리에는 어떤 자국도 남아 있지 않았다.

재스퍼 홀트는 그가 묵고 있는 방만큼이나 고상한 사람이었다. 그의 방은 주름 장식을 댄 의자와 팬지꽃이 그려진 호박 모양의 쿠션으로 꾸며 놓은, 라이온즈 부인의 귀족적이고 고상한 하숙집에서 제일가는 방이었다. 그는 품이 넉넉한 회색 플란넬[3] 수트에, 포켓 치프 자리에 흰색 카네이션을 매치한, 살짝 벗겨지기는 했어도 힘 있는 검은 머리칼을 가진 서른여덟 살의 남자였다. 그의 손은 유난히 작고 민첩했다. 겉보기에는 젊은 변호사나 채권 판매원 같은 인상을 풍겼지만 사실은 버논에 있는 럼버 국립 은행의 수석 지출 계원이었다.

---

1 서법 글씨를 쓰는 법.
2 전소하다 남김없이 다 타 버리다.
3 플란넬 털실, 면, 레이온의 혼방사로 짠 직물로, 털이 보풀보풀 일어나고 촉감이 부드럽다.

그는 금장을 한 얇고 값비싼 손목시계를 보았다. 수요일 6시 반, 평온한 봄날의 황혼 무렵이었다. 그는 갈고리 모양의 지팡이와 회색 실크 장갑을 들고 터벅터벅 아래층으로 내려갔다. 현관 앞에서 하숙집 안주인을 만나자 고개를 숙여 인사했다. 그녀는 야단을 떨며 날씨 얘기를 해 댔다.

"저녁 식사에는 불참할 것 같습니다."

그가 상냥하게 말했다.

"알겠어요, 홀트 씨. 그리고 보니, 거물 친구들과 어울리느라 저녁은 항상 거르지 않았나요? 헤럴드 신문에서 봤는데 당신이 소극장에서 하는 사회극의 새로운 스타가 될 거라고 하더군요. 은행원이 아니었다면 배우가 되셨겠어요, 홀트 씨."

"천만에요, 아무래도 소질이 별로 없어 보입니다."

그의 목소리에서는 진심이 우러나는 듯했지만, 미소는 기계적으로 입술을 비튼 것에 불과했다.

"부인이야말로 무대를 빛내 주실 분이 아니겠습니까? 하숙집을 하지 않으셨다면 틀림없이 제2의 에설 베리모어[4]가 되셨을 겁니다."

"어머나, 추켜올리는 솜씨도 보통이 아니군요!"

그는 안주인에게 허리를 숙여 인사한 후, 밖으로 나와 공용 차고까지 점잖게 걸어 내려갔다. 야간 경비에게는 말없이 고개만 끄덕여 알은체를 했다. 로드스터에 시동을 걸어 차고를 빠져나온 재스퍼는 버논 중심가를 벗어나 로즈뱅크 교외 쪽으로 차를 몰았다. 그러나 로즈뱅크로 바로 가지는 않았다. 그는 목적지에서 일곱 블록이나 떨어진 판달가(街)에 차를 세웠다. 영화의 전당, 식료품점, 세탁소, 장의사 그리고 간이식당 등이 있는 변변찮은 이 거리는 수준 낮은 그 지역 주민들에게는 중요한 중심지 역할을 했다. 재스퍼는 차에서 내려 타이어 공

---

4 에설 베리모어(Ethel Barrymore) 미국의 영화배우.

기압을 확인하는 척하며 넌지시 거리를 훑어보았다. 아는 사람이라고는 단 한 사람도 없는 것을 확인하고 파르테논 제과점으로 들어갔다.

파르테논 제과점은 양장으로 된 책과 비슷한 모양으로 고안해 낸 독창적인 과자 상자를 팔았다. 책등에는 진짜 책처럼 소설의 제목이 모조 가죽 위에 새겨져 있었다. 상자의 가장자리는 분명히 페이지가 많고 두꺼운 장정의 모습이었지만 열어 보면 속을 모두 파내고 사탕 등을 채워 놓았다.

재스퍼는 책 상자들을 물끄러미 바라보다가 가장 품위 있게 여겨지는《그대에게 달콤함을》과《귀부인의 기쁨》을 골랐다. 그는 그리스인으로 보이는 점원에게 저렴한 과자 위주로 속을 채워 포장해 달라고 부탁했다.

제과점에서 나와 유행하는 소설책을 들여놓는 잡화점으로 향했다. 그리고 조금 전에 산, 책 모양을 한 과자 상자에 적힌 제목처럼, 감상적인 제목이 적힌 책 두 권을 골라 포장을 시켰다. 그는 어슬렁거리며 잡화점에서 나와, 미끄러지듯 간이식당으로 들어갔다. 대리석으로 된 기름투성이의 카운터에서 양상추 샌드위치와 도넛, 그리고 커피 한 잔을 받아 들고, 간이식당 안에서도 눈에 띄지 않는 어둑한 자리에 앉아 그것들을 급하게 먹어 치웠다. 식당을 나와 차로 돌아오는 길에도 그는 이리저리 거리를 살폈다.

가까이 다가오는 사람이 있자 혹시 아는 사람이 아닌가 하고 생각했다. 하지만 확신할 수는 없었다. 은행 창구에 달린 작은 창으로 볼 때처럼 상체만 봤을 때에는 아는 사람이 맞는 것 같았다. 그는 길에서 사람을 마주치면 잘 알아보지 못했다. 다 비슷비슷해 보이기 때문이다. 얼굴에 팔만 달린 사람들이 그에게 돈을 주고받는 것 같은 착각에 빠져 있다가, 실은 이들도 멀쩡한 다리를 가지고 걸어다니며 특유의 걸음걸이나 습관이 있다는 걸 깨달을 때면 실로 이상한 기분이 들었다.

그는 인도 가장자리까지 걸어가서 한 상점의 처마를 올려다보며 건물을 꼼꼼히 살피는 사람처럼 보이기 위해 입술을 오므렸다. 하지만 시선 끝으로는 다가오는 사람을 살폈다. 그 남자는 재스퍼의 시야에 머리를 불쑥 넣으며 인사를 했다.

"안녕하시오, 은행원 친구!"

재스퍼는 소스라치게 놀랐지만, 불시에 아는 사람과 마주친 사람처럼 행동했다.

"오! 그래, 잘 지내셨소?"

그리고 중얼거리며 덧붙였다.

"은행 자산을 살펴보고 있었습니다."

사내는 그를 지나쳐 갔다.

재스퍼는 차에 올라타 로즈뱅크 교외로 가기 위해 판달가를 빠져나왔다. 그리고 판달가를 빠져나오자마자 시계를 확인했다. 7시 5분 전이었다.

7시 15분경, 그는 로즈뱅크 중심가를 지나 샛길로 접어들고 있었다. 그 샛길은 예나 지금이나 별반 달라진 게 없었다. 날림으로 지어 페인트가 얼룩덜룩한 빌라 몇 채가 어깨를 나란히 하고는 있지만, 그 길의 대부분은 버드나무가 듬성듬성 있는 늪지대와 마른 잎과 나무껍질로 뒤덮인 해면 같은 땅바닥뿐이었다. 달리다 보면 길이 갈라지며, 풀로 뒤덮여 바큇자국도 남지 않을 것 같은 길이 나오는데, 버드나무 숲으로 사라지는 그 길은 저택으로 가는 개인 전용 도로였다.

재스퍼는 날카롭게 차를 틀어 다 쓰러져 가는 저택의 대문 사이로 들어갔다. 계속 이어지는 울퉁불퉁한 전용 도로를 따라 달리던 그는 돌연 선회하여[5] 페인트도 칠하지 않은 헛간에 차를 세웠다. 속도도 줄이지 않고 찌르듯이 들어갔기에 하마터면 헛간 벽에 들이받을 뻔했다. 그는 시동을 끄고 재빨리 차에서 기어나와서 문을 향해 돌진했다. 그리고 오리나무 덤불을 방패 삼아 조심스럽게 머

---

5 선회하다 곡선을 그리듯 진로를 바꾸다.

리를 내밀었다. 두 여인이 재잘거리며 앞쪽의 공용 도로를 따라 내려가고 있었다. 그들은 대문을 뚫어지게 들여다보며 반쯤 멈추어 섰다.

"저기에 은둔자가 살고 있대."

한 여인이 말했다.

"그래, 종교에 관한 책을 쓰고 있다는 그 사람 말이지? 해 지기 전에는 나오는 일이 없다면서? 전도사 같은 건가?"

"맞아, 바로 그 사람이야, 이름이 존 홀트라지 아마. 머리가 좀 어떻게 된 사람일 거야. 옛 보우데트 저택에 살고 있대. 여기선 잘 안 보이지만 다음 큰길에서는 볼 수 있어."

"다들 미쳤다고 하더라. 그런데 나 방금 차가 한 대 들어가는 걸 본 거 같아."

"아, 그건 조카나 동생 뭐 그런 사람일 거야. 시내에 살고 있다는데, 듣기로는 돈도 엄청 많고 정말이지 매력적인 사람이라더라."

두 여인은 천천히 걸음을 옮겼다. 그들의 시끄러운 말소리가 점점 멀어져 갔다. 오리나무 뒤편에 서 있던 재스퍼는 두 손바닥을 비볐다. 긴장으로 인해 손이 바짝 말라 있었다. 하지만 그는 히죽거리며 웃었다.

그는 헛간으로 돌아와 벽돌이 깔린 길을 따라 얼마간 걸어 들어갔다. 그 길은 버드나무로 둘러싸여 바깥에서는 보이지 않았다. 한때는 영광을 누리던 길이었다. 나무를 조각해서 만든 벤치가 길을 따라 죽 늘어서 있었고, 그 길 끝에는 돌을 둘러 꾸민 정원과 분수, 석재로 만든 벤치가 있는 넓은 안마당이 있었다. 정원을 꾸미고 있던 날 선 돌들은 이제 덩굴 식물들이 점령했고, 분수는 페인트칠이 다 벗겨졌으며, 주철로 만든 큐피드와 나이아스[6] 조각은 이미 떨어져 녹으로 뒤덮였다. 벽돌을 쌓아 만든 벽에는 이끼가 가득했다. 창문은 낙엽으로 지저분하고 땅은 온통 갈라져 있었다.

---

6 나이아스(Naias) 그리스 신화에 나오는 물의 요정.

언덕을 가로지르는 그 길은 부서진 벽돌들 때문에 고르지 않고 험했다. 버드나무와 벽돌, 그리고 헤쳐진 땅바닥에서 축축한 한기가 피어올랐다. 하지만 재스퍼는 축축함을 느끼지 못하는 것 같았다. 그는 서둘러 집으로 향했다. 그 집은 묵직한 석조 건물로서, 새로 개척된 이곳 중서부 땅에서는 매우 오래된 것이었다. 그 집은 1839년에 프랑스 태생인 어느 모피 상인이 지은 집이다. 오지브와족[7]이 현관 앞에서 사람의 머리 가죽을 벗기는 일도 있었다. 묵직한 뒷문에는 뜻밖에도 값비싼 현대식 자물쇠가 잠겨 있었다. 재스퍼는 납작한 열쇠로 그것을 열고 안으로 들어가 문을 닫았다. 자물쇠가 용수철에 의해 저절로 채워졌다. 그가 서 있는 곳은 차양이 쳐진 어둡고 조잡한 부엌이었다. 그는 부엌을 지나 거실로 들어갔다. 익숙하다는 듯이 어둠 속에서도 교묘하게 의자와 테이블을 피해 걸었다. 거실 창문 세 개가 모두 차양으로 덮여 있는지 하나하나 확인하고, 끄덕거리는 책상에 놓인 스탠드의 불을 켰다. 불빛이 밋밋한 벽 위로 스멀스멀 번지자 재스퍼는 만족한 듯이 고개를 끄덕였다.

집은 손댄 흔적 하나 없이 그대로였다.

오래된 가죽 책과 녹색 천을 씌운 가구들로 인해 방 안에는 퀴퀴한 냄새가 가득했다. 먼지를 털지 않은 지도 몇 달이 되었다. 부드러움을 잃은 붉은 벨벳 의자와 안락함을 잃은 긴 안락의자, 싸늘하게 식은 하얀 대리석 벽난로와 방 한쪽을 가득 채운 유리문이 달린 거대한 책장 위가 먼지로 뒤덮였다.

이와 같은 분위기는 유능한 은행가인 재스퍼 홀트에겐 도무지 어울리지가 않았다. 하지만 재스퍼가 이런 분위기에 짓눌리는 것처럼 보이지도 않았다. 그는 기세 좋게 진짜 책과 책 모양을 한 과자 상자의 포장을 풀었다. 포장지 중 하나는 책상에 올려놓고 주름을 폈다. 그리고 거기에 과자 상자에 들어 있던 과자들을 모두 쏟아 냈다. 남은 포장지와 리본을 벽난로에 던져 넣자 순식간에 불에 타

---

7 오지브와족(Ojibwa族) 캐나다와 미국, 두 나라에 걸쳐 널리 분포한 아메리카 인디언으로, 치페와족이라고도 한다.

사라졌다. 그는 책장으로 넘어가 맨 아래 칸의 자물쇠를 열었다. 거기에는 다소 삼류 소설로 보이는 책들이 줄지어 놓여 있었고, 이 가운데 적어도 여섯 권은 그날 저녁에 구입한 것과 같은 그런 과자 상자였다.

책장의 한 선반에만 소설같이 경망스러운 책들이 꽂혀 있었고, 나머지 선반에는 표지가 까맣고 얼룩덜룩해, 보기에도 침울한 느낌을 주는 역사, 신학, 전기 등과 같은 허세 가득한 책들로 채워져 있었다. 중고 서점의 15센트 균일가 코너에서 얼마든지 찾을 수 있는 그런 책들 말이다. 재스퍼는 책 제목을 외우려는 듯 유심히 들여다보았다.

그는 《예레미야 보드피시 목자의 일대기》를 꺼내 들고 소리 내어 읽었다.

"저녁 기도를 마치고 가족들과 즐거이 담소를 나누고 있을 때, '학술적으로 진전이 있을수록 자꾸만 멜란히톤의 합리주의의 본질에 다가가게 된다.'라고 주장한 필로 유대우스를, 보드피시 목자가 뻔한 궤변가라고 평가하는 것을 나는 본 적이 있다."

재스퍼는 책을 소리 나게 닫으며 만족스러운 듯이 말했다.

"이거면 되겠어. 필로 유대우스. 좋은 이름을 찾았군!"

그는 책장에 자물쇠를 다시 채우고 2층으로 올라갔다. 2층 복도 오른편에 있는 작은 침실에는 전등이 켜져 있었다. 재스퍼가 들어오기 전까지 이 집에서 사람이라곤 찾아볼 수 없었겠지만, 마당을 기웃거리는 사람들에게는 계속 불을 밝히고 있는 누군가가 그 집에 살고 있다고 생각하게 만들 것이다. 침실은 철제 침대 하나, 곧은 의자 하나, 세면대 하나, 묵직한 참나무 옷장 하나만 있는 스파르타식의 엄격하고 간소한 방이었다. 재스퍼는 옷장의 맨 아래 서랍을 열려고 노력하다 잘 안 되자 거칠게 잡아당겨 열었다. 오래 입어 반들거리는 주름진 검은 양복, 검은색 구두, 조그마한 검은색 나비넥타이, 가슴에 단단하게 풀을 먹인 흰색 셔츠, 얼룩덜룩한 갈색 모자, 그리고 솜씨 있게 흐트러 놓아 진짜처럼 보이는 값비싸고 훌륭한 연한 갈색 머리 가발을 서랍 안에서 꺼냈다.

그는 매력적인 플란넬 정장과 윙 칼라[8], 파란색 넥타이, 주문 제작한 실크 셔츠와 코도반[9] 구두를 벗고 재빨리 가발과 그 음침한 옷으로 갈아입었다. 옷을 다 갈아입자 그의 얼굴에서 생기가 빠져나가기 시작했다. 본래 옷은 침대에 내팽개치고 불도 켜 놓은 채 계단을 내려왔다. 확실히 같은 재스퍼라고는 볼 수 없었다. 그보다는 덜 건강하고, 덜 활동적이고, 덜 유쾌한, 보다 더 슬픔을 잘 이해하고 사색을 즐기는 몽상가 쪽에 가까웠다. 지금의 그는 재스퍼 홀트가 아님을 인정해야만 할 것이다. 지금의 그는, 은둔자이면서 광신도인 재스퍼의 쌍둥이 형, 존 홀트였다.

2

존 홀트. 은행원인 재스퍼 홀트의 쌍둥이 형. 그는 몇 시간 동안 공부에 열중해 있었던 사람처럼 눈을 비비며 느릿느릿 거실과 작은 복도를 지나 현관에 도착했다. 문에 달린 우편물 투입구로 우체부가 넣어 준 회람 두 장을 집어 들고 밖으로 나와 문을 잠갔다. 뒤쪽의 버드나무 길에 비해 말끔하게 정돈된 좁은 앞마당이 그를 향해 있었다. 이 앞마당은 격리되어 있는 뒷길과는 다르게 사람의 왕래가 잦은 교외의 길로 이어졌다.

가로등이 마당을 비추자 문에 붙어 있는 경고장이 보였다. 존은 경고장을 이리저리 만져 보고, 제대로 잘 붙어 있는지 손가락으로 튕겨도 보았다. 그 정도 불빛으로는 적혀 있는 글을 읽을 수 없었으나, 그는 그의 작고 꼼꼼한 손으로 거기에 뭐라고 적었는지 똑똑히 기억하고 있었다.

잡상인 방해 금지.

벨은 눌러도 대답하지 않음.

---

8 윙 칼라 칼라의 앞모양이 새의 날개처럼 벌어진 옷깃.
9 코도반 주로 말 엉덩이 부분에서 채취해 윤이 나게 만든 가죽.

집주인은 저술에 열중하고 있음.

매일같이 식사 후에 담배를 피우러 나오는 이웃 남자가 나타날 때까지 존은 문간에 서서 기다렸다. 이웃이 "좋은 저녁입니다."라며 말을 걸기 전까지 울타리를 쿡쿡 찔러 퍼져 나가는 라일락꽃 향기를 킁킁거렸다.

"네, 그런 거 같군요."

존의 목소리는 재스퍼와 닮았지만 조금 더 쉰 소리가 났고, 말투는 자신감이 없어 보였다.

"책은 잘 되어 갑니까?"

"그, 그게 쉽지가 않네요. 신탁의 진정한 뜻을 전부 이해하기란 매우 어렵소. 저기, 저는 이만 소울 호프 회관에 서둘러 가야겠습니다. 수요일이나 일요일 저녁쯤 거기서 뵐 거라고 믿겠습니다. 좋은 저녁 되시기 바라겠소, 선생."

존은 비틀거리며 길을 따라 내려가 잡화점에 도착했다. 그리고 잉크 한 병을 샀다. 밤에도 문을 여는 식료품점에서 옥수수 2파운드, 밀가루 2파운드, 베이컨 1파운드, 버터 반 파운드, 달걀 여섯 개, 그리고 캔에 담긴 농축 우유를 하나 샀다.

"댁까지 배달해 드릴까요?"

점원이 물었다.

존은 그를 날카롭게 쳐다봤다. 점원이 자신의 습관을 모르는 새로 들어온 사람이라는 것을 깨달았다. 그는 나무라듯이 말했다.

"됐네, 나는 항상 내 물건을 직접 챙긴다네. 책을 쓰는 중이라 방해받는 것은 딱 질색이거든."

그는 우체국에서 발행한 35달러짜리 수표를 지불하고 거스름돈을 받았다. 계산을 맡은 다른 점원은 수표를 현금으로 바꾸어 주는 데에 익숙한 듯했다. 이 수표들은 항상 남(南)버논에 사는 R. J. 스미스라는 사람이 보내온 것이었다. 존은 식료품이 든 봉투를 들고 가게를 나왔다.

새로온 점원이 물었다.

"저 사람 좀 미친 것 같지 않아?"

계산을 한 점원이 설명했다.

"맞아. 보통의 신선한 우유는 먹지도 않아. 음식에 농축 우유를 쓴다니! 이상하지 않니? 그리고 저 사람은 쓰레기를 모조리 태워 없앤대. 쓰레기통에는 온통 재밖에 없을 거야. 네가 저 집 문을 얼마나 두드리든 아무 대답도 듣지 못할걸. 본인 말로는, 밤낮이고 책을 쓰고 있어서 그렇대. 광신도 같은 걸 거야, 아마. 그래도 돈은 좀 있나 봐. 집이 잘사는 거겠지. 저녁에 한번 나오면 여기저기 들쑤시고 다니는데, 처음에는 사람들도 비웃다가 이제는 익숙해진 거 같아. 나타난 지 반년 정도 됐나그래."

존은 로즈뱅크 중심가를 조용히 지나고 있었다. 어스름한 거리의 끝에는 '소울 호프 신도회 회관. 종교적 체험을 서로 나누는 모임. 누구든 환영합니다.'라는 엉성한 글씨의 표지판이 있었다. 존은 불이 비추고 있는 그 표지판을 따라 들어갔다.

그때가 8시였다. 소울 호프 신도들은 빵집 2층에 자리한 회관에 모여 있었다. 그들의 종파는 아주 작고 폐쇄적이었다. 신도들은 그들만의 교리에 순종하며, 그들만 구원받을 것이 확실하고, 다른 모든 교파들은 복음에 반하는 사치에 의해 무너지고 있다고 생각했다. 다시 말해 빈 회관만 있으면 될 뿐, 오르간이나 목사, 또는 탁 트인 집회 장소를 가지려는 것은 악마의 농간이라고 주장했다. 신도들은 직접 집회를 이끌어 나갔다. 한 사람씩 차례로 일어나 성경 구절에 대한 나름의 해석을 내리거나, 충실한 교인들과 함께하는 것에 대한 기쁨을 나누곤 했는데, 그러면 주위에서는 "할렐루야!", "아멘, 오, 형제여, 아멘!" 하며 그들을 격찬했다. 하나같이 옷차림이 수수하고 음식을 절제했으며 나이들이 지긋했다. 꽤나 행복한 모임이었다. 그리고 그들 중 가장 존경받는 인물은 바로 존 홀트였다.

존은 불과 11개월 전에 로즈뱅크에 왔다. 고작 100달러짜리 빳빳한 지폐 몇 장으로, 은퇴한 성직자였던 전 주인의 장서까지 포함하여 보우데트 저택을 샀던 것이다. 그는 벌써 소울 호프 신도들에게 상당한 신뢰를 받고 있었다. 대부분의 시간을 집에서 기도하고 독서하고 집필을 하는 것으로 보였기 때문이다. 이들은 존의 책을 고대하고 있었다. 원고를 읽어 달라고 간청하는 이들에게, 지금까지 그는 신탁에 관한 고대 논문에서 뽑아낸 인용문을 몇 장 읽어 준 게 전부였다. 존은 거의 빠짐없이 일요일과 수요일 저녁마다 그 모임에 나타나서, 더듬거리기는 하지만 학자다운 말투로 이 사회와 사람의 인간성에 대해 설교를 늘어놓았다.

그날 저녁, 그는 필로 유대우스가 뻔한 궤변가라는 사실에 대해 이야기했다. 신도들은 필로 유대우스나 궤변가가 무엇인지 분명하게 알지는 못했지만, 모두 고개를 조아리며 중얼거렸다.

"맞습니다, 맞습니다, 할렐루야!"

존의 설교는 자연스럽게 세속적인 동생 재스퍼로 넘어갔다. 그는 슬픔이 배어 있는 진지한 태도로, 돈에 대한 재스퍼의 갈증이 얼마나 큰지 그들에게 알렸다. 마지막에는 그의 요청대로 모두가 재스퍼를 위해 기도했다.

집회는 9시에 끝이 났다. 존은 회중의 어르신들과 돌아가며 악수를 하면서 탄식하듯 말했다.

"좋은 모임이었습니다. 그렇지요? 이처럼 자유롭게 성령을 표출할 수 있다니!"

그는 얼마 전 시애틀에서 왔다는 새로운 회원인 어린 하녀를 반가이 맞았다. 그는 9시 7분에 식료품 봉투와 잉크병을 들고 느릿느릿 계단을 내려왔다.

9시 16분, 존은 그의 침실에서 갈색 가발과 그 음울한 옷들을 벗어 냈다. 28분에는, 존 홀트는 사라지고 럼버 국립 은행의 유능한 은행원인 재스퍼 홀트로 돌아와 있었다.

재스퍼 홀트는 존의 침실에 불을 켜 둔 채 아래층으로 내려왔다. 그는 앞문을 단단히 잠그고 빗장을 걸었다. 창문이 모두 잠겨 있는지 확인하고 식료품 봉투와 과자 상자에서 꺼낸 과자 더미를 가지고, 거실의 불을 끈 후 차가 있는 곳까지 버드나무 길을 따라 서둘러 내려왔다. 그는 조수석에 식료품과 과자 더미를 던져 넣었다. 큼직한 나뭇가지들이 산란하게 뻗어 있는 마당을, 익숙하다는 듯이 후진으로 빠져나왔다. 그는 후면에 있는 도로를 홀로 달렸다.

늪지대가 나오자 그는 손을 뻗어 과자 더미를 집어 들었다. 운전대를 잡은 손으로는 포장지를 뜯어냈고, 나머지 손으로는 과자를 차 밖으로 내던졌다. 길가의 풀숲 사이로 과자가 비 오듯이 떨어졌다. 그는 옷 주머니에 파르테논 제과점이라고 써 있는 포장지를 쑤셔 넣었다. 식료품점 상표가 적힌 봉투에서도 내용물을 모두 꺼내 조수석에 내려놓고, 그 봉투 역시 주머니에 밀어 넣었다.

로즈뱅크에서 버논 중심가로 이르는 도중 그는 다시 큰길에서 벗어났다. 그리고 불구가 된 노르웨이인이 사는 염소가 우글거리는 판잣집 앞에 차를 세웠다. 그가 경적을 울리자 노르웨이인의 손자가 뛰어나왔다.

"먹을 것을 좀 가져왔네."

안까지 들릴 만큼 큰 목소리로 재스퍼가 소리쳤다.

"아이고 선생님, 정말 고맙습니다. 선생님이 안 계시면 어찌할지 모르겠습니다!"

늙은 노르웨이인이 문간에서 울먹였다.

그러나 재스퍼는 감사의 말을 끝까지 듣지도 않고, "이삼일 후에 다시 오겠소."라고 소리치며 자리를 떴다.

10시 15분. 재스퍼는 버논 사교계에서 최근 가장 큰 관심을 모으고 있는 커뮤니티 소극장에 도착했다. 이른바 '마을의 최고 인재들'이라 불리는 불바르 극단은 이 극장 협회에 속해 있었고, 철도 회사 경영자의 딸이 이 단체를 주도하고 있었다. 행실이 바르고 품위가 있는 재스퍼 홀트라는 사람이, 훌륭한 은행원이며 영국 출신이라는 것 말고는, 사람들은 그에 대해 아는 것이 별로 없었다. 그럼에도 불구하고 그는 모두에게 환영을 받았다. 게다가 배우로서 그는 그저 환영받는 정도가 아니었다. 그는 버논에서 으뜸가는 아마추어 배우였다. 그의 평온한 얼굴은 비극적으로 일그러지거나 희극적으로 만개할 수 있었고, 그의 평온한 태도는 폭발적인 감정의 역동성을 감추고 있었다. 대부분의 아마추어 배우들과는 달리 그는 연기하려고 애쓰지 않았다. 그저 배역 그 자체가 되었다. 연기에 돌입하면 재스퍼 홀트는 잊히고, 부랑자나 법관으로 변신했다. 버나드 쇼의 말을 빌리자면, 재스퍼는 로드 던세이니[10]의 상징이자 사교계의 노엘 카워드[11]였다.

커뮤니티 소극장의 다른 단막극은 이미 리허설을 마친 상태였다. 재스퍼가 출연할 연극의 출연자들은 모두 그들의 스타인 재스퍼를 기다리고 있었다. 무대 연출을 맡은 여인들도 마찬가지였다. 그들은 무대 창문에 파란색 커튼을 달아야 할지나, 스포트라이트의 동선에 대해 그에게 조언을 구했다. 그리고 고작 두 줄짜리 장면에 가장 인기 있는 젊은 여배우를 섭외한 것에 대해서도 고차원적인 해결책을 기대했다. 토론을 한바탕하고, 극독회 위원 두 사람 간의 격렬한 말다툼이 지나간 후에야, 리허설이 시작됐다. 재스퍼 홀트는 여전히 시들어 버린 카네이션을 단 플란넬 정장을 입고 있었지만, 더 이상 그는 재스퍼가 아니었다. 산사다 공작이었다. 냉소적이면서도 정중한 태도의 품격을 갖춘 노인이자, 여유 있는 몸짓과 침착한 목소리, 그리고 소름 끼치는 욕심을 지닌 악마였다.

"당신 같은 배우가 몇 사람만 더 있었어도!"

연출가가 부르짖었다.

리허설은 11시 30분에 끝이 났다. 재스퍼는 집 근처의 공용 차고에 차를 대고 집으로 걸어갔다. 집에 도착한 그는 파르테논 제과점의 포장지와 식료품이

---

10 로드 던세이니(Lord Dunsany) 신극(新劇) 운동에 참여해 신화적 세계를 상징적으로 묘사한 아일랜드의 작가.
11 노엘 카워드(Noël Coward) 영국의 극작가이자 배우로 '영국 희극의 대표자', '극 문학의 새 경지를 개척한 자'로 평가받는다.

들어 있던 가게 상표가 달린 봉투를 찢어서 불태웠다.

연극은 그 주 수요일에 상연되었다. 재스퍼 홀트는 큰 박수를 받았다. 레이크 사이드 컨트리 클럽에서 열린 뒤풀이 파티에서, 그는 마을에서 가장 예쁜 아가씨들과 춤을 추었다. 말수는 좀 적었지만 춤은 열정적으로 추었고, 예술적인 성공에서 비롯한 후광이 그를 둘러싸고 있었다.

그날 밤, 재스퍼의 형제인 존은 소울 호프 신도회에 나타나지 않았다.

그로부터 닷새 후인 월요일, 럼버 국립 은행의 은행장과 금전 출납원이 회의를 하고 있을 때, 재스퍼는 갑자기 두통을 호소했다. 다음 날 그는 은행장에게 전화를 걸어 "도저히 출근을 할 수가 없다. 잠을 좀 자면서 눈을 쉬게 하여 이 끈질긴 두통에서 벗어나야겠다."라고 통보했다. 바로 그날 그의 쌍둥이 형제인 존이 버논에 들러 은행에 전화를 걸었다.

은행장은 존을 전에 딱 한 번 본 적이 있었는데, 공교롭게도 이번처럼 재스퍼가 자리를 비운 날이었다. 출장을 가고 없었던 것이다. 그는 존을 개인 사무실로 초대했다.

"재스퍼는 집에 있을 겁니다. 불쌍하게도 두통이 몹시 심하다는군요. 빨리 나아야 할 텐데. 우리 모두에게 최고의 자산이거든요. 아우님을 자랑으로 여기셔야겠습니다. 담배 한 대 태우시겠소?"

그렇게 말하면서 은행장은 존을 훑어보았다. 한 번인가 두 번쯤 은행장은 재스퍼와 점심 식사를 함께한 적이 있다. 그때 재스퍼는 자신과 그의 쌍둥이 형제가 놀랄 만큼 닮았다는 이야기를 했었다. 그러나 은행장은 "별로 비슷하지 않군." 하고 혼잣말을 했다. 물론 두 사람의 얼굴 생김은 비슷했으나 존의 습관적인 종교적 말투하며 불친절한 태도, 그리고 조금 벗겨지기는 했지만 검고 윤기나는 재스퍼의 머리와는 달리, 저 단정치 못하고 생기라고는 쥐뿔만큼도 없어 보이는 갈색 머리칼이 그의 마음에 들지 않았다.

존이 말문을 열었다.

"아니요, 나는 담배를 피우지 않습니다. 나는 인간이 어떻게 신이 주신 몸을 마약으로 더럽힐 수 있는지 이해할 수가 없어요. 재스퍼를 칭찬하시는 말씀을 들으니 마땅히 기뻐해야겠지만, 사실 그보다는, 녀석이 신에 대한 존경심이 부족한 것이 큰 걱정입니다. 이따금 나를 만나러 로즈뱅크에 오면 논쟁을 벌이곤 합니다만, 잘못을 스스로 깨닫게 할 수가 없어요. 그 경박한 인생관 하며!"

"우리는 재스퍼가 경박하다고 생각하지 않소. 오히려 꽤 착실한 일꾼으로 생각하고 있죠."

"하지만 연극을 하지 않습니까? 연애 소설을 읽는단 말입니다! 어흠, 나는 '비판 받지 않으려거든 비판하지 말라.'라는 말씀을 항상 마음에 새기고 있습니다. 하지만 내 동생이 영원불멸의 약속을 저버리고 지옥에나 떨어질 유흥이나 추구하는 것을 보면 마음이 괴롭습니다. 이제 그만 동생을 찾아가 봐야겠군요. 언젠가 로즈뱅크의 소울 호프 회관에서 뵙기를 고대하겠습니다. 안녕히 계십시오, 선생님."

은행장은 다시 업무에 복귀하면서 혼잣말로 투덜거렸다.

"재스퍼에게 말해야겠어. 내가 그대에게 줄 수 있는 최대의 찬사는 '형과 닮지 않았다.'일 거라고."

그리고 그다음 날인 또 다른 수요일, 재스퍼가 은행에 다시 나타났을 때, 은행장은 두 형제를 농담 삼아 비교했고, 재스퍼는 한숨을 쉬며 말했다.

"아, 존은 정말 좋은 사람입니다. 하지만 항상 형이상학과 동양 신비주의에 빠져 있죠. 그가 안개 속에서 길을 잃었을 때에도 신은 모든 것을 알고 있다고 말하곤 합니다. 하지만 형이 저보다 훨씬 나은 사람인 것은 맞아요. 행여 제가 집주인을 살해하거나, 은행을 턴다면 존을 불러들이세요. 나를 정의 앞에 세우기 위해 최선을 다할 것이라고 장담합니다. 그만큼 공명정대하기로는 칼 같은 사람입니다!"

"칼 같다라, 그래, 뇌리에 팍 박히는구먼! 좋아, 재스퍼 자네가 여길 털면, 존을 찾아가겠네. 하지만 가능한 한 오래 이곳을 털지 말아 줬으면 좋겠어. 빳빳하게 풀 먹인 셔츠를 입은 종교인 형사와 사귀는 건 딱 질색이거든!"

두 사람은 함께 웃음을 터뜨렸고 재스퍼는 곧 자리로 돌아갔다. 그가 머리가 계속 아프다고 말하자 은행장은 일주일 동안 쉬어 보기를 권했다. 그러나 그는 쉬고 싶지 않다고 대답했다. 유럽에서 일어난 전쟁으로 군수 산업이 새로이 생기는 바람에 공장에서 지불해야 할 급료가 엄청나게 불어난 상태였고, 재스퍼는 그 급료의 계산과 지불을 담당하고 있었다.

"병에 걸릴 바에는 한 일주일 쉬는 게 나을 거요."

은행장은 그날 오후에도 그를 설득했다.

재스퍼는 주말 동안만이라도 교외에 나가기로 결심했다. 그는 다가오는 금요일, 북쪽에 있는 와카민 호수로 가서 블랙배스[12]나 좀 낚다가, 월요일이나 화요일쯤 돌아와야겠다고 말했다. 그리고 떠나기 전에, 토요일의 급여 명단과 지불금을 계산해서 다른 창구 직원에게 넘기고 가겠다고 했다. 은행장은 그의 성실함에 감복하며, 다음 날인 목요일 저녁 식사에 그를 초대했다.

그날 수요일 저녁, 재스퍼의 형 존 홀트는 로즈뱅크에서 열린 소울 호프 신도회에 나타났다. 집에 도착한 존이 마술처럼 재스퍼로 돌아왔을 때, 재스퍼는 존의 옷과 가발을 옷장 서랍에 도로 넣지 않고 여행 가방에 담아서 버논으로 가져왔다. 그리고 그의 방에 있는 장롱에 넣고 자물쇠를 채웠다.

목요일, 초대받은 저녁 식사 자리에서 재스퍼는 붙임성 있게 굴기는 했으나 다소 말수가 적었다. 재스퍼는 머리가 지끈거린다고 하고 9시 30분에 일찍 그 집에서 나왔다. 한 손에는 회색 실크 장갑을 쥐고 다른 손으로는 지팡이를 거만하게 휘두르며, 고급 주택가에 자리한 은행장의 집에서 버논 중심가로 되돌아왔다. 그는 자기 차가 보관되어 있는 공용 차고에 들어가서 야간 경비에게 말했다.

---

12 블랙배스 농어류의 민물고기.

"두통이 심하군. 일 생각은 접어 두고 잠깐 바람 좀 쐬고 올까 하네."

그는 시속 15마일도 안 되는 속력으로 천천히 차를 몰고 남쪽을 향해 달렸다. 도시 외곽에 이르자 시속 25마일로 속력을 올려 계속 달렸다. 그는 장거리 운전 사답게 안정적인 자세로 흔들림 없이 앉아 있었다. 액셀을 밟은 발과 핸들을 붙잡은 손만 약간 움직일 뿐, 몸은 차분히 있었다. 오른손은 핸들을 가로질러 꼭대기를 붙잡고 있었다. 왼쪽 팔꿈치는 운전석 쿠션 가장자리에 편안하게 올려놓고, 왼손은 그저 핸들에 대고 있을 뿐이었다.

그는 남쪽으로 15마일가량을 운전해서 와나구치 마을에 이르렀다. 그리고 갑자기 북서쪽으로 이어진 조악한 샛길로 급격하게 방향을 틀었다. 도시를 중심으로 거대한 원을 그리며 세인트 클레어를 향해 달렸다. 세인트 클레어는 존이 사는 로즈뱅크의 교외이면서 동시에 버논의 북쪽에 위치했다. 이 방향들은 그에게 꽤나 중요했다. 와나구치는 주 도시인 버논에서 남쪽으로 18마일 떨어진 곳에 있고, 로즈뱅크는 버논에서 북쪽으로 8마일 떨어진 곳에 있으며, 세인트 클레어는 버논에서 북쪽으로 20마일 떨어진 곳에 있다. 그러니까, 세인트 클레어는 버논에서 남쪽 와나구치에 이르는 거리만큼 멀리 북쪽에 위치하고 있었다.

세인트 클레어로 가는 도중, 로즈뱅크에서 불과 2마일 떨어진 지점에서 재스퍼는 큰길을 벗어나, 참나무와 단풍나무로 이루어진 작은 숲으로 들어갔다. 그리고 오랫동안 발길이 끊긴 듯한 산길에 차를 세웠다. 그는 뻣뻣하게 굳은 몸을 이끌고 차에서 내렸다. 호수가 내려다보이는 벼랑까지 숲을 뚫고 걸어 올라갔다. 자갈투성이의 벼랑이 물가에서 수직으로 솟아올라 있었다. 별과 대지에서 스며 나온 희미한 빛이 갈대가 우거진 광활한 호수를 비추었다. 그 호수는 진창인 데다 사초까지 뒤엉켜 있어 수영에는 전혀 사용되지 않았고, 물고기라고는 미끄덩한 메기뿐이어서 낚시를 시도하는 주민도 거의 없었다. 재스퍼는 회상에 잠긴 채 서 있었다. 그는 어떤 농부의 말 떼가 도망을 치다가 그만 그 낭떠러지에서 떨어져, 호수 진흙 바닥에 영영 가라앉았다는 이야기를 생각했다.

재스퍼는 지팡이를 휘두르며 절벽 꼭대기에서 차가 서 있는 안전지대로 돌아가는 길을 머릿속에 대강 그려 넣었다. 그러다 길을 막고 있는 개암나무 덤불을 커다란 주머니칼로 마구 잘라 내기도 했다. 머릿속에 그려진 길을 따라서 방향을 더듬어 가다, 차를 발견하고는 만족스러운 미소를 지었다. 그는 숲 가장자리까지 걸어 나와 고속도로를 사방으로 살폈다. 차 한 대가 다가오고 있었다. 그는 그 차가 다 지나갈 때까지 기다렸다가 자기 차로 돌아왔다. 그리고 시속 30마일로 북쪽에 있는 세인트 클레어로 향했다.

세인트 클레어 근처에서 그는 차를 잠시 멈추었다. 공구함을 꺼내 엔진 기관 본체에서 점화 플러그를 풀었다. 날카로운 공구로 두드려 플러그의 도기로 된 표면을 일부러 깨뜨렸다. 그는 점화 플러그를 다시 돌려 꽂고는 시동을 걸었다. 누전으로 인해 실린더 하나가 작동하지 않자 차가 쿨럭이며 덜컹거렸다.

"점화 장치에 문제가 생긴 게 틀림없군!"

그가 들뜬 목소리로 말했다.

그는 세인트 클레어의 정비소까지 그럭저럭 차를 끌고 갔다. 정비소에는 야간 세차를 하는 늙은 흑인뿐이었다. 그는 스펀지와 호스로 리무진을 닦아 내느라 여념이 없었다.

"여기 야간 정비공은 없나?"

재스퍼가 물었다.

"없습니다, 선생님. 내일 아침까지는 기다리셔야 할 겁니다."

"제기랄! 기화기나 점화 장치에 무슨 고장이 난 게야? 음, 일단 여기 둬야겠군. 정비공에게 전해 주게. 그런데 정비공이 출근하는 아침 시간에 자네도 여기 있나?"

"물론입니다, 선생님."

"그럼 그에게 내일 점심까지는 차가 필요하다고 말해 주게. 아니, 9시로 하지. 자, 잊지 말게. 이러면 기억하는 데에 도움이 좀 될 테지."

그는 흑인에게 25센트를 건넸다. 흑인은 히죽 웃으며 소리쳤다.

"예, 선생님. 기억이 아주 잘 날 것 같습니다!"

그는 차에 보관 딱지를 붙이며 물었다.

"성함이?"

"음, 내 이름? 그래, 핸슨이오. 꼭 기억하게. 내일 9시까지는 마무리가 되어 있어야 하네."

재스퍼는 기차역으로 걸어갔다. 1시 10분 전이었다. 재스퍼는 다음 버논행 열차가 언제 있는지 역무원에게 물어보지 않았다. 1시 37분에 세인트 클레어로 들어오는 기차가 있다는 것을 분명히 알고 있었던 것이다. 그는 대합실에 앉아서 기다리지 않고 컴컴한 바깥으로 나왔다. 그리고 어둠 속에 있는 수화물 칸 뒤편에 세워진 수레에 걸터앉아 있었다. 기차가 들어오자 그는 맨 끝 칸, 맨 끝자리로 미끄러지듯 슬쩍 들어갔다. 자리를 잡은 그는 얼굴에 모자를 한껏 눌러쓰고 잠든 척했다. 기차가 버논에 닿자 그는 기차에서 내려 정기적으로 차를 보관하던 공용 차고로 갔다. 그는 안으로 들어섰다. 야간 경비는 큰 나무 의자에 앉아 차고로 들어오는 좁은 입구 벽에 등을 기댄 채로 꾸벅꾸벅 졸고 있었다.

재스퍼는 경비에게 쾌활하게 소리쳤다.

"정말 재수가 없는 날이었어. 점화 장치가 고장 났지 뭐야! 아니, 점화 장치였을 거야, 아마. 그래서 차를 와나구치에 내버려 두고 올 수밖에 없었지 뭔가."

"저런, 정말 운이 나빴군요."

경비도 맞장구를 쳤다.

"그러게 말일세. 그래서 와나구치에 두고 왔다네."

재스퍼는 지나가며 한 번 더 강조했다.

그가 한 말은 정확하지 않은 구석이 있었다. 그는 남쪽인 와나구치에 차를 두고 온 것이 아니고, 북쪽인 세인트 클레어에 두고 왔던 것이다.

그는 하숙집으로 돌아와 잠을 푹 자고 일어나 샤워를 하며 노래를 흥얼거렸다. 그러면서도 아침 식사 땐 두통이 여전하다며 하숙집 안주인에게 하소연을 하고, 눈도 쉬고 배스라도 좀 낚을 겸 북쪽에 있는 와카민에 가야겠노라고 말했다. 안주인도 어서 다녀오라며 다그쳤다.

"낚시하러 가는 데에 뭐 더 필요한 건 없나요?"

안주인이 재차 물었다.

"괜찮습니다. 헌 옷가지와 낚시 도구를 넣을 가방 두어 개만 가져가면 됩니다. 사실, 이미 다 꾸려 뒀습니다. 은행에서 탈출할 수만 있다면 아마 정오에는 기차를 타고 북쪽으로 가고 있을 겁니다. 연합국과 계약을 맺은 군수 공장의 급료 지불 건 때문에 꽤나 바쁜 시기라서요. 오늘 조간신문에는 뭐라고 써 있던가요?"

재스퍼는 여행 가방 두 개와 깔끔하고 품위 있게 말아 잠근 실크 우산을 들고 은행에 도착했다. 은도금을 한 우산 끝에는 그의 이름이 새겨져 있었다. 은행 경비원이기도 한 도어맨이 재스퍼를 도와 여행 가방을 안으로 날라 주었다.

"그 가방 조심히 다루게. 안에 낚시 도구가 들었네."

재스퍼가 도어맨에게, 묵직하긴 하나 꽉 차지는 않은 것 같은 여행 가방 하나를 건네며 말했다.

"오늘 와카민에 가서 배스를 몇 마리 잡아 볼까 해."

"따라갈 수 있다면 좋겠네요. 오늘 아침에 두통은 좀 어떠셨습니까? 여전히 아프신가요?"

도어맨이 물었다.

"많이 좋아졌기는 하지만 아직도 돌덩이 같네. 내가 눈을 너무 혹사시킨 것 같아. 이보게, 코너스, 내가 11시 7분에 북향하는 기차를 타려고 하는데, 11시에 택시를 좀 잡아 줄 수 있겠나? 아니, 11시 조금 전에 미리 알려 주도록 하지. 11시 7분에 북향하는 와카민행 기차를 타야 하니까."

"잘 알겠습니다, 선생님."

은행장이며 금전 출납원, 계장까지 모두 나와 재스퍼에게 좀 어떠냐며 안부를 물었다. 그리고 재스퍼는 그들에게 한결같이, 눈을 너무 혹사해 와카민에 가서 배스나 잡다 돌아와야겠다는 말을 되풀이했다.

재스퍼의 옆 창구 담당자가 철창 사이로 진심 어리게 말했다.

"하여간 누구에게는 참 관대하다니까! 기다려 봐, 나도 이번 여름에는 건초염에 걸려 한 달 동안 낚시를 갈 테니까!"

재스퍼는 여행 가방 두 개와 우산을 자신의 창구에 갖다 놓았다. 그리고 다른 지출계원에게 현금 지급 일을 맡겨 놓고, 자신은 다음 날인 토요일의 급여 목록을 작성하였다. 그는 평소처럼 금고실 안으로 들어갔다. 그곳은 좁고, 환기도 되지 않으며, 단단한 리놀륨[13] 바닥에, 천장에는 갓 없는 전구 하나만 덜렁 달려 있는, 특별할 것 하나 없는 밀실이었다. 안쪽 벽은 전부 강철 문으로 이루어져 있고 온통 하늘색을 칠해 놓은, 그야말로 볼품없는 금고실이었다. 그러나 그 안에는 현금 수백만 달러와 유가 증권이 보관되어 있었다. 거대한 강철판에 매달려 있는 위쪽의 금고 문에는 두 개의 다이얼이 달려 있었는데, 숫자 두 개 중 하나만을 알고 있는 은행 간부 두 사람이 모두 모여야 그 문을 열 수 있었다. 그 문 아래에는 그보다 작은 문이 하나 더 달려 있었다. 그리고 그 문은 재스퍼 같은 지출계원도 마음대로 열 수 있었는데 그것은 지폐로 11만 7,000달러와 4,000달러 상당의 금과 은이 들어 있는 하찮은 강철 박스였다.

재스퍼는 돈다발을 들고 왔다 갔다 했다. 옆 창구 직원하고는 3피트도 채 떨어지지 않았으며, 그들을 갈라놓는 것은 오직 철창뿐이었다.

재스퍼는 작업을 하는 동안 다른 직원과 몇 마디 주고받기까지 했다.

한번은 1만 9,000달러를 세고 난 다음 이렇게 말했다.

"이번 주의 헨셜 왜건 공장의 급여 한번 참 대단하군. 연합군의 포차와 대차를 만든다니 그럴 만도 하겠어."

---

13 리놀륨 시트(sheet) 모양으로 된 실내 바닥에 까는 재료.

"음, 그래?"

다른 직원은 그다지 흥미가 없다는 듯이 대꾸했다.

재스퍼는 기계적으로 그러나 조심스럽게, 틀에 박힌 일상 업무를 처리하면서, 급여 목록에 적힌 항목에 따라 일일이 현찰을 계산해 냈다. 그의 눈은 계산하는 손과 그 앞에 놓인 급여 목록에서 결코 떨어지지 않았다. 계산이 끝난 지폐 다발은 종이 끈으로 묶었다. 그리고 그 다발을 그의 옆에 놓인 조그마한 검은색 가죽 급여 가방에 떨어뜨리는 듯했다. 하지만 그 돈은 사실 급여 가방으로 떨어지지 않았다.

그의 발치에 있는 두 개의 여행 가방은 모두 닫혀 있었고, 단단히 잠겨 있는 걸로 보였지만, 그중 하나는 자물쇠가 채워져 있지 않았다. 묵직했던 그 가방 안에는 고작 선철 한 덩어리가 들어 있을 뿐이었다. 지폐 다발을 쥐고 있던 재스퍼의 손이 이따금씩 옆구리 쪽으로 사라졌다. 그의 발이 살짝 움직이는가 싶더니 여행 가방이 열렸고, 돈다발이 그 안으로 미끄러지듯 떨어졌다.

창구의 아랫부분은 단단한 철판이었는데, 은행 정면에서는 아무도 그의 의심스러운 행동을 볼 수 없었다. 옆 창구 직원 눈에 띌 수는 있었겠지만, 재스퍼는 그가 손님과 이야기하느라 바쁠 때나 혹은 등을 돌리고 있을 때에만 기회를 노렸다. 재스퍼는 적당한 타이밍을 찾기 위해, 마치 아픈 것처럼 눈을 비벼 가며 지폐 다발을 두세 번씩 세기를 반복했다.

이처럼 은밀하게 돈다발을 처리한 다음, 급여 목록에 표기된 만큼의 동전 묶음을 급여 가방에 과장되게 집어넣었다. 재스퍼는 파란색 종이로 포장한 동전 묶음을 급여 가방에 넣을 때만, 일부러 큰 소리로 다른 직원들과 잡담을 나누었다. 그러고는 가방을 여며 한쪽으로 엄중하게 밀어 놓았다.

재스퍼가 작업을 매우 천천히 하였기에 일이 끝날 때쯤은 이미 11시 5분 전이었다. 그는 도어맨을 불러서 말했다.

"이제 차를 불러 줬으면 하네."

그에게는 아직 채워야 할 봉투가 하나 남아 있었다. 그는 모두가 볼 수 있게 마지막 봉투에 돈을 넣으며 다른 창구 직원에게 말했다.

"이 급여 봉투들은 모두 내 금고에 넣어 둘 테니, 나중에 자네 금고로 이관하면 되네. 내 금고도 잊지 말고 잠가 주게나. 세상에, 서두르지 않으면 기차를 놓치겠군. 늦어도 화요일 아침까지는 돌아올 생각이라네. 그럼 그때까지 잘 지내게."

그는 서둘러 급여 봉투가 담긴 급여 가방을 금고실에 있는 개인 금고에 넣었다. 금고는 급여 가방으로 가득 찼다. 하지만 마지막 봉투를 제외하고는 동전 묶음 몇 줄이 들어 있을 뿐이었다. 그는 다른 직원에게 금고를 잠가 달라고 말해 놓고, 경솔하게도 습관적으로 다이얼을 돌려 자물쇠를 채웠다. 다른 직원이 이 금고를 열려면 이제 은행장을 소환해야 했다.

재스퍼는 우산과 여행 가방 두 개를 집어 들고, 다른 창구 직원들에게 허리 숙여 인사를 했다. 10초도 채 걸리지 않았다. 금전 출납원에게는 자리에서 손만 흔들어 인사를 건넸다. 도어맨이 가방을 들어 줄 새도 없이 줄달음쳐 은행을 빠져나온 재스퍼는 대기하고 있던 택시에 몸을 던졌다. 그리고 도어맨에게 들릴 만큼 충분히 큰 소리로 말했다.

"M&D 기차역으로!"

M&D역에 도착한 그는 역내 짐꾼이 가방을 나르겠다는 것도 마다하고, 와카민행 기차표를 샀다. 와카민은 버논에서 북서쪽으로 140마일 떨어진 호숫가 마을로, 세인트 클레어로부터는 120마일 떨어진 곳이었다. 간신히 11시 7분, 차에 탈 수 있었다. 그는 특실에 타지 않고 뒷문 근처의 객차에 올라탔다. 그리고 자기 이름이 새겨진 은도금된 우산 꼭지를 풀어 옷 주머니에 넣었다.

기차가 세인트 클레어에 도착하자, 재스퍼는 꼭지 없는 우산을 남겨 두고 가방만 챙겨서 무표정한 얼굴로 조용히 내렸다. 기차가 다시 움직이자 그는 역 승강장에서 내려와 침착하게 걸어 나갔다. 그의 얼굴에 환희의 빛이 스치는 듯하더니 이내 사라졌다.

지난밤에 차를 맡겨 둔 차고에 도착한 재스퍼는 관리자에게 물었다.

"제 차는 다 고쳤나요? 점화 장치가 고장 난 머큐리 로드스터 말입니다."

"아직이오! 일거리가 밀려서 손댈 시간이 없었소. 이른 오후쯤이면 끝날 거요."

예상치 못한 전개에 재스퍼가 입을 삐죽였다. 그는 여행 가방을 바닥에 내려놓고 구부린 검지를 아랫입술에 댄 채 우뚝 서서 생각에 잠겼다.

잠시 후 그가 볼멘소리로 말했다.

"어쩌면, 제가 손볼 수 있을지도 모르겠군요. 미안하지만 기다릴 시간이 없어서, 빨리 다음 도시로 넘어가야 해서 말입니다."

"요즘은 당신처럼 차로 순회하며 판매 구역을 넓히는 외판원이 많더군요, 핸슨 씨."

관리자는 보관표에 적힌 이름을 힐끗 보더니 정중하게 말했다.

"그렇습니다. 기차로 다니는 것보다 훨씬 더 많이 벌 수 있죠."

차를 고치지 않았으니 보관료를 무는 것은 정당하지 않았지만, 아무 말도 하지 않고 하룻밤치의 보관료를 지불했다. 그는 대체적으로 평범하고 눈에 띄지 않게 행동했다. 여행 가방을 차 안에 밀어 넣고 쿨럭이는 차를 몰아 그곳을 떠났다. 그리고 다른 정비소에 들러, 점화 플러그를 사서 갈아 끼웠다. 시간이 조금 지나니 쿨럭이던 소리가 멈추었다.

그는 세인트 클레어에서 벗어나 버논 쪽으로, 그러니까 그의 형이 살고 있는 로즈뱅크로 향했다. 로즈뱅크에서 불과 2마일 떨어진, 참나무와 단풍나무가 무성한 숲에 도착했다. 갈대 많은 호수와 그 위로 불쑥 튀어나온 벼랑이 있는, 며칠 전에 답사를 나왔던 바로 그곳이었다. 그는 버려진 산길 옆 풀이 무성한 공터에 차를 세웠다. 여행 가방 위에 얇은 천을 하나 깔고 조수석 밑에서 꺼낸 매운 치킨 통조림과 비스킷 상자, 찻잎이 든 틴 케이스, 그리고 야외용 조리 도구 세트와 알코올램프를 꺼냈다. 그는 소풍을 나온 사람처럼 이것들을 바닥에 늘어놓았다.

재스퍼는 오후 1시 7분부터 날이 져 어두워질 때까지 그 옆에 앉아 있었다. 그는 이따금씩 먹는 척을 했다. 개울에서 물을 길어 와 차를 끓이고, 비스킷 상자와 치킨 통조림을 열어 두었다. 하지만 대부분은 가만히 앉아서 담배만 연거푸 피웠다.

한번은 자신의 채소 농장에 이르는 지름길을 이용 중이던 스웨덴 사람이 지나가며 물었다.

"피크닉 중이신가 봐요?"

"네, 하루 휴가를 즐기고 있죠."

재스퍼가 굼뜨게 대답했다.

그 사람은 돌아보지도 않고 걸음을 옮겼다.

해 질 무렵 재스퍼는 끝까지 피운 담배의 불을 비벼 끄며 수수께끼 같은 말을 한마디 했다.

"이것이 재스퍼 홀트의 마지막 담배가 되겠군. 존, 당신은 담배를 피우지 않으니까 말이야. 제기랄!"

그는 두 개의 여행 가방을 덤불 속에 숨기고, 피크닉의 잔해도 차 안에 대충 쌓아 놓았다. 열어 두었던 차의 지붕을 덮고, 살금살금 큰길로 내려왔다. 아무도 보이지 않았다. 다시 차로 돌아온 재스퍼는 공구 상자에서 망치와 끌을 빼 들었다. 그리고 엔진에 찍혀 있던 일련번호를 맹렬하게 내리쳐서 일그러뜨려, 전혀 알아볼 수 없게 만들었다. 차 앞뒤에 달려 있던 번호판도 모두 떼어 내어 여행 가방 옆에 놓았다. 수풀이 검은 구름 덩어리로 보일 만큼 어두워지자 그는 차에 시동을 걸었다. 숲속을 지나 벼랑 꼭대기로 향하는 언덕을 천천히 올라가던 차가 시동이 켜진 채로 멈춰 섰다.

차를 세운 자리로부터 벼랑 끝자락까지는 약 130피트 정도의 공간이 있었는데, 붉은토끼풀이 꽤 고르게 자라 있었다. 재스퍼는 보폭으로 거리를 재고 다시 차로 돌아왔다. 초조한 듯 약간 머뭇거리더니 운전석에 앉아 기어를 2단에서 3단으로 밀어 넣었다. 차가 벼랑 끝을 향해 달리기 시작하자 그는 재빠르게 자동차 보조 발판에 올라섰다. 그는 발판에 어정쩡하게 선 채, 벼랑의 가장 가파른 쪽을 향하도록 왼손으로 핸들을 조작했다. 그리고 그와 동시에 오른손으로는 연료 조절판을 밀어 올려 속도를 높였다. 그는 보조 발판에서 안전하게 뛰어내렸다.

차는 굉음을 내며 그대로 돌진했다. 그리고 절벽 끝을 쏜살같이 넘어갔다. 마치 몸이 무거운 비행기처럼 공중으로 20피트나 솟아올랐다. 공중에서 돌고 또 돌며 호수를 향해 무섭게 떨어졌다. 엄청나게 크고 요란한 파문을 일으키며 물이 튀어 올랐다. 그러나 이내 고요가 찾아왔다. 더 이상 차의 흔적을 찾아볼 수 없는, 황혼이 비추는 호수는 빛나는 유액 같았다. 동그랗게 퍼지던 물방울 고리도 어느새 사라지고 없었다. 호수는 비밀스럽고 불길한 정적을 되찾았다.

"어이쿠!"

재스퍼가 절벽에 서서 짧게 소리쳤다.

"음, 몇 년간은 아무도 찾아내지 못하겠군."

그는 여행 가방 쪽으로 몸을 돌렸다. 그리고 그 옆에 쪼그리고 앉아 존 홀트의 가발과 검은 옷을 꺼냈다. 그는 입고 있는 옷을 벗고 존의 옷을 입었다. 재스퍼의 옷은 다시 싸서 가방 안에 넣었다. 재스퍼의 옷이 든 여행 가방과 자동차 번호판을 들고 로즈뱅크로 향해 걸었다. 마을로부터 반 마일가량 가까워질 때까지 단풍나무와 버드나무 숲을 벗어나지 않았다. 버드나무 길 끝으로 존 홀트의 석재 저택이 나오자 뒷길로 슬그머니 들어갔다. 그는 재스퍼 홀트의 옷을 벽난로에 넣어 태우고 자동차 번호판은 스토브[14]에 넣고 녹였다. 그런 다음 재

---

14 스토브 난방 장치의 하나. 난로.

스퍼의 값비싼 시계와 만년필을 돌로 찍어 보기 흉한 폐물 덩어리로 만든 후, 이것을 빗물 저장 탱크 안에 버렸다. 은도금한 우산 꼭지에 새겨진 이름도 못 알아보게 끌로 긁어냈다.

그는 책장의 잠긴 문을 열고, 1달러, 5달러, 10달러, 20달러짜리 지폐 다발을 가방 하나에서 꺼내어, 이를 선반 위에 있는 책과 똑같은 모양을 한 빈 과자 상자에 쑤셔 넣었다. 그는 돈을 정리하면서 그것을 세어 보았다. 그것은 9만 7,535달러에 달했다.

재스퍼가 들고 다닌 여행 가방들은 딱히 상처도 없는 새것이었다. 그는 그것들을 부엌으로 들고 가 발로 차고 검댕을 문질렀다. 그것도 모자라서 모서리의 올을 풀고 옆구리에 칼집까지 내어 오랫동안 함부로 사용한 것처럼 보이게 만들었다. 그는 가방들을 위층으로 가져가 천장고가 낮은 다락방에 던져 넣었다.

침실에 들어선 그는 차분하게 옷을 벗었다. 한번은, 소리 내어 웃으며 말했다.

"경멸스러운 거만한 은행 놈들과 경찰 나부랭이들. 나는 그들의 멍청한 법 위에 서 있다. 내 발로 자수하러 가지 않는 이상 아무도 나를 잡을 수 없어!"

그는 자려고 누웠다가 떨쳐지지 않는 생각에 버럭 신경질을 냈다.

"제기랄! 아무리 바닥이 차더라도 존이라면 기도를 올리겠지."

그리고 침대에서 내려와 우주의 불가사의한 신으로부터 용서를 구했다. 재스퍼 홀트를 위해서가 아니라, 아직 진정한 믿음이 부족한 소울 호프 신도회를 위해서.

그는 기도를 마치고 침대로 돌아와 아침나절까지 깊은 잠을 잤다. 머리 뒤로 팔짱을 끼고 누운 그의 얼굴에는 미소가 가득했다.

이리하여 재스퍼 홀트는 신비한 죽음의 고통도 없이 더 이상 존재하지 않게 되었고, 존 홀트는 일요일과 수요일 저녁의 환영이 아닌, 하루 24시간, 주에 7일을 사는 존재가 되었다.

3

로즈뱅크의 주민들은 괴상한 은둔자인 존 홀트가 가끔씩 모습을 드러내는 것에 익숙해져 있었기 때문에, 재스퍼 홀트가 범행을 저지른 그 금요일의 다음 날인 토요일 저녁에, 존이 대문 밖으로 나와 중심가에 있는 신문 가판대와 문방구를 어슬렁거리는 걸 보고도 그저 낄낄댈 뿐이었다.

존은 석간신문을 사면서 점원에게 말했다.

"매일 아침 〈헤럴드〉 신문을 우리 집으로 배달해 주게. 햄버트가(街) 27번지네."

"네, 어딘지 알고 있어요. 그런데 신문 같은 저급한 것에는 일종의 불만이 있으신 줄로 알고 있었는데요?"

점원이 당돌하게 말했다.

"아, 그랬나? 매일 아침, 〈헤럴드〉네. 여기 한 달치 돈을 미리 내도록 하지."

존 홀트는 그렇게 말하면서 점원을 똑바로 쳐다봤다. 점원의 몸이 움츠러들었다.

존은 다음 날 저녁인 일요일에 소울 호프 신도회에 참석했으나, 다시 이틀하고 반나절 동안은 거리에 나타나지 않았다.

재스퍼 홀트가 사라졌다는 기사는 다음 주 수요일이 되어서야 신문에 실렸다. 격앙된 소도시의 신문 1면에는 다음과 같은 헤드라인이 적혀 있었다.

사교계의 총아인 은행 지출 계원, 도주하다!

기사 내용은 이러했다. 재스퍼 홀트가 나흘째 행방불명 상태이며, 은행 간부들은 그의 출납부에는 전혀 문제가 없다던 처음의 말과는 달리, 10만 달러의 차액이 발생했다는 것을 후에 시인하였다. 그리고 어떤 기자는 그것이 20만 달러에 육박한다고 보도하기도 했다. 재스퍼 홀트는 금요일에 와카민행 표를 구입했고, 해당 은행 고객이었던 열차 승무원이 기차에서 그를 보기는 했지만, 분명히 와카민에 도착한 적이 없다고 했다.

한 여성은 홀트가 금요일 오후에 버논과 세인트 클레어 사이에서 운전 중인 것을 보았다고 주장했다. 하지만 세인트 클레어 근방에서의 출현은 단순한 눈속임으로 여겨졌다. 사실, 유능한 우리의 경찰서장은 홀트가 북쪽으로 가지 않고 남쪽 와나구치로 향했다는 증거를 가지고 있었다. 그리고 디모인이나 세인트 루이스로 갔을 거라고 추측했다. 그 전날 홀트가 그의 차를 와나구치에 버렸다는 것이 결정적인 증거였다. 경찰은 관례에 따라 철저하고 민첩하게 와나구치 일대를 수사하고 있었다. 서장은 이미 남쪽 여러 도시의 경찰들과 연계하고 있었으며 범인 체포는 시간문제라고 자신했다. 우리의 인망[15] 높은 시장이 지목한 경찰서장이 주도하고 있는 한, 범죄자들에게 유리한 상황은 아니었다.

도망자가 북쪽으로 갔을 가능성에 대해 물어보자, 서장이 단언하기를, 홀트는 경찰의 추적을 따돌릴 수 있다는 헛된 희망을 가지고 북쪽으로 향하기는 했지만, 그는 즉시 남쪽으로 방향을 돌려 숨겨 둔 차를 찾았다고 했다. 서장은 단언하지는 않았지만 와나구치에서 홀트의 차를 숨겨 주었던 사람을 곧 잡게 될 거라고 넌지시 알려 주었다.

홀트가 미쳤다고 생각하느냐는 질문에 서장은 웃으며 말했다.

"그래, 10만 달러짜리 미친놈이기는 하지. 별로 얕잡으려는 건 아니지만, 참해 보이는 우리 쪽 녀석들 중에도 훨씬 더 미친 친구가 얼마든지 있소!"

그러나 은행장은 몹시 괴로워했다. 그러는 와중에도, 홀트는 블러바드에서도 가장 호화로운 저택에 살고 있는 데다 지역 연극계에서는 유명 인사였으며 은행에서도 가장 평판이 좋았던 사람이라면서, 얼마간 두통에 시달리더니 일시적으로 정신이 잠깐 나간 것으로 믿고 이를 강력히 주장했다. 그러는 사이, 은행의 보증 회사는 10만 달러에 대해 연대 책임을 지고, 조사원을 보내 경찰과 함께

---

15 인망 세상 사람이 우러르고 따르는 덕망.

수사를 하고 있다고 했다.

신문을 읽자마자 존은 전차를 타고 버논으로 들어가 은행장을 찾았다. 존의 얼굴이 치욕의 슬픔으로 그늘져 있었다. 은행장이 그를 맞았다. 존은 비틀거리며 사무실로 들어갔다. 그는 신음하며 말했다.

"재스퍼에 대한 끔찍한 소식을 방금 신문에서 보았습니다. 그래서 이곳까지……."

"우리는 그에게 실어증 같은, 정신적인 문제가 잠깐 생긴 거라고 생각하오. 그래서 다시 나타나 모든 걸 바로잡을 거라고 믿고 있소."

은행장이 힘을 실어 말했다.

"저도 그렇게 믿고 싶습니다만, 전에도 말씀드린 바와 같이 재스퍼는 선량한 사람이 못 됩니다. 술 담배에, 연극에, 유행 따라 옷을 해 입는 것이 무슨 인생 최대의 목적인 양……."

"세상에, 그런 이유로는 공금을 횡령한 사람으로 몰아갈 수 없소!"

"저도 선생님 말씀이 맞기를 바랍니다. 진실이 밝혀지기 전까지 제가 도울 수 있는 모든 방법으로 돕겠습니다. 혹여나 죄가 입증된다면 정의의 심판 앞에 세우는 것을 나의 유일한 의무로 삼겠습니다."

"거, 참 잘됐군."

은행장이 중얼거렸다. 이러한 존의 곧은 도의심에도 불구하고 은행장은 존에게 도저히 호감을 느낄 수가 없었다. 존은 그 옆에 서서 멍청한 얼굴을 그에게 들이밀었다.

은행장은 불쾌한 듯이 그에게서 의자를 멀리 밀어내며 말했다.

"실은 자네가 사는 집을 수색할 생각이었네. 내 기억이 맞다면, 로즈뱅크에 살고 있다지?"

"맞습니다. 그리고 당연히 그러셔야지요. 구석구석 조사해 주시면 감사하겠습니다. 아니면 제가 할 수 있는 뭐라도 시켜 주십시오. 차마 입으로 뱉을 수도 없는 이 죄악을 쌍둥이 형제와 나누고 있다고 느낍니다. 저희 집 열쇠를 당장 드리겠습니다. 집 뒤쪽에는 재스퍼가 저를 찾아올 때마다 차를 보관하던 헛간도 하나 있습니다."

그는 크고 녹이 슨 열쇠를 꺼내며 덧붙였다.

"주소는 로즈뱅크, 햄버트가(街) 27번지입니다."

"아, 이럴 필요까지는 없을 것 같군."

은행장은 다소 무안해하며 조급한 손짓으로 열쇠를 떨쳐 냈다.

"하지만 어떻게든 돕고 싶습니다! 제가 무엇을 하면 좋겠습니까? 누구더라, 신문에 나왔던, 담당 형사가 누구라고 했죠? 그분이라도 돕고 싶은데……."

"그럼 이렇게 한번 해 보시게. 상업 신용 거래 보증 회사에 가서 스칸들링 씨를 만나 아는 대로 전부 털어놓는 거지."

"그렇게 하겠습니다. 저는 동생의 죄를 제 어깨에 짊어지고 있습니다. 그렇지 않으면, 카인의 죄를 범하게 되는 꼴이지요. 선생님은 우리의 죄를 속죄할 기회를 주셨습니다. 예레미야 보드피시 목자께서 말씀하시길, 단지 즉물적인 존재에 불과한 인간에게 그 형벌이 아무리 고통스러워 보일지라도 죄를 속죄할 기회를 갖는 것은 축복이라 하셨습니다. 말씀드렸을 줄로 압니다만, 저는 소울 호프 신도회에서 인정받은 교인입니다. 우리는 위선과 독단으로부터 자유롭고, 우리의 확고한 신념은……."

그 후로도 10분 동안 존 홀트는 지루한 설교를 늘어놓았다. 잊힌 책이나 괴상하고 옹졸한 장로들의 말을 인용하기도 했다. 모두 하나같이 가증스러운 자만심과 꼴사나운 신비주의로 똘똘 뭉친 광신도들이었다. 은행장은 40년이나 세인트 시몬스 교회를 후원한 독실한 신자였음에도 불구하고, 그는 몇 번이나 소름이 끼쳤고 이 독선적인 광신도에게 분노가 치밀었다.

그는 다소 무례한 방법으로 존 홀트를 쳐 내고 속으로 이렇게 불평했다.

'빌어먹을! 그러면 안 되지만, 나는 저 성자인 존보다 죄인인 재스퍼를 더 좋아한다고 말하지 않을 수 없군! 윽, 저 녀석한테서 어찌나 퀴퀴한 지하실 냄새가 나는지! 온종일 감자나 캐고 있을 게 분명해! 맙소사, 이거였군! 자신이 은행을 털면 존부터 부르라고 재스퍼가 대담하게 말한 적이 있었지. 왜 그런 말을 했는지 이제야 알겠어! 존은 체계적인 수사를 붕괴시킬 일종의 자기중심적인 멍청이야. 글쎄, 미안하지만 재스퍼, 내가 앞으로 존을 상대하는 일은 더는 없을 걸세!'

존은 상업 신용 거래 보증 회사에 가서 스칸들링 씨를 찾아내, 자신의 어린 시절과 최근의 악행에 대해 세세하고 쓸모없는 이야기로 그를 지치게 하고 있었다. 그러다 재스퍼를 추적 중인 보증 회사의 조사원에게 넘겨졌다.

그 조사원은 열성적이고 시끄러운 사람이었는데, 그런 그마저도 존이 따분한 사람이라는 걸 알아차렸다. 존이 로즈뱅크에 있는 자신의 집을 조사하길 고집했고, 조사원도 그가 원하는 대로 하기는 했지만 사실 존에게서 벗어나기 위해 대충 흉내만 냈을 뿐이었다. 존은 재스퍼가 가끔 차를 보관했던 헛간을 보여 주는 데에만 못해도 5분은 걸렸다.

게다가 존은 조사원에게 자신의 귀중하지만 얼룩덜룩 지저분한 장서를 보여 주고 싶어 했다. 그는 잠가 둔 책장 문 중 하나를 열어, 네 권짜리 설교집을 꺼내 들고 큰 소리로 읽기 시작했다.

조사원이 끼어들며 말했다.

"음, 그것 참 대단한 책이군요. 하지만 이 책들 뒤에 당신 형제가 숨어 있을 것 같지는 않습니다!"

도움이 필요하면 틀림없이 알려 드리겠노라고 수없이 반복한 후, 조사원은 부랴부랴 떠날 준비를 했다.

"속죄만 할 수 있다면……."

"네네, 그러시겠죠. 그거면 됐습니다!"

그는 문 쪽으로 거의 달리다시피 걸어가며 울부짖었다.

존은 그날 또다시 버논으로 나갔다. 이번에는 경찰서장을 찾아갔다. 그는 보증 회사의 조사원에게 자기 집을 샅샅이 뒤지게 했노라고 보고하며, 경찰에서도 수색을 해야 하지 않겠냐며 서장을 다그쳤다.

존이 속죄하고 싶다고 말하자 서장은 그의 어깨를 두드리며 동생의 죄에 책임을 느끼지 말라고 조언했다. 그리고 "바쁘니까 이제 그만 가 달라."라고 간청했다.

그날 저녁, 존이 소울 호프 신도회에 참석하기 위해 걸어가자, 수십 명의 사람들이 럼버 국립 은행을 턴 사람이 바로 그의 동생이라며 웅성거렸다. 존은 수치심에 고개를 떨궜다. 집회에서 그는, 재스퍼의 죄를 자신이 짊어질 것이며 재스퍼가 하루바삐 체포되어 처벌의 축복을 받기를 기도했다. 다른 신도들은 그에게 죄책감을 느끼지 말라고 간청했다. 그는 소울 호프 신자들 중 이 사악하고 비뚤어진 시대를 구원해 줄 수 있는 유일한 사람이 아니었던가?

목요일과 토요일 아침, 그리고 화요일과 금요일 모두, 존은 은행장과 조사원을 만나러 시내를 돌아다녔다. 은행장은 두 번이나 그를 만나 억겁 같은 설교를 들었다. 세 번째는 자리에 없다며 피했고, 네 번째에는 존을 만나 주었지만, 도와주고 싶다면 제발 발길을 끊어 달라고 퉁명스럽게 잘라 말했다.

조사원은 그를 하루도 만나 주지 않았다.

존은 유순한 미소를 지으며 그들을 도우려는 노력을 그만두었다. 그의 책장 하단에 있는 과자 상자 위에 먼지가 쌓이기 시작했으나, 그가 가끔가다 꺼내는 하나만은 그렇지 않았다. 그 상자를 꺼낸 날은, 항상 물 빠진 갈색 머리에 구겨진 검정 수트를 입은 남자가 남버논에 있는 우체국에 나타났다. 그리고 R.J. 스미스라고 서명한 꽤 큰 금액의 수표를 로즈뱅크에 사는 존 홀트에게 보내는 것이었다. 그런 지 6개월이 지나갔다. 송금은 주당 25달러 이상은 할 수 없었지만, 금욕 생활을 하는 존 홀트에게는 쓰고도 남을 돈이었다. 낮에 로즈뱅크에 있는 우체국에서 현금으로 바꾸기도 했지만, 대개는 그의 습관대로 저녁 외출 시 단골 식료품점에 가서 바꾸었다.

매일같이 저녁 식사 후에 담배를 피우러 나오는 이웃과 대화하던 존은, 동생의 공금 횡령에 대한 통탄할 만한 그의 상황을 솔직하게 죄다 털어놨다. 존은 자신이 종교 연구에 매달리느라 동생을 방치한 것은 아닌지 싶다고 말했다. 이웃은 존에게 좀 더 야외 활동을 하는 게 좋겠다고 진지하게 조언했다. 존은 적어도 오후에 하는 짧은 산책 시간이라도 늘리겠으며, 문학적 고독을 방해받겠지만 우유나 고기, 식료품 정도는 배달을 받아 쓰겠다며 설득당하는 척을 했다. 그는 공공 도서관 열람실에 있는 중남미에 관한 책도 슬쩍 훑어봤다. 그 모습은 마치 머지않아 그쪽으로 떠날 계획을 세우는 사람처럼 보였다.

그러는 와중에도 그는 종교 연구를 멈추지 않았다. 공금 횡령이 일어나기 전부터 신의 계시에 관해 매우 착실하게 연구해 왔기에 갑자기 멈추면 의심을 살 수 있기 때문이다. 존의 세계는 온통 권위 있는 신학자의 인용문으로 점철되고 있었다. 동생의 범행 사실에 크나큰 충격을 받고 신학 연구에 더 집중하면서 스스로를 저술에 몰아넣은 건지도 모르겠다. 그의 동생이 사라지고 1년이 지나는 동안, 신용 거래 보증 회사는 재스퍼가 죽었다고 믿으면서 수사는 점차 시들해졌다. 존은 모호한 연구에 다소 광적으로 몰두하게 되었다. 이리하여 그의 낮과 밤은 명상으로 뒤범벅되고, 현실을 보는 시력을 잃었으며, 구름 사이로 비치는 광명 너머로 신이 사는 도시를 보기 위해 헤매고 다녔다.

사람들은 재스퍼 홀트가 배역을 맡으면, 그 배역이 생생하게 살아 있는 것 같다고 주장했었다. 존을 연기하는 게 얼마나 훌륭했던지 그 속에서 잘난 은행원이 죽어 가고 있다는 걸 결코 누구도 알 수 없었다. 그가 엄청난 승리를 거두었다는 말에는 동의할 수 없지만, 그렇다고 물질적인 보상이 없는 것은 아니었다. 그는 가장 교묘한 역을 연기한 대가로 9만 7,000달러에 달하는 돈을 받았다. 그가 무릅쓴 위험으로 보자면 벌었다고 해도 마땅했다. 재스퍼는 인격의 신비함을 가지고 장난을 쳤고, 모든 행동의 기반이 되었던 목적을 잃는 위험에 처했다. 그는 이제, 억압된 채 시체처럼 걸어 다니며 신을 찾아 헤매는 유태인일 뿐이었다.

4

10월의 쓸쓸한 비가 내리고 버드나무의 뾰족한 가지들은 몸을 뒤틀어 잎을 떨구고 있었다. 나무껍질은 벗겨져 누리끼리하고 축축한 속살이 그대로 드러났다. 이 벌거벗은 나무들을 지나, 번들거리는 지면과 얽히고설킨 황갈색의 잡초들 사이로 존 홀트의 단단한 벽돌집이 툭 하고 불거졌다. 벽돌을 깐 산책로는 이제 항상 젖어 있었다. 세상은 이 만연한 추위에 몸을 웅크렸다.

푸른빛의 어스름 속에서 버드나무 길을 걷고 있는 이 남자도 병든 대지만큼이나 우울해 보였다. 그의 발걸음은 굼떴고, 그의 입술은 망상에 빠져 격렬하게 움직이고 있었다. 그는 구겨진 검은색 수트와 얇디얇은 셔츠 위로 낡아 빠진 외투를 걸쳤고, 벨벳으로 만든 외투 깃은 파리하게 바래 있었다. 그는 생각에 잠긴 채 말했다.

"이 모든 일에는 중요한 뭔가가 있어. 이제 조금 알 것 같은데……. 내가 뭘 아는지 나도 몰라! 아니야, 하지만 어떤 사실 하나가, 초자연적인 세상에서는 음식이나 침대 따위가 우스꽝스럽게 보이기도 하지. 나는, 나는 법 위에 있다! 나만의 법을 창조했지! 법의 허상을 넘어서 생의 비밀을 발견하면 안 되는 이유라도 있나? 하지만 난 죄를 지었어, 참회해야만 해. 나중에 돈을 돌려줄 필요까지는 없겠지. 그 돈 덕분에 지금 같은 사색의 삶을 살 수 있으니까. 하지만 나를 믿어 준 은행장에게 배은망덕한 건! 내가 죄인들 중에 가장 비참한 인간인가? 눈이 멀어 신을 못 보는 자들같이? 목소리, 서로 다른 목소리가 들려. 하나는 나의 용기를 칭찬하고, 다른 하나는 몹시 비난하는……."

그는 버드나무 밑에 놓인 미끈미끈한 검은 나무 벤치 위에 무릎을 꿇고, 땅거미가 다 지도록 기도의 말을 읊조렸다. 그는 이제 사람의 말이 아니라, 엄청나게 난해한 몽상 속에서 인간의 말을 넘어선 무언가로 기도하는 것 같았다. 그는 기진맥진해져 천천히 집 안으로 들어가 문을 잠갔다. 그가 두려워할 것은 아무것도 없었지만 문이 열려 있는 것은 결코 편치가 않았다.

촛불에 의지한 채 그는 아무것도 바르지 않은 토스트와 달걀, 그리고 우유를 약간 넣은 싸구려 녹차 한 잔으로 된 간소한 저녁 식사를 차렸다. 지난 열여덟 달 동안 하루도 빼지 않고, 식사가 끝날 때마다 담배를 한 대 피우고 싶었지만, 그는 그러지 않았다. 천천히 거실로 자리를 옮겨 고요하고 긴긴밤을 고서와 모든 책의 각주, 참고 문헌, 《예언자의 수비학[16]》이나 《야수의 숫자》 같은 책 등을 읽었다. 그는 그의 저서인 묵시록에 주석을 달고자 했다. 얼마 안 되는 종이 더미들이 글을 쓰는 그의 작고 섬세한 손을 뒤덮었다. 수없는 밤을 지새 가며 그가 써 낸 글들이 수천 장에 달했다. 그러나 느린 손은 생각을 따라잡기 바빴고, 결코 완전히 잡을 수는 없었다. 그래서 그가 여태 쓴 대부분의 글은 잔인하게도 모두 불태워졌다.

하지만 언젠가는 걸작을 낳으리라! 그는 인간이 마주할 수 있는 가장 위대한 발견에 한 발 다가선 느낌을 받았다. 그가 결정한 모든 것이 거룩한 징조일 뿐만 아니라 실체가 있는 계시였다. 그는 새로 깨우친 신의 계시를 점치는 자신의 능력에, 두려워하면서도 기뻐 날뛰었다. 램프가 미세하게 흔들렸다. 존은 위험을 무릅쓰며 과감하게 말했다.

"만약 호를 그리며 움직이는 저 찬란한 빛이 책장 모서리에 닿으면, 그것은 완전히 새로운 모습으로 위장하고 남미로 가서 돈을 모조리 쓰라는 신의 계시이다."

그는 몸을 떨며 참을 수 없을 정도로 램프가 천천히 움직이는 것을 지켜보았다. 움직이는 불빛이 책장에 거의 닿을 뻔하자, 헉하고 숨을 들이켰다. 그는 자리

에서 도망쳤다.

그것은 떠나라는 통보였다. 그는 몸을 떨었다. 이곳을 떠나야 한다는 두려움이 그를 엄습했던 것이다. 명상의 장소이며 동시에 공포의 장소가 되어 버린, 똑똑하게 만들었다고 생각했던 피난처였던 이곳을, 이제는 두려움에 발이 묶여 절대로 떠날 수 없게 됐단 말인가? 그는 갑자기 모든 것을 깨달았다.

"내가 도망쳐서 감옥으로 숨은 거였어! 정의가 인간을 붙잡는 것이 아니다. 인간의 발목을 잡는 건 자기 자신이다!"

그는 다시 시도해 봤다. 테이블 위에 연필의 수가 다섯 개보다 많다면 그는 죄를 지은 것이고, 적다면 법 위에 올라선 것이다. 그는 책과 종이를 들춰 가며 연필을 찾기 시작했다. 긴장으로 인해 식은땀이 줄줄 흘렀다.

별안간 그가 소리를 질렀다.

"내가 미쳤나?"

그는 아무 인상도 주지 않는 침실로 달아났다. 하지만 잠을 이룰 수가 없었다. 신비스러운 숫자와 숨겨진 경고가 주는 두서없는 암시에 그의 머릿속은 까맣게 타들어 가고 있었다.

그는 깨었을 때보다 더 심한 환상에 사로잡혀 있던 선잠에서 깨어나며 소리쳤다.

"돌아가서 자백하겠어! 아니야, 난 못 해! 못 한다고, 난 너무 똑똑해! 그냥 가서 그들에게 승리를 거저 줄 수 없어. 저 바보들이 가만히 앉아서 나를 잡게 두지는 않을 거야!"

재스퍼가 사라진 지 1년 반 만의 일이었다. 어떤 때는 한 달 반 같았고, 또 어떤 때는 음울한 몇 세기가 지난 것 같았다. 존은 자수 의지를 유별나고 헛되 보이는 연구로 얼버무렸다. 그는 강신술[17]에 사용하는 위자보드를 무릎에 올려놓

---

17 강신술 기도나 주문으로 신을 내리게 하는 술법.

고 오랫동안 깊이 호흡하며 앉아 있기도 하고, 한밤중에 테이블이 틱틱 소리를 내고 석탄이 타닥이며 말을 한다고 상상하기도 했다. 때로는 벌써 두 번째 초겨울에 접어들고 있는 자신을 돌아보며, 남미로 가겠다는 당초의 계획을 수행하기 위한 충분한 결단력이 없다는 것도 자각했다. 이전 여름만 하더라도 스스로에게 자랑하듯 호언장담했었다. 교묘하게 흔적을 남기고 이젠 은신처에서 나와 남쪽으로 가자고. 그러나 오, 그건 너무 번거로운 일이었다. 존은 동생 재스퍼를 도피시키기 위해 해야 하는 연극 놀이에 충분한 재미를 느끼지 못했다.

그는 변변찮은 지폐 더미를 위해 재스퍼 홀트를 죽이고 곰팡내 나는 세상을 등진 은둔자가 되고 말았던 것이다!

존은 고독이 싫었지만 그의 유일한 친구인 소울 호프 신도들은 더욱 싫었다. 이를테면, 목소리가 고막을 찌를 듯 날카로운 독실한 여자 재봉사, 붙임성이라곤 눈곱만큼도 없는 목수, 입을 굳게 다물고 한 마디도 하지 않는 가정부, 볼품없는 구레나룻을 두툼하게 기른 소리만 지를 줄 아는 노인네 같은 사람들 말이다. 그들은 너무 상상력이 없었다. 그들의 모임은 언제나 똑같았다. 같은 사람이 같은 순서대로 일어나서 그들만을 선택했다는 신에게 똑같은 찬사를 올렸다.

처음에는 그들에게 최고의 달변가로 칭송받는 것이 즐거운 일이었지만, 이제는 전부 진부한 일이 되어 버렸고, 인간사의 환상을 초월하여 영혼의 고차원적인 축복을 본 유일한 인간인 그에게 감히 허물없이 구는 데에 괘씸한 마음이 들었다.

얼굴이 벌건 남자가 30분 동안 자신이 도저히 어쩔 수 없는 나쁜 죄를 지었다고 주장하던 수요일 모임에서, 존 홀트의 머리에 누적되고 있던 권태가 터져 나온 것은 11월 말이었다. 그는 벌떡 일어나 으르렁거리며 말했다.

"아주 진절머리가 나는군, 당신들 모두 똑같아! 당신은 자신이 너무 굳건한 신자라 잘못을 저지를 수 없다고 생각하지. 나도 한때는 그랬어! 하지만 이제는 우리 모두 다 똑같이 비참한 죄인일 뿐이라는 것을 알고 있지. 정말 그러니까!

다들 말은 '내가 죄인이오.'라고 하지만, 그렇게 생각하지 않는 거 다 알고 있어! 당신에게 하는 말이오, 방금 야유하던 당신, 그리고 그 긴 코를 씰룩거리고 있는 주드킨스 당신도, 그리고 이 중에서 가장 불행한 나, 나, 나는, 우리는 반드시 우리의 죄를 뉘우치고, 고백하고, 속죄해야 합니다! 지금 이 자리에서 고백하겠소. 나는 훔, 훔쳤……."

그는 겁에 질려 모자와 코트도 챙기지 않은 채 회관에서 도망쳤다. 그리고 로즈뱅크의 큰길을 넘어지고 구르며 집으로 달려갔고, 스스로를 그곳에 가뒀다. 그의 비밀이 거의 드러났기에 겁이 나기도 했지만, 한편으로는 고백을 끝맺음으로써 얻을 수 있는 유일한 평화인, 처벌이 주는 평화를 얻지 못했기에 몹시 괴로웠다.

그는 두 번 다시 소울 호프 회관으로 돌아가지 않았다. 한밤중에 버드나무 길을 배회한 것 말고는 집 밖으로 일주일째 나오지도 않았다. 정말이지 불현듯, 그는 고요함을 견딜 수가 없었다. 현관문을 잠그지도 않고, 아니 심지어 닫지도 않은 채 집에서 뛰쳐나왔다. 썩은 내가 나는 옷 위에 외투 한 장 걸치지 않고, 기름기로 떡이 된 갈색 머리는 낡은 정원사 모자로 대충 가린 채 시내로 급히 달려 내려왔다. 사람들은 그를 뚫어지게 쳐다보았다. 그러나 그는 화낼 여유조차 없었다.

그는 간이식당에 들어가, 눈에 띄지 않길 바라며 구석 자리에 앉아, 자기에 대해 사람들이 뭐라고 떠드는지 몰래 엿들었다. 카운터에 있던 종업원의 입이 놀라서 벌어졌다. 존은 테이블 너머로부터 낮고 불명확한 소리로 이렇게 말하는 것을 들었다.

"저기 미친 은둔자가 왔어!"

그곳에서 어슬렁거리고 있던 대여섯 명의 젊은이들이 일제히 그를 쳐다보고 있었다. 그는 자신이 주문한 우유와 샌드위치조차 먹을 수 없을 정도로 불편했다. 그는 음식들을 밀어내고 또다시 달아났다. 18개월 만에 시도한 외식에서 실패한 것이다. 그가 무참히 죽인 재스퍼 홀트를 되살려 보려는 노력은 슬프게도 수포로 돌아가고 말았다.

그는 담배 가게에 들어가 담배 한 갑을 샀다. 그리고 금욕주의를 헌신짝처럼 내던지는 것에서 기쁨을 느꼈다. 길에 서서 담배에 불을 붙이자, 순간 너무 아찔하여 쓰러질 것만 같아, 길바닥에 주저앉을 수밖에 없었다. 사람들이 모여들었다. 그는 비틀거리며 일어서서 골목길을 올라갔다.

은행에 가서 모든 걸 털어놓을 것인가, 아니면 자백 따위는 하지 않고 돈을 흥청망청 써 버릴 것인가 하는, 가장 상반된 계획을 세웠다 지웠다 하며 몇 시간을 걷고 또 걸었다.

그가 집으로 돌아온 것은 한밤중이었다.

집 앞에 도착한 존은 숨이 멎는 듯했다. 현관문이 열려 있었던 것이다. 하지만 애초에 닫지 않고 나왔다는 것이 기억나면서 안도하며 킬킬 웃었다. 그는 어슬렁어슬렁 걸어 안으로 들어갔다. 침실로 가기 위해 거실을 지나던 그의 발에 책 크기만 한 물건이 치였다. 그리고 마치 속이 텅 빈 듯 공허한 소리가 났다. 그는 그것을 집어 들었다. 책 모양을 한 과자 상자였다. 그리고 완전히 비어 있었다. 겁에 질린 그는 귀를 기울였다. 아무 소리도 나지 않았다. 그는 살금살금 거실로 들어가 램프에 불을 붙였다.

책장 문은 비틀려 열려 있었고, 안에 들어 있던 책들은 모두 바닥에 나뒹굴고 있었다. 그날 저녁까지만 해도 9만 6,000달러 가까이 들어 있었던 과자 상자들도 한쪽에 무덤처럼 쌓여 있었다. 그리고 당연하다는 듯이 안에는 아무것도 들어 있지 않았다. 10분 동안이나 찾아보았으나 발견한 돈이라고는, 책상 밑으로 날아 들어간 5달러짜리 지폐 한 장뿐이었다. 그의 주머니에는 1달러 16센트가 있었다.

그리하여 존 홀트는 총재산 6달러 16센트를 가진, 직업도 없고, 친구도 없는, 정체성조차 잃은 인간이 되었다.

<h2 style="text-align:center">5</h2>

럼버 국립 은행의 은행장은 존 홀트가 그를 만나기 위해 기다리고 있다는 소식을 듣자 얼굴을 찌푸렸다.

"망할, 그 역병 같은 인간을 까맣게 잊고 있었군! 1년 만에 또 나타나다니. 그래, 그를 안으로⋯⋯. 아니, 차라리 그냥 나를 죽여! 재스퍼에 대한 소식을 하나라도 가져오지 않았다면, 너무 바빠서 만나 줄 시간이 없다고 전하게. 심문을 해서라도 좀 알아내 봐."

은행장의 비서는 존에게 부드럽게 대하며 은근히 떠보았다.

"죄송하지만 은행장님께서는 지금 회의 중이십니다. 무슨 일로 오셨나요? 동생에 관해⋯⋯. 흠, 혹시 무슨 소식이라도?"

"그런 것 없습니다, 아가씨. 나는 주님의 일로 은행장님을 만나러 왔어요."

"아! 그것뿐이라면 은행장님을 방해할 수 없을 것 같군요."

"기다리겠소."

그는 정말로 오전 내내 그리고 점심시간 내내 기다렸다. 은행장이 급히 앞을 지나쳐 간 후에도 그는 기다렸다. 문밖의 허수아비 때문에 일이 손에 잡히지 않을 때까지. 오후가 다 되어서야 은행장은 존을 불러들였다.

"그래, 그래! 이번엔 무슨 일이요, 존? 난 꽤 바쁜 사람이오. 재스퍼에 대한 소식은 없소, 응?"

"새로운 소식은 없습니다, 선생님, 그게⋯⋯. 제가 바로 재스퍼입니다! 내가 재스퍼 홀트란 말입니다! 그가 저지른 죄가 바로 제가 저지른 죄입니다."

"네, 네, 잘 알고 있습니다. 쌍둥이 형제, 쌍둥이 영혼, 공동 책임하며⋯⋯."

"이해를 못 하시는군요. 처음부터 쌍둥이 형제란 없었습니다. 존 홀트 자체가 없었단 말입니다. 내가 재스퍼예요. 내가 가상의 형제를 만들어 낸 거란 말이에요. 왜 내 목소리를 알아채지 못하십니까?"

존이 책상 위에 두 손을 얹고 서글픈 미소를 지으며 그에게 몸을 숙였다. 은행장은 고개를 저으며 달래듯이 말했다.

"아니, 미안하지만 잘 모르겠군요. 내 귀에는 그저 늙은 종교인 존의 목소리로만 들리는걸! 재스퍼는 좀 더 활기차고, 유능한 사기꾼 같았지. 왜 있잖소, 그의 웃음은⋯⋯."

"하지만, 나도 그렇게 웃을 수 있어요!"

존이 내뱉은 꺽꺽거리는 무시무시한 울음소리는 늪지대의 사악한 새의 울음소리였다. 은행장은 몸서리쳤다. 비서를 불러들이는 벨을 누르기 위해 그의 손가락이 책상 가장자리를 더듬어 갔다.

그러나 존이 부르짖는 바람에 손을 멈추었다.

"보세요, 이 가발⋯⋯. 이건 가발입니다. 보이시죠? 제가 바로 재스퍼입니다!"

존은 자신의 덥수룩한 갈색 머리털을 잽싸게 잡아챘다. 그리고 다소 두려워하면서도 기대감을 가지고 자리에서 일어났다.

은행장은 깜짝 놀랐다. 그러나 이내 고개를 저으며 한숨을 쉬었다.

"이 불쌍한 인간아! 뭐, 가발이라고? 그래 알겠네. 그런데 그 머리털도 재스퍼의 머리 같지는 않군그래!"

은행장은 사무실 구석에 있는 거울을 가리켰다.

존은 머뭇거리며 거울로 걸어갔다. 그리고 정말로 그의 머리카락이 재스퍼의 성글고 윤기 나는 검은 머리칼에서, 노란 두개골 위로 꿈틀거리는 축축한 회색 실타래 같은 머리털로 바뀌어 있는 것을 보았다.

그는 애처롭게 간청했다.

"제발, 내가 재스퍼라는 걸 모르겠어요? 저는 은행에서 9만 7,000달러를 훔친 장본인입니다. 처벌을 받고 싶어요! 무슨 짓을 해서라도 증명해 보이겠습니다.

그래, 내가 당신 집에 간 적 있죠. 당신 아내 이름은 에블린이고, 내 월급은……."

"아이고 이 사람아, 그런 사실은 재스퍼가 전부 얘기해 준 거 아니겠나? 걱정이 좀 되는 게……. 기분 나쁘게 듣지 말게, 솔직히 자네가 동생 때문에 머리가 좀 어떻게 된 거 아닌가 생각하오, 존."

"존은 없다니까! 처음부터 존은 존재하지 않았어요! 이 세상에 없다고요!"

"재스퍼가 사라지기 전에 자네를 만나지 않았다면 조금 더 쉽게 믿었을 텐데."

"종이 한 장 주시오. 제 필적을 알고 계실 테니……."

존이 종이 한 장을 움켜쥔 채 재스퍼의 동그란 글씨를 쓰려고 노력했다. 지난 1년 반 동안 존의 작고 소심한 필체로 수천 장에 달하는 종이를 가득 채웠다. 이제는 그렇게 쓰지 않으려고 아무리 애를 써도, 두세 글자만 쓰고 나면 저도 모르게 글씨가 점점 죄어들고 작아지면서 읽기 어려워졌다.

존이 글씨를 쓰는 동안 그것을 쳐다보고 있던 은행장은 딱 잘라 말했다.

"유감스럽게도 소용없네. 그건 재스퍼의 글씨가 아니야. 이것 보시오, 나는 자네가 로즈뱅크를 좀 떠나 농장으로 가서 야외에서 일도 좀 하면서 이 노여움과 심난한 마음을 떨쳐 내고 신선한 공기라도 마시는 게 좋을 것 같소."

은행장은 일어나서 기분 좋게 말했다.

"이제, 할 일이 좀 있어서."

그는 존이 떠나기를 기다리며 서 있었다.

존은 종이를 사납게 구겨서 내던졌다. 그의 지친 눈가에는 눈물이 고여 있었다.

그가 울부짖었다.

"내가 재스퍼라는 걸 증명할 방법이 하나도 없단 말입니까?"

"없긴, 확실한 방법이 있지! 9만 7,000달러 중에 쓰고 남은 돈이라도 내놓으면 되지!"

존은 누더기가 된 조끼 주머니에서 5달러짜리 지폐 한 장과 잔돈을 꺼냈다.

"이게 전부입니다. 9만 6,000달러는 간밤에 전부 도둑맞았습니다."

미친 사람에겐 미안했지만, 은행장은 웃지 않을 수 없었다. 그러고는 동정하는 표정을 지으며 이렇게 위로했다.

"저런, 거참 안됐소. 음, 어디 보자. 자네가 재스퍼라는 쌍둥이 형제가 없다는 걸 증명해 줄 부모나 친척 같은 누군가를 또 만들어 낼 수도 있지 않겠소."

"부모님은 돌아가셨고, 친척에 대해서도 잘 모르고 태어나기는 영국에서 태어났습니다. 여섯 살 때 부친을 따라 이곳으로 왔지요. 어딘가 사촌이나 오랜 이웃이 있을지도 모르겠지만 나는 몰라요. 이런 전쟁 통에서는 그곳에 가지 않는 한 아마 찾을 수 없을 겁니다."

"그렇다면, 그냥 넘어가는 게 좋겠네, 친구."

은행장은 비서를 부르는 벨을 누르고, 부드럽게 말했다.

"홀트 씨를 밖으로 모셔 가세요."

문간에서 존은 필사적으로 말을 덧붙였다.

"내 차가 어디 있는지 찾으려면……."

은행장은 다시는, 어떤 이유에서라도, 존 홀트를 자신의 사무실에 들어오게 해서는 안 된다는 지침을 내렸다. 그는 보증 회사에 전화를 걸어 존 홀트가 완전히 미쳤다고 전했다. 그들이 존 홀트를 상대하지 않게 수고를 덜어 준 것이다.

그러나 존은 보증 회사로 가지 않았다. 그는 주립 교도소로 향했다. 그는 간수 사무실로 들어가 조용히 말했다.

"내가 돈을 많이 훔쳤는데, 증명할 수가 없소. 나를 감옥에 넣어 주지 않겠소?"

간수는 고함을 질렀다.

"썩 나가시오! 너희 부랑자들은 따뜻한 잠자리가 그리우면 항상 불쑥 찾아오지! 도대체 왜 삽을 들고 채석장에 나가지 않는 거요? 하루에 275달러씩이나 준다는데."

"알겠습니다, 선생님."

존이 소심하게 눈치 보며 물었다.

"채석장이 어디죠?"

(1918년)

번역 이슬기

가든파티

캐서린 맨스필드

캐서린 맨스필드
(Katherine Mansfield, 1888~1923)

뉴질랜드의 부유한 사업가 집안의 셋째 딸로 태어났으나, 집안
에서 기대하는 양갓집 규수로서의 삶을 마다하고 영국으로 건
너와 작가의 길을 걸었다. 첫 번째 결혼은 며칠 만에 파경을 맞
고, 이후 문예지 편집인이자 평론가인 존 미들턴 머리를 만나
1918년 결혼한다. 대표작으로는 소설집 《독일 하숙에서》《환
희》, 단편 소설 〈가든파티〉〈비둘기의 둥지〉 등이 있다. 단편 소설
에 집중한 맨스필드는 당대 최고의 단편 작가라는 평을 받았으며,
의식의 흐름과 상징을 적절히 활용하며 사회적 문제를 섬세한 내
면적 묘사와 결합해 낸 작품들을 통해 버지니아 울프 등 후대 작가
들에게 많은 영향을 주었다.

어쨌거나 날씨는 이루 말할 수 없이 좋았다. 날씨를 따로 주문한다 해도 가든 파티를 열기에 이보다 완벽할 날일 수는 없었다. 바람 없이 따스했고, 하늘에는 구름 한 점 보이지 않았다. 초여름 날이 가끔 그러하듯 푸른 하늘에는 옅은 금빛 아지랑이만 아른거렸다. 정원사가 새벽부터 나와 부지런히 잔디밭을 깎고 정리한 덕에 잡초가 무성했던 잔디밭은 어느새 짙고 납작한 로제트 식물[1]과 잔디 풀로 반짝거렸다. 장미에 관해 말하자면, 가든파티에서 사람들의 감탄을 자아내고 누구나 확실히 알아보는 꽃은 장미뿐이라는 것을 장미 스스로 알고 있다는 인상을 주었다. 하룻밤 사이에 수백 송이, 말 그대로 수백 송이가 피어났고, 녹색 관목은 대천사들을 맞이하기라도 하듯 고개를 숙였다.

아침 식사를 끝마치기도 전에 일꾼들이 천막을 설치하러 도착했다.

"엄마, 어디에 천막을 칠까요?"

"얘야, 물어봐도 소용없단다. 이번에는 모든 걸 우리 딸들에게 맡기기로 했으니까. 내가 너희 엄마라는 사실은 잠시 잊고, 날 귀중한 손님으로 대해 주려무나."

하지만 메그는 일꾼들을 감독하러 나갈 수 없었다. 막 머리를 감고 내려와 녹색 수건을 머리에 두르고 있었으며, 양쪽 뺨에 젖은 갈색 곱슬머리가 몇 가닥 달라붙은 채로 커피를 마시고 있었기 때문이다. 꾸미기를 좋아하는 조시는 언제나 실크 속치마와 기모노풍 겉옷 차림으로 아침을 먹으러 내려왔다.

"로라야, 네가 나가 봐. 넌 예술적 감각도 있잖아."

---

1 로제트 식물 민들레처럼 지면에 붙어 뿌리에서 돌아 나온 잎이 방사상으로 퍼져 무더기로 나는 식물.

로라는 버터 발린 빵을 들고 얼른 나가 보았다. 밖에서 먹을 구실이 생긴 것에 신도 났다. 그녀는 무언가 준비하는 것을 좋아했고, 그 일을 누구보다 잘 해낼 자신도 있었다.

정원 길목에 셔츠 차림의 일꾼 네 명이 무리를 지어 서 있었다. 그들은 커다란 연장 가방을 메고서 캔버스 천으로 싸인 장대를 옮기고 있었다. 인상적인 모습이었다. 그제야 로라는 빵을 들고나온 것을 후회했으나 딱히 내려놓을 데가 없었고 이제 와 버릴 수도 없는 노릇이었다. 얼굴이 붉어졌지만, 그녀는 최대한 엄숙한 표정으로 바로 앞의 땅만 바라보며 그들에게 다가갔다.

"안녕하세요?"

그녀는 엄마의 목소리를 흉내 내어 인사를 건넸다. 그러나 누가 들어도 꾸며 낸 티가 났기에 부끄러워져 어린애처럼 말을 더듬고 말았다.

"아, 그러니까, 오신 이유가…… 천막 때문이죠?"

"맞습니다, 아가씨."

무리 가운데 가장 키가 큰 사내가 말했다. 호리호리하고 얼굴에 주근깨가 난 사내는 연장 가방을 한번 들썩이고 밀짚모자를 뒤로 젖힌 다음 로라를 내려다보며 씩 웃었다.

"그것 때문에 왔지요."

웃는 모습이 어찌나 편안하고 정다운지 로라는 다시 기운을 차렸다. 정말 멋진 눈이었다. 크진 않지만 이렇게나 짙은 파란색이라니! 주위를 둘러보니 다른 일꾼들도 환히 웃고 있었다. 그들의 웃음은 '괜찮아요. 잡아먹지 않는답니다.'라고 말하는 듯했다.

'일꾼들은 참 좋은 사람들이구나! 그리고 정말 아름다운 아침이야! 하지만 아침 얘기를 꺼내서는 안 돼. 어설프게 보여서는 안 되니까. 천막 얘기를 꺼내자.'

"천막을 백합 뜰에 설치하면 어떨까요? 괜찮을까요?"

로라는 빵을 들지 않은 손으로 백합이 심긴 잔디밭을 가리켰다. 일꾼들이 고개를 돌려 그쪽을 바라보았다. 작고 뚱뚱한 사내가 아랫입술을 내밀었고 키 큰 사내는 미간을 찌푸렸다.

"글쎄요. 눈에 띄지 않을 거예요. 저기에 천막 같은 걸 두면. 눈에 확 박힐 만한 곳에 둬야지요. 이해하시려나?"

그는 여유로운 표정으로 로라를 쳐다보았다.

로라는 자신이 받은 가정 교육에 비추어 보아 일꾼이 자신에게 '눈에 확 박힌다.'라고 말하는 것이 예의 바른 것인지 잠시 고민했다. 그래도 어쨌든 무슨 뜻인지는 짐작할 수 있었다.

"그럼 테니스장 구석은 어떨까요? 한쪽 모퉁이에 악단이 앉기는 하겠지만요."

그녀가 다시 제안했다.

"음, 악단이 온단 말이죠?"

다른 일꾼이 말했다. 그는 안색이 창백했고 짙은 눈동자로 테니스장을 훑어보는 모습이 초췌해 보였다. 무슨 생각을 하는 걸까?

"그냥 아주 작은 악단이에요."

로라가 상냥하게 덧붙였다. 아주 작은 악단이라면 그나마 괜찮겠다고 생각할지도 몰랐다. 그때 키 큰 사내가 끼어들었다.

"아가씨, 저기가 괜찮겠네요. 저기, 저 나무들 앞이요. 저기면 되겠어요."

카라카 나무들 앞이라니. 그러면 나무들이 다 가려질 텐데. 잎사귀도 큼지막하니 반짝거리고 노란 열매들이 주렁주렁 달려 저렇게 아름다운데. 무인도에서 홀로 꿋꿋하게 자라나, 태양을 향해 잎사귀와 열매를 치켜들어 고요한 장관을 이루는 나무가 존재한다면, 바로 저런 모습일 것이다. 저 나무들을 천막으로 가려야 한다고?

이미 그럴 판이었다. 어느새 일꾼들은 장대를 어깨에 지고 그곳으로 걸어가고 있었다. 키 큰 사내만이 제자리였다. 그는 몸을 굽혀 어린 라벤더 가지를 따서는 엄지와 검지를 코에 가까이 가져가 향기를 맡았다. 로라는 그가 그런 것,

그러니까 라벤더 향기를 좋아한다는 사실에 놀라 카라카 나무 생각은 까맣게 잊은 채 그를 지켜보았다. 그녀가 아는 남자들 가운데 이런 행동을 할 사람이 몇이나 될까? 아, 일꾼들은 정말이지 근사했다.

'파티에서 함께 춤추고 일요일 저녁 식사 때 찾아오는 시시한 남자애들 말고 일꾼들과는 왜 친구로 지낼 수 없는 걸까? 이런 남자들이라면 훨씬 더 잘 지낼 수 있을 텐데.'

키 큰 사내가 종이 뒷면에 걸거나 매달아 놓을 무언가를 그리는 동안, 그녀는 이게 다 터무니없는 계급 차별 때문이라고 결론 내렸다. 적어도 그녀는 계급의 차이를 느낀 적이 없었다. 아주 조금도, 티끌만큼도…… 이윽고 나무망치 소리가 들려왔다. 누군가 휘파람을 획 불었고, 누군가는 "어이! 그쪽 괜찮은 거지?"라고 소리쳤다. '어이'라니! 참 정다운 말이었다. 로라는 자신이 얼마나 행복한지, 얼마나 편안해하고 있는지, 어리석은 관습 따위를 얼마나 경멸하는지 키 큰 사내에게 보여 주기 위해 어깨너머로 그의 모습을 구경하며 버터 발린 빵을 괜히 크게 베어 물었다. 마치 그녀 자신도 일꾼이 된 기분이었다.

"로라, 로라! 어디 있니? 전화 왔다, 로라!"

집 안에서 누군가 소리쳤다.

"가요!"

그녀는 잔디밭을 지나, 정원 길과 계단을 오르고, 베란다를 가로질러, 현관으로 미끄러지듯 들어갔다. 홀에서는 그녀의 아빠와 오빠 로리가 사무실에 나갈 채비를 하며 모자를 솔질하고 있었다.

로리가 급한 목소리로 말을 걸었다.

"있잖아, 로라. 오후가 되기 전에 내 외투 좀 봐 줘. 다림질해야 할지 어떨지."

"그럴게."

이렇게 말한 로라는 순간 감정을 억누를 수 없어 얼른 로리에게 달려가 그를 살짝 껴안았다.

"아, 난 정말 파티가 좋아. 오빠도 그렇지?"

로라가 벅찬 목소리로 물었다.

"그-럼."

로리는 사내다우면서 다정한 목소리로 답하며 여동생을 안아 준 다음 가볍게 떠밀었다.

"얼른 가서 전화 받아야지."

'참, 전화를 잊고 있었네.'

"여보세요? 네, 네, 맞아요. 키티구나? 안녕. 점심에 들른다고? 그래. 물론 좋지. 하지만 차린 건 많지 않을 거야. 샌드위치 조각이랑 머랭 과자 약간이랑 남은 음식 정도. 맞아, 완벽한 아침이지 않니? 네 흰옷? 응, 당연히 그래야지. 잠깐만. 엄마가 부르시네."

로라가 수화기 뒤로 몸을 젖혔다.

"엄마, 뭐라고요? 안 들려요."

"일요일에 썼던 깜찍한 모자를 꼭 쓰고 오라고 해라!"

셰리던 부인의 목소리가 계단을 타고 내려왔다.

"일요일에 썼던 '깜찍한' 모자를 꼭 쓰고 오라서. 그래. 그럼 1시에 보자. 안녕."

로라는 수화기를 내려놓고 숨을 깊이 들이마시며 머리 위로 팔을 뻗었다가 다시 툭 떨어뜨렸다.

"휴."

숨을 내쉬고 빠르게 자세를 고쳐 앉았다. 그리고 가만히 귀를 기울였다. 집 안의 모든 문이 열려 있는 듯했다. 집 안은 사뿐거리고 총총거리는 발걸음 소리와 끊임없이 이어지는 목소리로 생기가 넘쳤다. 녹색 모직 천으로 싸인 주방 문은 활짝 열렸다가 낮게 쿵 소리를 내며 닫혔다. 이번에는 어디선가 끽끽거리는 이상한 소리가 길게 들려왔다. 무거운 피아노의 뻑뻑한 바퀴가 움직이며 나는 소리였다. 그리고 이 공기! 지금껏 주의를 기울이지 않아 몰랐는데, 공기가 원래 이랬던가? 희미한 산들바람이 술래잡기 놀이를 하듯 창문으로 들어왔다 문밖으로 빠져나갔다. 잉크병과 은테 액자에 살포시 내려앉은 햇살도 살랑거리며 장난을 걸었다. 사랑스럽고 조그마한 햇살 조각들. 특히 잉크병 뚜껑에 드리운 햇살이 마음에 쏙 들었다. 아주 따스해 보였다. 따스하고 조그마한 은색 별. 입을 맞추고 싶을 정도였다.

초인종 소리가 크게 울리더니 계단에서 세이디의 날염 치마가 바스락거리는 소리가 났다. 어떤 남자가 뭐라 말하자 세이디가 태평하게 대꾸했다.

"잘 모르겠네요. 잠시 기다려 보세요. 셰리던 부인에게 여쭤볼게요."

"무슨 일이야, 세이디?"

로라가 다가가며 물었다.

"꽃집에서 사람이 왔어요, 아가씨."

정말이었다. 문 안쪽에 넓고 얕은 트레이가 도착해 있었고, 그 안에는 분홍빛 백합 화분이 가득했다. 다른 꽃은 없었다. 크고 분홍빛을 띤 칸나 백합 꽃송이들만이 선명한 진홍빛 줄기에 피어나 무서울 정도로 생생하게 빛을 발했다.

"어머, 세이디!"

로라는 낮게 한탄하는 것 같은 소리를 내뱉었다. 그리고 백합이 뿜어내는 열기를 가까이 느끼려는 듯 화분 앞에 쪼그리고 앉았다. 손가락 사이와 입술 위에 꽃이 닿자 마치 가슴속에서 꽃송이가 피어나는 것만 같았다.

"뭔가 실수가 있었나 봐."

그녀가 작게 말했다.

"꽃을 이렇게 많이 시킨 사람은 없는데. 세이디, 가서 엄마를 모셔 와."

이때 마침 셰리던 부인이 나타나 나긋나긋한 목소리로 말했다.

"실수가 아니란다. 내가 시켰어. 정말 예쁘지 않니?"

부인이 로라의 팔을 지그시 밀었다.

"어제 꽃집 앞을 지나는데 창가에 이 백합들이 보이지 뭐야? 살면서 한 번쯤은 칸나 백합을 마음껏 가져 봐야 하지 않나 하는 생각이 스치더구나. 가든파티라는 좋은 핑계도 있고."

"이번 파티에는 참견하지 않겠다고 하셨잖아요."

로라가 말했다. 세이디는 어디론가 가고 없었다. 꽃집 배달부는 여전히 짐마차 옆에 서 있었다. 로라는 엄마 목을 껴안고 아주 부드럽게 엄마의 귀를 깨물었다.

"아가, 이 엄마가 엄격하기만 하면 너도 싫지 않겠니? 자, 이제 그만하려무나. 저기 사람이 온다."

배달부는 이번에도 백합으로 꽉 찬 트레이를 들고 왔다.

"문 안쪽에 놓아 주세요. 현관 양쪽으로요. 로라야, 네가 볼 때도 그게 좋겠지?"

셰리던 부인이 물었다.

"아, '물론'이죠, 엄마."

응접실에서는 메그와 조시, 그리고 착한 한스가 고생 끝에 피아노를 옮기는 데 성공했다.

"자, 이제 이 소파를 벽에 붙인 다음에 의자만 남겨 놓고 다른 물건들을 모두 밖으로 빼는 거야. 어때?"

"좋아."

"한스, 일단 이 테이블을 흡연실에 갖다 놓고, 카펫을 청소해야 하니까 빗자루를 가져와. 참, 엄마와 로라에게 당장 여기로 오라고도 전해 줘."

조시는 하인들에게 명령하는 것을 좋아했고 하인들도 그녀를 잘 따랐다. 배우가 되어 연극에 참여하는 기분을 느낄 수 있기 때문이었다.

"알겠어요, 조시 아가씨."

조시는 메그 쪽으로 몸을 돌렸다.

"이따 노래 요청을 받을 수도 있으니까 피아노 소리가 어떤지 확인해야겠어. 〈인생은 고달프네〉를 연주해 볼까?"

쿵! 딴-딴-딴 딴-따! 격렬한 피아노 소리에 조시는 진지하게 두 손을 맞잡은 채 노래를 부르기 시작했다. 그리고 응접실에 들어오는 셰리던 부인과 로라를 어딘가 처량하고 묘한 표정으로 바라보았다.

인생은 고-달프네.
눈물과 한숨
변-하는 사랑
인생은 고-달프네.
눈물과 한숨
변-하는 사랑
이제…… 안녕!

'안녕'이라고 노래할 때 피아노 소리는 그야말로 처연했지만, 조시는 그 슬픔에 전혀 공감하지 못하는 듯 환하게 미소 지었다.
"오늘 제 목소리가 괜찮은 것 같지 않아요, 엄마?"
그녀가 활짝 웃으며 말했다.

인생은 고-달프네.
소망은 사라지고
꿈에서 깨-어나네.

세이디가 불쑥 나타났다.
"무슨 일이야, 세이디?"
"마님, 요리사 아주머니가 샌드위치에 꽂을 깃발을 찾아요."
"샌드위치에 꽂을 깃발?"
셰리던 부인이 멍하게 되뇌었다. 그녀의 표정을 본 아이들은 그녀가 깃발을 준비하지 않았음을 눈치챘다.

"어디 보자……. 10분 안에 깃발을 보내겠다고 하렴."

부인이 이번에는 단호하게 말했다.

세이디가 방을 나갔다.

"자, 로라, 함께 흡연실로 가 보자. 샌드위치 종류를 뒷면에 적어 둔 종이가 있을 거야. 네가 날 대신해 그걸 옮겨 적어야겠다. 메그는 당장 방에 올라가서 그 젖은 수건을 좀 벗고 오렴. 조시도 얼른 가서 제대로 차려입고. 다들 알아들었니? 계속 꾸물대면 이따 저녁에 너희 아버지에게 다 말씀드릴 줄 알아. 그리고 조시, 이따 주방에 가서 요리사 기분을 좀 풀어 줘. 나는 무서워서 가까이 갈 자신이 없구나."

셰리던 부인이 빠르게 말했다.

종이는 결국 식당 시계 뒤에서 발견되었다. 셰리던 부인은 어쩌다 종이가 그곳까지 들어갔는지 영문을 알 수 없었다.

"너희 중 누군가 내 가방에서 빼낸 것이 틀림없어. 나는 분명 가방에 집어넣었거든. 자, 크림치즈와 레몬 커드……. 다 받아 적었니?"

"네."

"달걀하고……."

셰리던 부인이 고개를 갸우뚱하며 종이를 바라보았다.

"쥐라고 쓰여 있는 것 같은데. 쥐일 리가 있나?"

"엄마도 참, 올리브잖아요."

로라가 어깨너머로 글씨를 읽으며 말했다.

"옳지, 올리브로구나. 하마터면 끔찍한 조합이 될 뻔했네. 달걀과 올리브여야지."

로라는 마침내 만들어진 깃발을 들고 주방으로 갔다. 주방에서는 조시가 요리사를 달래 주고 있었는데 정작 요리사는 평온해 보였다.

"이렇게 훌륭한 샌드위치는 처음이에요. 종류가 몇 가지라고 하셨죠? 열다섯 개였나?"

조시가 열띤 목소리로 요리사를 칭찬했다.

"네, 조시 아가씨. 열다섯 개요."

"와, 정말 대단하네요."

요리사는 길쭉한 샌드위치 칼로 빵 부스러기를 모으며 밝게 웃었다.

"고드버 가게에서 사람이 왔던데요."

식료품 창고에서 나오던 세이디가 창밖을 지나는 남자를 발견하고는 말했다.

슈크림 빵이 도착했다는 뜻이었다. 고드버 가게의 슈크림 빵은 맛있기로 소문이 자자했다. 집에서는 아무리 노력해도 그 맛을 낼 수 없었다.

"가져와서 테이블에 올려 두거라."

요리사가 세이디에게 지시했다.

세이디는 슈크림 빵을 가져다 놓은 후 다시 나갔다. 조시와 로라는 슈크림 빵 같은 것에 들뜨기에는 너무 커 버린 나이였지만, 그래도 빵이 참 맛있어 보인다는 생각을 하지 않을 수 없었다. 빵은 정말로 맛있어 보였다. 요리사는 덧뿌린 설탕 가루를 털어 내며 빵을 접시에 차리기 시작했다.

"이걸 보니까 예전 파티들이 생각나지 않아?"

로라가 말했다.

"그러게. 빵이 아주 가볍고 폭신해 보인다."

현실적인 편이어서 웬만하면 추억에 잠기지 않는 조시가 대꾸했다.

"아가씨들, 하나씩 드셔 보세요. 셰리던 부인은 모르실 거예요."

요리사가 인심 좋게 말했다.

아, 그럴 순 없지. 방금 아침을 먹어 놓고 또 슈크림 빵이라니. 생각하기만 해도 끔찍한걸. 하지만, 2분쯤 지났을 때 조시와 로라는 매우 흡족한 표정을 지으며 열심히 손가락을 핥고 있었다. 슈크림 맛을 봤기에 나올 수 있는 표정이었다.

"뒷문으로 나가서 정원에 가 보자. 일꾼들이 천막을 어떻게 짓고 있나 궁금해. 정말 근사한 사람들이더라고."

로라가 제안했다.

그런데 뒷문 길목은 요리사, 세이디, 고드버 가게 직원, 한스로 가로막고 있었다.

무슨 일이 벌어진 것이었다.

"쯧쯧……."

요리사가 놀란 암탉처럼 혀를 찼다. 세이디는 치통을 앓는 사람처럼 손으로 볼을 감싸 쥐었다. 한스는 무슨 일이 벌어졌는지 이해하느라 얼굴을 잔뜩 찌푸렸다. 고드버 가게 직원만이 이 상황을 즐기는 듯했는데, 소문을 전한 사람이 바로 그였기 때문이다.

"왜 그래요? 무슨 일이 생겼나요?"

"끔찍한 사고가 났어요. 어떤 남자가 죽었답니다."

요리사가 말했다.

"죽었다뇨! 어디서요? 언제? 어떻게?"

고드버 가게 직원은 자신이 들고 온 화젯거리를 다른 누군가가 가로채도록 내버려 둘 위인이 아니었다.

"저기 아래 모여 있는 작은 오두막집들 아시죠?"

알고 있느냐고? 물론 알고 있었다.

"거기에 스콧이라고 젊은 마차꾼이 살았어요. 그런데 그 친구가 몰던 말이 오늘 아침 호크 거리 모퉁이에서 견인 기관차를 보고 놀라 자빠지는 바람에 그 친구가 마차에서 떨어졌고, 뒤통수가 깨져서 그만 죽어 버리고 말았답니다."

"죽다니!"

로라가 직원을 뚫어지게 바라보았다.

"그 친구를 들어 올려 보니까 이미 죽어 있더래요. 제가 여기로 올 때 사람들이 시신을 집으로 옮기고 있더라고요."

직원은 상기되어 이야기를 늘어놓다가 요리사를 쳐다보며 마지막 말을 덧붙였다.

"아내와 어린 것들 다섯 명만 남겨 두고 가 버린 거죠."

"조시 언니, 이리 와 봐."

로라는 조시의 옷깃을 잡고 주방을 지나 녹색 모직 천으로 싸인 문을 열고 나갔다. 그리고 문에 기대서서 겁에 질린 목소리로 말했다.

"언니! 이걸 다 어떻게 멈추지?"

"다 멈추다니! 도대체 무슨 소리야?"

조시가 깜짝 놀라 되물었다.

"뭐긴 뭐야, 당연히 가든파티지."

'조시 언니는 왜 모른 척하는 거지?'

그러나 조시는 도리어 자기가 더 놀란 눈치였다.

"가든파티를 취소하자고? 로라, 말도 안 되는 얘기야. 그럴 수는 없어. 우리에게 그러라고 강요하는 사람도 없고. 괜히 유난 떨지 마."

"그래도 대문 바로 근처에서 사람이 죽었는데 가든파티를 열 수는 없어."

사실 유난을 떨 만한 일이기는 했다. 오두막집들은 로라네 저택으로 이어지는 가파른 오르막길 아래쪽에 옹기종기 모여 있었다. 사이에 넓은 길이 나 있기는 했으나 결코 멀다고 할 수 없었다. 하지만 그 집들은 눈에 심히 거슬렸고 이 동네에 영 어울리지 않았다. 초콜릿색으로 칠해진 집들은 하나같이 작고 궁상맞았다. 뒤뜰에는 양배추 밑동과 병든 암탉과 토마토 깡통뿐이었다. 굴뚝에서 피어오르는 연기에도 가난이 묻어났다. 연기는 해진 누더기 조각처럼 드문드문 피어올랐다. 셰리던 저택의 굴뚝에서 힘차게 솟아오르는 회색빛 연기 기둥과는 딴판이었다. 그 골목에는 빨래하는 아낙네들과 청소부들이 살았고, 구두 수선공 한 명, 집 앞에 작은 새장을 잔뜩 걸어 둔 남자가 한 명 살았다. 그곳 아이들은 우르르 떼를 지어 다녔다. 셰리던가(家) 아이들은 그곳에 얼씬도 하지 말라는 말을 들으며 컸다. 그곳 사람들이 상스러운 말을 쓰고 병을 옮길지 모른다는 이유에서였다. 하지만 로라와 로리는 크고 난 후로 종종 그 골목을 지나다녔고, 그럴 때마다 역겨움과 더러움에 몸서리치며 길을 빠져나왔다. 그래도 어디든 직접 가보고 보아야 했으므로 계속 그 골목을 오갔다.

"악단 소리가 그 불쌍한 여자에게 어떻게 들리겠어?"

로라가 말했다.

"아, 로라!"

조시는 진심으로 짜증이 나기 시작했다.

"어디서 사고가 날 때마다 음악을 멈춰야 한다면 삶이 얼마나 피곤하겠어? 나도 너처럼 마음이 편치 않아. 불쌍하게 생각한다고."

조시의 눈빛이 점점 차가워졌다. 조시는 어릴 때 싸우면 나오던 그 눈빛으로 동생을 빤히 쳐다봤다.

"감상에 빠진다고 해서 그 주정뱅이 마차꾼이 다시 살아나지는 않아."

그녀는 동생을 어르듯 말했다.

"주정뱅이? 누가 그래?"

로라는 발끈 화를 냈다. 그리고 이렇게 싸울 때마다 하는 말을 내뱉었다.

"엄마에게 가서 다 이를 거야."

"그러시든가."

조시도 지지 않고 씰쭉거렸다.

"엄마, 방에 들어가도 돼요?"

로라는 이렇게 말하며 유리로 만든 커다란 손잡이를 돌렸다.

"들어오렴, 아가. 무슨 일이니? 왜 그렇게 화가 났어?"

화장대에 앉은 셰리던 부인이 돌아보며 말했다. 그녀는 새로 산 모자를 써 보고 있었다.

"엄마, 어떤 남자가 죽었대요."

로라가 불쑥 말을 꺼냈다.

"우리 정원에서?"

셰리던 부인이 말을 끊고 물었다.

"아뇨, 그건 아니에요!"

"아유, 깜짝 놀랐잖니."

부인은 안도의 한숨을 내쉬며 커다란 모자를 벗어 무릎에 두었다.

"하지만 들어 보세요, 엄마."

로라는 목멘 소리로 방금 들은 끔찍한 이야기를 전한 뒤 애원하듯 물었다.

"파티를 취소하는 게 맞겠죠? 곧 밴드와 손님들이 올 거예요. 그럼 그 사람들도 파티 소리를 듣게 되겠죠. 엄마, 그 사람들은 우리 이웃이나 다름없잖아요!"

놀랍게도 셰리던 부인 또한 조시와 같은 반응이었다. 심지어 재미있다는 기색을 보여 로라의 마음을 더욱 힘들게 했다. 부인은 로라의 말을 진지하게 받아들이지 않았다.

"상식적으로 생각해 보렴. 우리는 그 사건을 어쩌다 알게 됐을 뿐이야. 그렇게 좁아터진 곳에서 어떻게들 사는지 이해할 수 없다만, 그냥 그곳에서 누군가 예사로 죽은 거지. 우리는 계속 파티를 준비하면 되는 거야. 그렇지 않을까?"

로라는 '그래요.'라고 말해야 했지만, 잘못됐다는 느낌을 지울 수 없었다. 그녀는 소파에 앉아 쿠션 장식을 만지작거렸다.

"엄마, 우리가 너무 매정한 게 아닐까요?"

로라가 물었다.

"아유, 참!"

부인은 자리에서 일어나 모자를 들고 로라에게 다가갔다. 그리고 로라가 피할 새도 없이 그녀에게 모자를 씌웠다.

"어머나! 이 모자는 네 거야. 네게 딱 어울리는구나. 나는 이런 걸 쓰기에는 이제 너무 늙었어. 이렇게 그림처럼 예쁜 네 모습은 처음인걸. 한번 보렴!"

부인은 딸 앞에 손거울을 들이댔다.

"하지만 엄마……."

로라가 다시 입을 뗐다. 그녀는 차마 자기 모습을 쳐다볼 수 없어 거울을 외면했다.

그러자 셰리던 부인도 조시가 그랬던 것처럼 인내심을 잃고 로라에게 차갑게 쏘아붙였다.

"로라, 바보처럼 굴지 마. 그런 사람들은 우리의 희생을 바라지도 않아. 게다가 지금 너처럼 즐거운 분위기를 망치려 드는 거야말로 매정한 짓이야."

"이해할 수 없어요."

로라는 엄마 방에서 나와 서둘러 자기 방으로 들어갔다. 참 우연하게도, 방에 들어가자마자 그녀 눈에 들어온 것은 거울에 비친 매력적인 소녀의 모습이었다. 거울 속 그녀는 황금빛 데이지와 검고 긴 벨벳 리본으로 꾸며진 검은 모자를 쓰고 있었다. 로라는 자기에게 이런 모습이 있으리라고 생각해 본 적이 없었다. 정말 엄마 말이 맞는 걸까? 그녀는 생각했다. 차라리 엄마 말이 맞았으면 싶었다. 내가 너무 유난스럽게 구는 걸까? 어쩌면 정말 그런지도 몰랐다. 순간 불쌍한 그 여자와 어린아이들이 떠올랐고, 마차꾼의 시신이 집 안으로 옮겨지는 광경이 눈앞에 펼쳐졌다. 하지만 모든 것이 신문에 실린 사진처럼 흐릿하고 비현실적이었다. 일단 이번 파티가 끝나면 다시 생각해 보자. 그녀는 이렇게 결심했다. 어쨌든 이것이 그녀가 할 수 있는 최선으로 느껴졌다.

점심 식사는 1시 반이 넘어서 끝났다. 2시 반 즈음이 되었을 때는 모든 것이 준비되어 있었다. 초록색 외투를 차려입은 악단 단원들이 하나둘 도착해 테니스장 한쪽에 짐을 풀었다.

"얘! 저 사람들 개구리 악단 같지 않아? 연못 주위에 빙 둘러놓고 지휘자는 잎사귀 한가운데에 서게 하면 좋겠다."

키티 메이틀랜드가 신이 나 종알댔다.

옷을 갈아입으러 가던 로리가 나타나 로라와 키티에게 인사했다. 로라는 로리를 보자 조금 전 사건이 다시 떠올랐다. 로리에게도 말해 주고 싶었다. 그마저 다른 사람들과 같은 생각이라면, 정말 별문제가 아닌 것인지도 몰랐다. 로라는 홀까지 그를 따라갔다.

"로리 오빠!"

"로라!"

계단을 오르던 로리는 뒤돌아 로라를 발견하고는 두 볼을 가득 부풀리며 눈을 휘둥그레 떴다.

"아니, 이게 누구야! 정말 예쁘다. 모자가 아주 멋진걸!"

"그래?"

로라는 작게 대답한 뒤 그냥 웃고 말았다. 그 사건에 대해서는 아무 말도 꺼낼 수 없었다.

이윽고 사람들이 줄지어 도착했다. 악단이 연주를 시작했고 이날을 위해 고용된 웨이터들이 집과 천막 사이를 바삐 오갔다. 어디를 보더라도 사람들이 짝지어 거닐고, 몸을 굽혀 꽃향기를 맡고, 서로 반갑게 인사하며 이곳저곳을 돌아다녔다. 어딘가로 날아가다 이날 오후 셰리던 저택의 정원에 찾아든 화사한 빛깔의 새들 같았다. 아, 행복한 사람들과 악수하고, 뺨을 비비고, 눈을 마주치며 웃음을 주고받으니 얼마나 행복한지!

"로라야, 정말 근사하구나!"

"모자 정말 잘 어울린다, 얘!"

"꼭 스페인 사람 같아, 로라. 지금껏 본 모습 중 가장 매력적인걸."

로라는 칭찬에 발그레해져 밝은 얼굴로 손님들을 맞이했다.

"차를 드릴까요? 아이스크림은요? 열대 과일 맛이 아주 일품이에요."

그녀는 아버지에게로 달려가 간청했다.

"아빠, 악단 사람들에게도 마실 걸 대접하게 해 주세요, 네?"

완벽한 오후가 그렇게 천천히 무르익다가 서서히 저물어 마침내 그 꽃잎을 닫았다.

"이렇게 즐거운 가든파티는 처음이야."

"대성공이네."

"지금껏 다녀 본 파티 중에서 최고야."

로라는 셰리던 부인을 도와 손님들을 배웅했다. 모녀는 손님들이 다 떠날 때까지 현관 양쪽을 지켰다.

"이제 끝, 진짜 끝이야. 로라, 다들 나오라고 하렴. 밖에서 갓 내린 커피를 좀 마셔야겠어. 진이 다 빠지네. 물론 파티야 대성공이었지. 그렇지만 이놈의 파티, 파티! 너희들은 왜 이렇게 파티를 좋아하는 거야?"

부인이 말했다.

로라네 가족은 밖으로 나가 텅 빈 천막 테이블에 둘러앉았다.

"아빠, 샌드위치 잡숴 보세요. 깃발 글씨는 제가 적었어요."

"고맙다."

셰리던 씨가 한 입 크게 베어 물자 샌드위치는 금방 사라졌다. 그는 샌드위치를 하나 더 집어 들며 말했다.

"오늘 끔찍한 사건이 있었는데 다들 듣지 못한 모양이지?"

"안 듣기는요. 그것 때문에 파티를 망칠 뻔했는걸요. 로라가 파티를 취소해야 한다고 어찌나 고집을 피우던지."

셰리던 부인이 손을 내저으며 대답했다.

"아이, 엄마도 참!"

로라는 이 일로 놀림을 받고 싶지 않았다.

"어쨌거나 끔찍한 일이야. 결혼도 했다던데. 저 길 바로 아래 골목에 사는데 아내랑 자식 대여섯 명만 남겨 놓고 저세상으로 갔다더군."

셰리던 씨가 말했다.

어색한 침묵이 흘렀다. 셰리던 부인은 말없이 잔을 만지작거렸다.

'정말 눈치 없는 양반이라니까……'

부인이 갑자기 고개를 들어 주위를 둘러보았다. 테이블에는 샌드위치와 케이크와 슈크림 빵이 가득했다. 아무도 손대지 않아 버려질 음식이었다. 그녀 머릿속에 멋진 생각이 떠올랐다.

"그래, 우리 선물 바구니를 만들자. 그 불쌍한 여자에게 이 맛있는 음식을 보내는 거야. 어쨌든 애들에게 이것보다 좋은 간식거리가 어디 있겠어? 분명 그 여자도 이웃들을 계속 맞이해야 할 테니까 바로 내놓을 음식이 생기면 좋아할 거야. 로라야! 계단 벽장에 가서 커다란 바구니를 가져오렴."

셰리던 부인이 자리에서 일어나며 말했다.

"하지만 엄마, 꼭 그래야 해요?"

로라가 물었다.

참 이상하게도 로라는 이번에도 자기 혼자만 생각이 다르다는 느낌을 받았다. 파티에서 남은 음식을 보낸다니. 그 불쌍한 여자가 과연 좋아할까?

"당연하지! 아니, 오늘 도대체 왜 이러니? 한두 시간 전만 해도 인정을 베풀어야 한다고 떼를 쓰더니 이제는 또……"

로라는 엄마의 잔소리를 피해 바구니를 찾으러 달려갔다. 셰리던 부인은 바구니에 음식을 수북이 담았다.

"로라야, 네가 직접 가져다주렴. 그냥 이대로 다녀오면 돼. 참, 여기 칼라(calla) 꽃도 좀 챙겨 가고. 저런 사람들은 칼라꽃만 봐도 아주 감동하거든."

셰리던 부인이 말했다.

"줄기 때문에 레이스 원피스가 망가질 거

예요."

늘 현실적인 조시가 끼어들었다.

'정말 그럴지도 모르지. 마침 잘 말했군.'

"그럼 그냥 바구니만 가져가렴. 참, 로라! 무슨 일이 있어도 절대……"

셰리던 부인이 천막 바깥까지 로라를 따라오며 말하다 말끝을 흐렸다.

"뭐라고요, 엄마?"

'아니지. 애한테 괜히 그런 생각을 심어 줄 필요는 없어.'

"아무것도 아냐! 얼른 다녀오너라."

로라가 정원 문을 닫고 길을 나섰을 때 이미 날은 어둑어둑했다. 커다란 개가 그림자처럼 휙 지나갔다. 길은 하얗게 빛났고, 그 아래 움푹 꺼진 곳에 오두막집들이 새까만 어둠 속에 묻혀 있었다. 파티가 끝난 후여서 그런지 더욱 적막하게 느껴졌다. 이제 조금 더 길을 내려가면 마차꾼이 죽은 장소가 나타날 텐데 도무지 실감이 나지 않았다. 왜지? 로라는 잠시 걸음을 멈췄다. 입맞춤과 목소리, 숟가락이 쨍그랑 부딪치는 소리와 사람들의 웃음소리, 납작하게 밟힌 풀의 내음, 이 모든 것이 그녀 안을 가득 채우고 있는 것 같았다. 그래서 다른 것이 비집고 들어올 틈이 없었다.

'참 이상하네! 그래, 정말 최고의 파티였어.'

어슴푸레한 하늘을 올려다보며 드는 생각은 이것뿐이었다.

대로를 건너 골목에 들어서자 공기가 매캐하고 주위가 컴컴해졌다. 숄을 둘렀거나 남자용 트위드 모자를 눌러쓴 여자들이 바쁘게 지나다녔다. 남자들이 울타리에 몸을 기댄 채 서 있었고, 아이들은 문가에서 놀고 있었다. 초라한 오두막집에서 낮게 웅성거리는 소리가 흘러나왔다. 어떤 집에서는 등불이 깜빡거렸고, 게를 연상시키는 그림자가 창가에 어른거렸다. 로라는 고개를 숙인 채 걸음을 재촉했다. 외투를 걸치고 올 걸 그랬다는 생각이 들었다. 하필 원피스는 왜 이렇게 반짝거린담! 게다가 벨벳 리본을 두른 커다란 모자라니. 다른 모자를 쓰고 왔어야 했어! 사람들이 쳐다보고 있을까? 당연히 그럴 것이다. 이곳에 오는 게 아니었어. 처음부터 잘못됐다는 걸 알았는데. 지금이라도 돌아가야 하나?

하지만 그러기엔 이미 늦어 버렸다. 여기가 그 집이구나. 틀림없어. 집 밖에는 어두운 옷을 입은 사람들이 모여 있었다. 대문 옆에 놓인 의자에는 꼬부라진 노파가 지팡이를 들고서 사람들을 지켜보고 있었다. 그녀는 발밑에 신문지를 깔고 있었다. 로라가 다가가자 말소리가 뚝 끊겼다. 사람들은 마치 그녀를 기다렸다는 듯, 그녀의 방문을 예상했다는 듯, 알아서 길을 터 주었다.

로라는 잔뜩 긴장한 채로 벨벳 리본을 어깨 뒤로 젖히며 옆에 있는 여자에게 물었다.

"여기가 스콧 부인 댁인가요?"

"네, 그렇답니다, 아가씨."

여자가 묘한 미소를 띠며 답했다.

'아, 도망치고 싶어!'

좁은 길을 따라가 문을 두드린 순간, 로라는 "오, 하나님, 도와주세요."라고 작게 소리 내어 말했다. 저 사람들의 눈초리에서 벗어났으면, 저 여자들이 걸치고 있는 숄이라도 좋으니 어디에라도 숨어 버렸으면.

'바구니만 주고 돌아가는 거야.'

그녀는 속으로 다짐했다.

'사람들이 바구니를 다 비울 때까지 기다리지도 않을 거야.'

그때 문이 열렸다. 검은 상복을 입은 여인이 비통한 모습을 드러냈다.

"스콧 부인 되시나요?"

로라의 물음에 여인은 예상치 못한 말을 꺼냈다.

"안으로 들어오세요, 아가씨."

로라의 등 뒤로 문이 닫혔다.

"아, 들어가진 않을게요. 이 바구니만 전해 드리러 왔어요. 어머니가 보내셔서요."

하지만 어두운 복도에 서 있는 여인은 로라의 말을 듣지 못한 듯했다.

"여기로 오세요, 아가씨."

여인이 상냥한 목소리로 청했기에 로라는 어쩔 수 없이 그녀를 뒤따랐다.

누추한 부엌은 낮고 비좁았으며 침침한 램프만이 겨우 주위를 비췄다. 난로 앞에는 한 여인이 앉아 있었다.

"엠."

로라를 집 안으로 이끈 여인이 난로 앞 여인에게 말을 걸었다.

"엠. 여기 숙녀 한 분이 널 보러 왔어."

그녀는 로라를 돌아보며 조심히 말했다.

"저기 스콧 부인이 제 동생이에요. 동생을 너그럽게 이해해 주시겠어요?"

"어머, 그럼요! 제가 괜히 방해했네요. 저는…… 저는 그만 나가 볼…….”

그 순간, 난로 앞 여인이 고개를 돌렸다. 하도 울어 달아오른 얼굴은 눈도 입술도 퉁퉁 부어 있어 끔찍해 보였다. 그녀는 로라가 왜 이곳에 있는지 의아한 눈치였다. 무슨 일이지? 부엌에 웬 낯선 아가씨가 바구니를 들고 서 있지? 찾아온 이유가 뭘까? 딱한 그녀의 얼굴이 다시 일그러졌다.

스콧 부인의 언니가 상황을 정리했다.

"자, 그래. 이 아가씨에게는 내가 감사 인사를 드릴게. 아가씨, 부디 이해해 주세요."

이렇게 말하는 그녀도 얼굴이 퉁퉁 부어 있었으나 표정만은 애써 상냥했다.

로라는 얼른 이곳에서 도망치고 싶었다. 다시 복도로 나왔을 때 한쪽 침실 문이 열렸다. 그 방에 들어가니 죽은 마차꾼이 누워 있었다.

"가까이 가서 보시겠어요?"

스콧 부인의 언니가 로라를 지나쳐 침대로 향했다.

"겁내지 말아요, 아가씨. 그냥 그림 같아요. 별거 없답니다. 이리 와서 한번 보세요."

이제 그녀의 목소리는 다정했고 살짝 장난기까지 서린 듯 들렸다. 그녀는 조심스레 천을 걷었다.

로라가 가까이 다가갔다.

아주 깊은 잠에 빠져서, 두 사람과는 멀리, 아주 멀리 떨어져 있는 젊은 남자가 그곳에 누워 있었다. 아, 이토록 아득하고 평온한 모습이라니. 그는 꿈을 꾸고 있었다. 다시는 그를 깨워서는 안 된다. 그는 머리를 베개에 푹 파묻고 두 눈을 꼭 감고 있었다. 굳게 닫힌 눈꺼풀 아래 두 눈은 아무것도 볼 수 없었다. 그는 다시 깨어나지 않을 꿈에 빠져 있었다. 가든파티, 바구니, 레이스 원피스 따위가 그에게 다 무슨 소용이겠는가? 그는 이 모든 것에서 멀리 떠나 있었다. 그는 경이롭고 아름다웠다. 사람들이 왁자지껄 떠들고 악단이 연주하는 동안, 이 골목에서 이토록 경이로운 일이 일어나다니.

'행복해……. 난 행복해……. 모든 게 다 잘되었어.'

잠든 얼굴이 이렇게 말하고 있었다. '어차피 일어날 일이었어. 다 만족해.'

하지만 로라는 울지 않을 수 없었다. 게다가 방을 빠져나가려면 그에게 뭐라도 말해야 했다. 그녀는 결국 어린아이처럼 흐느꼈다.

"이런 모자를 쓰고 와서 죄송해요."

로라는 스콧 부인의 언니를 기다리지 않고 혼자 문밖으로 나간 다음, 좁은 길을 지나, 어두운 옷을 입은 사람들을 지나쳐 계속 걸었다. 그러다 골목 모퉁이에서 로리와 마주쳤다.

로리가 그늘 밖으로 나오며 말했다.

"로라니?"

"응."

"엄마가 걱정하고 계셔. 별일 없었어?"

"그럼. 아, 로리 오빠!"

로라는 로리에게 딱 붙어 팔짱을 꼈다.

"너 설마 우는 거야?"

로라가 고개를 저었다. 하지만 그녀는 울고 있었다.

"울지 마. 그렇게 끔찍했어?"

로리는 동생 어깨에 손을 얹고 따뜻하고 다정한 목소리로 그녀를 달랬다.

"아니. 아주 경이로웠어. 그렇지만 오빠……"

훌쩍이던 그녀가 걸음을 멈추고 로리를 쳐다보며 더듬더듬 말을 꺼냈다.

"인생…… 인생이란 게,"

인생이 무엇인지 그녀는 설명할 수 없었다. 하지만 아무래도 좋았다. 로리는 로라의 말뜻을 이해했다.

"인생이 '그런' 거지, 안 그래?"

로리가 말했다.

(1922년)

번역 송예슬

슬픈 나의 얼굴

하인리히 뵐

하인리히 뵐 (Heinrich Böll, 1917~1985)

독일의 소설가다. 쾰른대학교 독문학과에 다니던 중 징집되어 제2차 세계 대전에 참전하였다. 이후 전쟁에서 경험하고 생각했던 것들을 1949년 첫 소설《열차는 정확했다》에 담아 발표했다. 1953년 출간한《그리고 아무 말도 하지 않았다》로 유명세를 얻으며 작가로서 큰 성공을 거둔다. 국제펜클럽 회장으로 활동하며 박해받고 있는 여러 나라의 작가를 돕기 위해 노력했으며, 작품을 통해서도 사회에서 소외받고 억압당하는 약자의 편에 섰다.《카타리나 블룸의 잃어버린 명예》《9시 반의 당구》《어느 어릿광대의 견해》등 많은 소설과 평론을 남겼으며 1972년에는 노벨 문학상을 받았다.

갈매기 구경을 하려고 항구에 서 있었을 때 나의 슬픈 얼굴이 어떤 보초의 눈에 띄었다. 그는 마침 그 구역을 순찰 중이었다. 나는 무언가 먹이를 찾아 헛되이 치솟았다가 밑으로 곤두박질치는 갈매기 떼를 바라보느라 완전히 넋을 잃고 있었다. 항구는 황량하고 푸른 물은 더러운 기름으로 탁했으며 수면에는 온갖 쓰레기가 떠다녔다. 배는 한 척도 보이지 않았다. 기중기는 녹이 슬고 창고는 허물어져 해안의 시커먼 쓰레기 더미에는 쥐조차 들락거리지 않았다. 모든 게 조용했다. 여러 해 동안 외계와 완전히 차단되었던 것이다.

나는 어떤 갈매기 한 마리에 시선을 고정시키고 그 날개를 관찰했다. 폭우를 알아차린 제비처럼 불안스럽게 수면 위로 떠돌던 갈매기는 가끔 용기를 내어 동료들과 보조를 맞추려 위를 향해 선회하기도 했다. 나의 소원 한 가지를 말하라고 한다면 갈매기에게 먹여 줄 한 조각의 빵이었으리라. 빵을 잘게 부숴 정처 없는 날개에다 한 점 흰 점을 만들어 그들이 날아오도록 어떤 목표를 만들어 준다. 그러면 궤도를 잃고 선회하는 갈매기 떼들을 빵 조각이라는 끄나풀이 불러 그들을 한군데로 포박하는 것과 같으리라. 하지만 나 역시 그들과 마찬가지로 배가 고프고 피곤했다. 하지만 나는 슬픔에도 불구하고 행복했다. 주머니에 손을 찌르고 거기 서서 갈매기를 바라보며 슬픔을 마신다는 것은 멋진 일이기에.

그때 갑자기 관리의 손이 내 어깨 위에 놓이며 어떤 목소리가 말했다.

"따라오라구!"

그렇게 말하며 그 손은 나의 어깨를 잡아채어 몸을 돌려세우려 했다.

나는 그대로 버티고 서서 그 손을 떼어 내며 침착하게 말했다.

"미쳤소?"

여전히 보이지 않는 그자가 감정이 없는 목소리로 내게 말했다.

"동지! 경고해 두겠는데……."

"선생."

나는 그의 말을 되받았다.

"선생은 무슨 선생이야?"

그가 화를 내며 말했다.

"우리는 모두 동지들인데."

그는 내 곁으로 다가서서 나의 옆얼굴을 쳐다보았고 나도 허공에 맴돌던 행복한 시선을 돌려 그의 용감한 눈을 들여다보지 않을 수가 없었다. 그는 몇십 년 동안이나 의무(義務)라는 것만을 먹던 물소같이 심각한 자였다.

"무슨 이유로……."

나는 말을 계속하려 했다.

"이유는 충분해. 우선 당신의 그 슬픈 얼굴이 충분한 이유가 된단 말이거든."

그는 그렇게 말했다.

나는 껄껄거리고 웃었다.

"웃지 마시오."

그의 노여움은 진짜였다. 처음에 나는 그자가 좀 권태로웠던 것이라고 생각했다. 등록을 하지 않은 갈보나 술 취한 뱃놈이나 절도범 혹은 도망병을 하나도 붙잡지 못해서 그는 지루한 모양인가. 하지만 그것이 진정임을 나는 그제야 눈치챘다. 그는 나를 체포하려던 것이었다.

"따라와……."

"왜 그러시오?"

나는 다시 침착하게 물었다.

영문도 모른 채 나의 왼쪽 팔목이 가는 쇠사슬에 묶였고 그 순간 나는 실패임을 알았다. 마지막으로 나는 갈매기 떼를 향해 눈길을 돌려 잿빛 하늘을 쳐다보고는 갑자기 몸을 돌려 물로 뛰어들려고 했다. 어느 뒤뜰에서 형리들에게 목이 묶이거나 다시 감금을 당하기보다는 차라리 이 더러운 구정물에 빠져 죽는 게 나을 것 같았기 때문이다. 그러나 경관은 나를 바짝 끌어당겨 도망치지 못하게 만들어 버렸다.

"왜 이러시오?"

하고 나는 또 한번 물었다.

"행복하게 보여야 된다는 법규가 생겼어."

"행복한데요!"

하고 나는 소리를 질렀다.

"당신의 그 슬픈 얼굴은……."

그는 머리를 저었다.

"새로 나온 법이군."

"36시간 되었지. 어떤 법이라도 공포[1] 후 24시간만 지나면 효력을 발한다는 것쯤은 알고 있을 텐데."

"그래도 나는 모르는데요."

"법 앞에는 변명이 있을 수 없어. 이 법은 그저께 공포되었어. 모든 확성기와 각종 신문과 그 밖의 여러 보도 기관을 통해서 공고가 되었다."

그는 거기서 경멸하는 듯한 시선으로 나를 바라보았다.

"그리고 신문이나 라디오를 통해 듣지 못한 사람들을 위해서 삐라[2]가 살포되었다. 제국(帝國)의 거리마다 살포되었단 말이야. 그렇다면 당신은 지난 36시간 동안 어디에 가 있었지?"

그는 나를 끌고 갔다. 그제야 날씨가 몹시 차갑다는 것, 외투를 입지 않았다는

---

1 공포 이미 확정된 법률, 조약, 명령 따위를 일반 국민에게 널리 알리다.
2 삐라 전단.

사실이 생각났다. 그리고 그제야 비로소 정말 배가 몹시 고프다는 것, 배 속에서 꼬르륵 소리가 난다는 것을 깨닫게 되었다. 그리고 나는 몹시 누추하고 면도도 하지 않았으며 옷도 너절하다는 사실도 깨달았다. 누구나 몸을 깨끗하게 해야 하고 면도를 해야 하며 행복하고 만족스러운 표정이어야 한다는 법이 있다는 것도 깨달았다. 그는 나를 앞장세웠다. 도둑 누명을 씌워 꿈의 밭도랑으로 몰아내는 허수아비처럼. 거리는 한산하고 병영까지의 길은 그리 멀지 않았다. 그들이 나를 체포한 어떤 이유를 금방 찾아내리라는 것을 나는 물론 알면서도 나의 마음은 무거웠다. 그가 나를 끌고 간 곳은 항구 구경을 끝낸 다음 찾아 보고 싶었던 나의 젊은 시절의 추억이 어린 장소들이었기 때문이다. 관목이 우거지고 일부러 손질은 하지 않았으나 아름다운 숲속으로 길이 있는 정원들, 그것들이 이제는 도시 계획으로 정돈이 되고 깨끗한 사각의 뜰로 변했다. 월요일과 수요일과 토요일에 행진 연습을 할 수 있도록 애국 단체들이 그렇게 만들어 놓았던 것이다. 전과 다름없는 것은 오직 하늘뿐이었으며 공기만이 나의 가슴을 꿈으로 가득 채워 주던 그 시절의 그 공기였다.

지나가면서 나는 병영 여기저기에 고시된 공고문(公告文)을 보았다. 수요일에 체육의 즐거움에 참여할 차례가 된 사람들의 명단을 알리는 공고문이었다. 그리고 대부분의 목로주점[3]은 주점이란 표시로 함석판 위에 삼색의 칠을 한 술잔을 내걸도록 규정된 모양이었다. 제국을 상징하는 적색, 흑색, 황색. 이 삼색줄을 칠한 술잔. 수요일 음주자의 명단에 끼여 수요일에 맥주를 마시게 될 사람의 가슴에는 틀림없이 기쁨이 넘치리라.

우리와 만난 사람들은 모두 보이지 않는 열성의 흔적에 감싸여 있었다. 근면이라는 엷은 근로정신이 그들을 에워싸고 있는데, 경찰관을 만날 때에는 특히 더 그러했다. 사람들은 모두가 걸음을 재촉했고 완전히 의무감에 충만된 얼

---

3 목로주점 술잔을 놓기 위해 널빤지로 좁고 기다랗게 만든 상인 '목로'를 차려 놓고 술을 파는 집.

굴 표정을 지었으며 공장에서 나오는 여자들도 사람들이 그들에게서 기대하는 기쁨의 표정을 얼굴에 담으려고 애를 썼다. 여인들은 저녁이면 노동자에게 느긋한 음식을 대접하는 주부로서의 의무 이상의 기쁨을 표시해야 되기 때문이었다.

그러나 그 모든 사람들은 잽싸게 우리를 피해 갔다. 그리하여 감히 우리들이 가는 길을 앞지르려는 사람도 없었다. 길에 모습을 나타냈는가 하면 그들은 우리들 앞에서 몸을 숨겨 어떤 건물이나 모퉁이를 돌아 모습을 감추었다. 대개는 자기도 모르는 집으로 들어가거나 어떤 대문 뒤에서 불안스럽게 우리들의 발소리가 사라질 때까지 기다리는 모양이었다.

단 한 번, 우리들이 방금 교차로를 건너려는 때, 약간 나이 들어 보이는 남자와 마주쳤다. 내가 힐끗 쳐다보았을 때, 그는 교장 선생의 견장을 달고 있었다. 그는 미처 피할 겨를이 없었던 것이다. 사나이는 절대 복종의 표시로 규정에 따라 손바닥으로 세 번 머리를 때리는 인사법으로 경찰관에게 인사를 한 다음 그에게 요구되는 의무를 수행했다. 말하자면 나의 얼굴에다 세 번 침을 뱉고 억지를 쓰듯 '반역자'라고 소리를 지르는 일이었다. 그는 겨냥을 잘했으나 때마침 날이 더워 목이 말랐기에 내게 떨어진 침은 겨우 몇 방울에 지나지 않았다. 나는 무의식중에 옷소매로 그것을 닦아 내려 했다. 물론 규정에 어긋나는 일이었다. 그때 경찰이 엉덩이를 차며 주먹으로 척추 한가운데를 때리고는 침착하게 덧붙여 말했다.

"이건 1단이야."

말하자면 어떤 경찰관이나 쓸 수 있는 가장 가벼운 체형(體刑)[4]이라는 뜻이었다.

교장은 허둥거리며 그곳을 빠져나갔다. 그 밖에는 모두 우리들을 피해 갈 수

---

4 체형 사람의 몸에 직접 형벌을 가함.

가 있었다. 다만 때마침 밤의 환락에다 앞서 규정에 따라 병영 앞에서 잠시 바람을 쐬던 창백하고 얼굴이 부은 듯한 여자 하나만이 내게 얼른 손으로 키스를 보내 주었는데, 경찰은 못 본 체했다. 다른 사람이었다면 틀림없이 중벌감이었을 행위였다. 그런 여인들에게는 그런 자유가 허용되었던 것이다. 여인들은 일반의 노동력을 향상시키는 데 기여하기 때문에 어느 정도 치외 법권적인 특권을 누렸다. 어용[5] 철학자 블라이괴트 박사는 어떤 어용 잡지를 통해서 그런 효과를 자유화의 시작이라고 떠들어 댄 일이 있었다. 나는 수도(首都)로 가는 길에 어떤 농가의 변소에서 그 잡지 조각을 읽은 적이 있었다. 거기에는 그 집 아들인 듯싶은 대학생의 약간 그럴 듯한 주석이 붙어 있었다.

　다행히 우리들은 역에 도착했다. 때마침 사이렌이 울렸는데, 그 소리는, 이제 거리가 얼굴에 약간의 부드러운 행복감을 나타내는 수천의 인간들로 북적거리게 된다는 것을 뜻했다. ─일이 끝날 때에는, 지나치게 기쁨을 나타내서는 안 된다. 지나친 기쁨은 노동이 고역임을 뜻하기 때문이다. 대신 일이 시작될 때에는 환희와 노래가 지배해야 된다. ─자칫하면 그 많은 사람들이 나의 얼굴에다 침을 뱉을 판이었다. 물론 그 사이렌 소리는 저녁 축제 10분 전임을 의미하기도 했다. 누구든 10분 동안에 몸을 깨끗하게 닦아야 한다. 그것은 '행복과 비누'라는 그 당시 국가 원수의 슬로건이기도 했다.

　이 지구에 있는 병영의 문은 단순한 콘크리트 구조물이었는데, 두 사람의 보초가 감시를 했다. 내가 지나가자 그들은 내게 심한 체형을 가했다. 그들은 총검으로 나의 관자놀이를 강타하고 탄띠로 쇄골을 때렸는데, 그것은 국법 제1조에 해당하는 조치였다.

　모든 경찰관은 피체포인─그들은 범인을 의미하는 것 같았다.─에게 권위를 보

---

5 어용 자신의 이익을 위하여 권력자나 권력 기관에 영합하여 줏대 없이 행동하는 것을 낮잡아 이르는 말.

여 주어야 한다. 또 그를 직접 체포한 자는 제외한다. 그는 심문을 할 때 필요한 신체적인 고문을 행할 수가 있기 때문이다.

이러한 조문은 말하자면 다음과 같은 의미를 내포한다고 할 수가 있다.

'모든 경찰관은 누구든 벌할 수가 있다. 그리고 범행을 한 자라면 누구든 벌을 받아야만 한다. 모든 국민에게는 면벌(免罰)이란 있을 수 없고 단지 그 가능성만 있기 때문이다.'

우리들은 커다란 창문이 여러 개 달려 있는 길고 서늘한 복도를 지나갔다.

그때 출입문 하나가 자동으로 열렸다.

우리들의 도착이 이미 보호자에게 알려졌던 것이다. 그리고 모두가 행복스럽고 용감하고 질서 정연하며 자기에게 배당된 일정량의 비누를 써서 없애려고 애쓰는 그런 시절에 범인의 도착이란 그 자체가 벌써 하나의 큰 사건이었기 때문이다.

우리들은 텅 빈 방으로 들어갔다. 거기에는 전화가 있는 책상 하나와 두 개의 의자가 있을 뿐이었다. 나는 방 가운데 서 있어야 했고, 경찰관은 모자를 벗고 의자에 앉았다.

우선은 아무 일도 일어나지 않았다. 그들은 언제나 그랬다. 그것이 가장 나쁜 징조였다. 마지막 흔적조차 완전히 사라져 버렸다. 끝장이 왔다는 사실을 나는 알고 있었기 때문이다.

잠시 후 키가 크고 얼굴이 핼쑥한 사람이 소리도 없이 들어섰다. 예심 판사의 갈색 제복을 입은 사람이었다. 그는 아무 말 없이 의자에 앉아 나를 바라보았다.

"직업은?"

"평범한 시민입니다."

"생년월일은?"

"1월 1일 1시입니다."

"가장 최근에 종사했던 업종은?"

"죄수입니다."

그 두 사람은 서로 쳐다보았다.

"언제, 어디서 석방됐나?"

"어제 12동, 13호실에서였습니다."

"석방지의 방향은?"

"수도 쪽입니다."

"증명서는?"

나는 주머니에서 석방 증명서를 꺼내 그에게 건네줬다. 그는 그걸 녹색 카드에 붙였다. 그것은 나의 사건을 기록하기 시작하던 녹색 카드였다.

"당시의 범죄는?"

"행복한 표정을 지었다는 죄목이었습니다."

두 사람은 또다시 서로 쳐다보았다.

"설명을 좀 해 보도록."

하고 그 예심 판사가 말했다.

"그 당시, 나의 행복한 얼굴이 어느 날 어떤 경찰관의 눈에 띄었습니다. 마침 국가 원수가 사망한 날이어서 슬픔을 나타내야 할 날이었기 때문입니다."

"형기는?"

"5년이었습니다."

"복무 성적은?"

"나빴습니다."

"이유는?"

"부적당한 노동 배치 때문이었습니다."

"이상."

이어 자리에서 일어나 내게로 걸어온 예심 판사는 정확히 나의 앞니 세 개를 때려서 부러지게 했다. 누범(累犯)⁶이라는 낙인을 찍은 것이었는데, 그것은 나의 예상을 뒤엎은 가혹한 조치였다. 예심 판사가 방에서 떠나자 암갈색 제복을 입은 뚱뚱한 사나이가 대신 들어왔다. 판사였다.

그들은 차례로 나를 때렸다. 판사, 주심 판사, 판사장, 초심 판사, 종심 판사 그리고 거기에 입회했던 경찰관이 법에 따라 내게 신체적 고문을 가했다. 이어 나의 행복한 얼굴로 인해 5년형을 가했던 그들은 이번에는 나의 슬픈 얼굴로 인해 10년형을 언도했다.

내가 앞으로 10년 동안을 행복과 비누 속에서 견뎌 낼 수가 있다면 절대로 어떤 얼굴 표정도 짓지 않도록 애를 써야만 하리라.

(1951년)

《아담, 너는 어디에 있었느냐 외》(범우사, 1999)

---

6 누범 거듭 죄를 지음.

로디지아에서 온 기차

네이딘 고디머

네이딘 고디머 (Nadine Gordimer, 1923~2014)

남아프리카 공화국의 소설가이다. 세계 인권 운동의 상징이라 할 수 있는 넬슨 만델라가 28년간의 수감 생활을 마치고 옥문을 나서며 "나는 네이딘을 만나야 합니다."라고 했을 만큼 남아프리카 공화국의 양심을 상징하는 작가이다. 1937년 첫 단편 소설 〈금을 찾아서〉로 등단한 뒤, 아파르트헤이트(인종 격리 정책)가 백인과 흑인 모두에게 미치는 파괴적인 영향을 비판적인 시각으로 바라본 다수의 작품들을 발표했다. 대표작으로 《얼굴을 맞대고》《거짓의 날들》 등이 있다. 1991년에는 노벨 문학상을 받았는데, 노벨 위원회는 고디머를 수상자로 발표하며 "노벨의 유언처럼 그는 장엄한 서사적 소설들로 인류에 위대한 공헌을 했다."라고 선정 이유를 밝혔다.

기차는 붉은 수평선에서 나타나서 하나밖에 없는, 곧은 철도 선로를 따라 그들을 향해 다가왔다.

철도역장은 서지로 만든 제복의 다리 부분 주름을 만지면서, 벽돌로 지은 뾰족한 샬레[1] 지붕의 작은 역사(驛舍)에서 나왔다. 먼지 속에 쭈그리고 앉아서 기다리던 토착민 행상인들 사이에서 무언가를 준비하는 듯한 작은 동요가 일어났다. 영원히 놀란 표정을 하고 있을, 나무로 조각한 동물 얼굴이 자루 밖으로 삐죽 나와 있었다. 역장의 아이들이 맨발로 어슬렁거리며 걸어 다녔다. 무늬가 그려진 진흙 벽 안으로 세워져 있는 머리 부분이 단정치 못한 회색의 진흙 오두막 집에서 닭들, 그리고 가죽이 양피지처럼 뼈 위로 팽팽하게 붙어 있는 개들이 아이들을 따라 선로까지 나왔다. 벌겋게 달아오르고 땀을 흘리는 서녘[2]이 역사 위로, '수화물'이라고 쓰인 양철로 만들어진 창고 위로, 울타리를 두른 오두막 위로, 역장의 회색 양철로 된 집 위로, 그리고 하늘 끝에서 하늘 끝까지, 사방을 둘러싸고 있는 모래 위로 희미하고, 열기도 없는 반사광을 던지고 있었다. 모래가 바다가 되어, 아이들의 검은 발 위로 부드럽고도 자국 없이 모래가 덮이도록, 태양은 주기적으로 자그마한 잔 모양의 그림자를 던지고 있었다.

역장 부인은 베란다의 그물 뒤에 앉아 있었다. 부인의 머리 위로는 양의 사체 덩어리가 공기의 흐름을 따라 슬슬 움직이면서, 덜렁덜렁 매달려 있었다.

---

1 샬레(schale) 곡판으로 구성된 구조물의 총칭으로, 곡판 구조라고도 한다.
2 서녘 네 방위 중의 하나. 해가 지는 쪽인 서쪽을 뜻한다.

그들은 기다렸다.

기차는 하늘을 따라서, 아우성을 외쳐 대지만, 대답은 전혀 없었다. 그리고 아우성은 하늘에 매달려 있었다. '나는 갑니다…… 나는 갑니다…….'

점점 작아지는 동체를 뒤에 매달고 가면서 큰 기관차는 이제 불꽃을 크게 너울거렸다. 철로는 기차가 들어오도록 빛으로 신호하고 있었다.

삐걱삐걱, 덜커덩덜커덩, 이리 밀고, 헐떡거리면서, 기차는 역을 가득 메웠다.

"이봐요, 그것 좀 보여 주세요."

젊은 여자는 복도 창문 밖으로 구부려서 몸을 더욱더 멀리 내밀었다. "마님?" 하며, 노인은 손에 들고 있는 동물들을 바라보며 미소 지었다. 회색 손가락에 걸려 있는 한 가닥 끈에는 손으로 짠 자그마한 바구니가 매달려 있었다. 노인은 이걸 말하느냐고 물어보듯, 그것을 들어 올렸다.

"아뇨, 아뇨."

여자는 기차의 높이를 가로질러, 노인 쪽을 향해 열차에 몸을 기대면서, 재촉했다. 낡은 천 조각을 몸에 걸친 노인 쪽으로 몸을 구부리면서, 손으로 "저거요, 저거 말이에요." 하고 명령했다. 그것은 스펀지케이크처럼 보이는 부드럽고 건조한 나무로 조각한 사자였다. 그것은 전령사와도 같았고, 검은색과 흰색으로 되어 있었으며, 인상파 같은 세부 묘사들을 불로 그을려서 새겨 넣은 사자였다. 노인은 진정으로 마음에서 우러나오는 것이 아니라, 단지 손님을 향한 미소를 여전히 지으면서, 그녀를 향해 그 물건을 들어 올렸다. 너무 무시무시하여 들을 수 없을 영원히 계속될 포효를 내질러 대느라 쫙 벌린 입속에, 반 다이크[3]풍의 이빨 사이로, 사자의 검은 혀가 나와 있었다.

"와, 저것 좀 봐!"

---

3 반 다이크(Anthony Van Dyck) 17세기 플랑드르에서 활약한 초상화가 중 한 명.

젊은 남편이 말했다. 그리고 사자의 목둘레로(쥐? 토끼? 몽구스?) 부드러운 털 조각이 있었다. 마치 위엄 있는 진짜 갈기 같아서, 하여튼 예술가가 사자를 만들면서 상당한 기쁨을 느꼈다는 것을 말해 주고 있었다.

예술가는 기차의 이쪽 끝에서 저쪽 끝까지 기차 속 얼굴들을 향하여 환상적인 물건을 더 잘 보여 주기 위해서, 마치 재주를 부리는 동물과도 같이, 허리를 굽힌 채로, 먼지 속을 이리저리 걸어 다니면서 위아래로 껑충거렸다. 수컷 사자들은, 놀라서 경직된 듯, 검고 하얀 둥근 눈으로 빤히 앞을 쳐다보고 있었다. 창을 꽉 움켜잡고 가느다란 눈에 공포가 전혀 들어 있지 않은 기이하고 말라빠진 기다란 전사들과 맞붙어서 격투하고 있는, 똑바로 선, 사자들도 있었다.

"얼마죠?"

사람들은 기차 속에서 물었다.

"얼마예요?"

"1페니만 주세요."

아무것도 팔 것이 없는 어린것들이 말했다. 개들은 양파를 넣어 요리하는 고기 냄새를 내뿜고 있는 식당차 밑으로 가서, 묵묵히 앉아 있었다.

빤히 쳐다보는 눈을 가진 나무 제품들, 하늘로 치솟아 있는 뻣뻣한 목제 다리들을 사기 위해 돈을 교환하느라 서로를 향해 쭉 내민 회색빛이 도는 검은 팔과 흰색 팔들이 만나면서 이루어 낸 아치 밑으로 한 사람이 지나갔다. 남자는 흥정하고, 질문하는 목소리들 밑으로, 바퀴를 검사하며 쭉 걸어갔다. 개들을 지나서, 유리창 뒤에서 옅은 빛깔의 시들은 꽃이 한결같이 꽂혀 있는 철도 회사 꽃병을 중심으로 양쪽에 두 사람씩 앉아서 맥주를 마시고 있는 얼굴들이 보이는 식당차를 흘긋 올려다보면서 남자는 지나갔다. 역장의 아이들이 어머니에게 줄 빵두 덩어리를 방금 받아 낸, 차장의 자동차까지, 끝까지 똑바로 걸어갔고, 역장과 기관사가 기대어 서서 이야기를 나누고 있는, 증기를 발산하며 불평하는, 휴식을 취하는 동물과도 같은 기관차가 있는 곳까지 남자는 걸어갔다.

남자는 두 사람에게, 무엇인가 큰 소리로 농담을 건넸다. 두 사람은 증기가 빙빙 돌고 있는 한가운데에 서서 웃으며 돌아보았다. 두 아이가 빵을 움켜쥐고는, 모래 위를 질주하여, 철문으로 뛰어들어 가서 아무것도 자라지 않는 뜰 가운데로 난 작은 길을 뛰어갔다.

승객들은 복도 창문에 가까이 서 있다가 돈을 가지러, 또는 보여 줄 것이 있어서 누구를 부르려고 객실로 들어갔다. 기차 안에 앉아 있던 사람들은 올려다보았다. 바깥세상과 접촉한 후 다시 보니, 그들이 갑자기 달라 보였다. 안에 갇히고, 외부와 단절된, 새장에 갇힌 얼굴들 같았다. 흑인 아이가 좋아할 만한 오렌지가 있었다…….

'저 초콜릿은 어떨까? 별로 맛있어 보이지 않는데…….'

한 어린 소녀는 아무도 좋아하지 않는, 딱딱한 종류의 초콜릿 한 움큼을 초콜릿 상자에서 꺼내어, 식당차 앞에 있는 개들에게 던지고 있었다. 그러나 닭들이 쏜살같이 달려들어 와, 먼지에 떨어지기도 전에, 믿기 어려울 정도로 빠르고 정확하게, 초콜릿을 집어삼켰다. 그러자 조금 어리둥절해하는 개들은, 아무것도 기대하지 않았던 것처럼, 갈색 눈으로 위를 올려다보았다.

"아니야, 내버려 둬. 그것을 먹지 말란 말이야……."

소녀는 말했다.

"너무 비싸요, 너무 비싸다고요."라고 말하며 그녀는 고개를 내저었고 사자를 다시 건네주며, 노인에게 큰 소리로 말했다. 노인은 여자가 사자를 건네준 곳으로 사자를 다시 들어 올렸다.

"싫어요."

여자는 고개를 가로저으며 말했다.

"3실링 6페니?"

여자의 남편이 큰 소리로 우겼다.

"네, 나리!"라며 노인은 웃었다.

"3실링 6페니라고?"

젊은이는 쉽사리 믿을 수 없었다.

"아, 그만 됐어요."

여자가 말했다.

젊은이는 잠시 멈추었다.

"이것을 원하지 않소?"

노인에게 적대적인 표정을 유지하며 남편이 말했다.

"아니요, 괜찮아요. 그만두세요. "

여자는 말했다.

늙은 토착민은 사자를 들고는, 고개를 한쪽으로 기울인 채로, 부부를 곁눈으로 보았다. 나이 든 사람들이 속으로 무슨 말을 되풀이하듯이, 노인은 3실링 6페니라고 중얼거렸다.

젊은 여자는 고개를 다시 안으로 집어넣었다. 그녀는 객차 끝의 작은 칸으로 들어가서 앉았다. 반대편 창문 밖으로는, 모래와 수풀, 그리고 가시나무 한 그루가 서 있을 뿐, 아무것도 없었다. 복도에 서 있는 남편의 모습을 지나, 열려 있는 문을 통해 다시 보니, 역사, 목소리들, 흔들리는 목제 동물들, 그리고 달려가는 발들이 있었다. 여자의 눈길이 역사의 샬레 지붕을 따라 윤곽을 이루고 있는 소용돌이 꼴의 나무 장식으로 이루어진 재미있게 생긴 작은 장식 커튼을 따라갔다. 그녀는 사자를 생각하고는 미소를 지었다. 특히 목둘레에 있던 털 조각이 눈앞에 떠올랐다. 그러나 좌석 밑과 짐 선반에 갈색 종이를 뚫고 벌써 튀어나온 목제 수사슴, 하마들, 코끼리들, 그리고 바구니들도 있지 않은가!

'집에 가져다 놓으면 그것들은 어떻게 보일까? 어디에다 놓으면 좋을까? 발견된 곳에서 멀리 동떨어진 곳에 가져다 놓으면 그것들은 어떤 의미를 지닐까? 지난 몇 주간의 비현실성에서 동떨어진다면? 가령 밖에 서 있는 남자 말이다. 그러나 이 남자는 비현실성의 일부가 아니고, 이제 영원히 현재이다.'

이상했다……. 그가, 그리고 그와 함께 생활한 것이 휴가와 미지의 장소들의 일부라는 생각이 막연하게나마 들었다.

밖에서 종이 울렸다. 역장은 둥글게 말린 초록색 깃발을 들어 준비를 갖추고 는, 기차 끝에 기대고 서 있었다. 다리를 쭉 펴기 위해 철로에 내렸던 몇몇 남자 들이 기차 위로 뛰어올라, 전망 승강구에 매달리거나, 아니면 그저 난간을 붙잡 고, 철 계단 위에 서 있었다. 하나뿐인 먼지투성이의 플랫폼과 하나뿐인 양철집, 그리고 텅 빈 모래로부터 안전한 기차 위로 올라탔다.

털털거리는 소리가 났다. 기차가 갑자기 흔들거리면서 나아갔다. 마치 유리 창 너머로는 아무것도 볼 수 없는 것처럼, 맥주를 마시는 사람들은 유리창을 통 해 밖을 내다보았다. 파리를 막는 방충망 뒤에서, 역장의 아내는 거무스름하게 변해 가는 고기 덩어리 밑에서 얼굴을 그들을 향하고 앉아 있었다.

누군가가 큰 소리로 외쳤다. 깃발이 펼쳐지며 축 늘어졌다. 접속 부분들이 제 대로 조화되지 않은 채로, 기차의 분절된 동체가 앞으로 나아가다가 기차 부분 들이 서로 부딪혔다. 기차는 움직이기 시작하였고, 소용돌이 꼴의 나무 장식이 달린 샬레가 서서히 기차 옆을 지나갔다. 기차를 따라서 달리는, 토착민들의 외 침이, 공중으로 분출되었다가, 각기 다른 수준으로 사그라들었다. 빤히 응시하 는 나무로 만든 얼굴들이, 저기서, 술에 취한 듯 흔들거리다가, 창문을 향해 마 지막으로 무엇을 물어보는 듯이 바라보다가, 사라져 버렸다.

"여기, 1실링 6페니요, 나리!"

던진 공을 받기 위해 손을 자동적으로 벌리는 사람처 럼, 남자는 주머니 속을 격렬하게 더듬어서, 1실링 6페 니를 꺼내어 밖으로 내던졌다. 늙은 토착민은, 피골이 상 접한 발가락으로 모래를 사방으로 날리면서, 헐떡거리 며, 사자를 던졌다.

흑인 아이들은 손을 흔들고 있었고, 개들은 꼬리를 늘어뜨리고 서서, 기차가 떠나는 것을 보았다. 잠시 동안 엉덩이 위에 손을 놓은 채, 연기가 뿜어 나는 불에서 시선을 위로 돌리고서, 여자가 돌아서서 쳐다보고 있는, 진흙 오두막집을 기차는 지나갔다.

역장은 샬레 아래로 천천히 들어갔다.

늙은 토착민은 미소를 짓고 고개를 저으며, 서 있었다. 갈빗대 사이의 피부는 호흡 때문에 부풀어 올랐고, 발은 모래 위에서 균형을 잡느라, 긴장되어 있었다. 노인은 펼쳐진 손바닥 안에, 힘겹게 받아 든 1실링 6페니를, 받는 자세로 들고 있었다.

출구가 없는 기차의 끝부분이 역사 밖으로 무력하게 끌려가고 있었다.

젊은 남자는 숨을 헐떡이며, 복도에서 기세 좋게 들어왔다. 웃음과 승리감에 고개를 내젓고 있었다.

"여기 있소!"

남편이 말했다. 그러고는 아내 앞에서 사자를 흔들어 댔다.

"1실링 6페니요!"

"뭐라고요?"

아내가 말했다.

남편은 웃었다.

"나는 그저 장난삼아 노인네와 논쟁한 것이었어, 흥정하려고 말이야. 기차가 벌써 역을 떠나고 있는데 노인이 쏜살같이 달려와 '1실링 6페니요, 나리!' 자, 이제 이 사자는 당신 것이오."

여자는 턱이 벌려진 머리, 뾰족한 이빨, 검은 혀, 그리고 그 훌륭한 목둘레 갈기를 지닌 사자와 대면하면서도 자신에게서 저 멀리 떨어지게 들고 있었다. 여자는 그것을 보지 못하거나, 다른 어떤 것을 보는 듯한 표정으로 바라다보고 있었다. 얼굴은 마치 불편한 아이의 얼굴과도 같이, 일그러질 정도로 찡그러졌다. 입의 한 모퉁이가 신경질적으로 올라가 있었다. 아주 천천히, 조심스럽게, 손가락을 들어 여자는 나무에 맞붙어 있는 갈기를 만져 보았다.

"하지만 당신은 어쩌면 그럴 수가 있어요?"

여자가 말했다.

당황한 아내의 얼굴을 보고 남편은 깜짝 놀랐다.

"저런, 당신 왜 그러오?"

남편이 말했다.

"당신은 그 물건이 탐났으면, 무엇 때문에 처음부터 그것을 사지 않았어요?"

아내는 음성이 높아지면서 날카로울 정도로 무기력한 노여움에 갑자기 찢어지는 목소리로 말했다.

"당신이 사기를 원했다면, 무엇 때문에 돈을 지불하지 않았죠? 그 사람이 권했을 때, 어째서 당신은 그것을 점잖게 사지 않았죠? 무엇 때문에 노인이 그것을 들고 기차를 따라 뛰어올 때까지 기다렸다가 1실링 6페니만을 주어야 했지요? 1실링 6페니라니!"

여자는 그것을 가져가게 하려고 억지로 그 물건을 남편에게 내밀고 있었다. 남편은 두 손을 양옆으로 늘어뜨린 채로, 깜짝 놀라 서 있었다.

"하지만 당신이 그것을 원했잖소! 당신이 그토록 마음에 들어 했잖소!"

"이것은 아주 아름다운 작품이라고요."

아내는 마치 남편으로부터 그 물건을 보호하려는 것처럼, 사납게 말했다.

"당신이 그토록 마음에 들어 했잖소! 당신 입으로 너무 비싸다고 말해 놓고서."

"아 당신은."

아내는 절망하고 격노하여, 말했다.

"당신은……."

아내는 좌석 위로 사자를 던졌다.

남편은 아내를 바라보며 서 있었다.

아내는 다시 좌석 모퉁이에 앉아서, 얼굴을 기운 없이 손에 기댄 채, 창밖을 응시했다. 여자의 내면에서 모든 것들이 휘몰아치고 있었다.

'1실링 6페니. 1실링 6페니. 1실링 6페니만으로 나무와 조각술과 다리 근육들과 회초리 모양의 꼬리와 교환하다니. 저렇게 벌려져 있는 입과 그 이빨들. 마치 파도처럼 구르는 검은 혀. 목둘레 갈기. 이 모든 것을 위해 겨우 1실링 6페니를 주다니.'

수치심의 열기가 여자의 다리와 몸을 통해 달아오르고 마치 모래가 쏟아지는 소리처럼 귀에서 울려 퍼졌다. 쏟아지고, 쏟아졌다. 여자는 메스꺼움을 느끼면서, 여자는 그곳에 앉아 있었다. 피로감, 무미건조함, 그리고 공허감의 발견 때문에, 마치 이 시간이 움켜잡을 가치가 없는 것처럼, 두 손의 움켜쥠은 느슨해졌고, 공허하게 위축되었다. 여자는 또다시 이러한 느낌을 받고 있는 것이었다. 그런 느낌이 독신이라는 것, 혼자라는 것, 그리고 혼자 있는 시간이 너무 많다는 것과 관련이 있는 것이라고 과거에 여자는 생각했었다.

여자는 움직이는 것도 말하는 것도, 또는 심지어 그 어느 것을 바라보는 것도 싫어서, 가만히 앉아 있었다. 그리하여 그러한 기분이 또다시 그러한 느낌을 떠오르게 하고 또다시 생각나게 할지도 모르는 그 어느 것, 물건, 말, 광경과 결코 연관시키고 싶지 않았다……. 석탄가루가 지저분하게 불어 들어와 여자의 두 손 위에 앉았다. 여자의 등은 큰 대(大) 자로 쭉 뻗은 다리 사이로 손을 축 늘어뜨리고 앉아 있는 젊은 남자와 모퉁이에 옆으로 쓰러져 있는 사자를 외면한 채로, 똑같은 각도로 구부러진 채 그대로 남아 있었다.

기차는 가죽을 벗어 버리듯이 역에서 벗어났다. 기차는 하늘에 대고 외쳤다. '나는 갑니다, 나는 갑니다.' 그렇지만 또다시 대답은 전혀 없었다.

(1952년)

《일식: 복합 문화 시대의 세계 여성 단편 소설선》(한국문화사, 2002)

벙어리들

알베르 카뮈

알베르 카뮈(Albert Camus, 1913~1960)

프랑스의 소설가이자 극작가이다. 제1차 세계 대전으로 아버지를 잃고 청각 장애인이었던 어머니와 어렵게 생활했다. 알제대학교에서 철학을 전공하고 신문 기자가 되었다. 1942년 《이방인》을 발표하여 칭송을 받으며 문단의 총아로 떠올랐으며 1957년 노벨 문학상을 수상했다. 대표작으로는 소설 《페스트》《전락》 등이 있으며, 이 외에도 에세이 《시지프의 신화》, 희곡 〈오해〉〈칼리굴라〉 등을 통해 부조리한 사회와 사상에 반항하며 자유를 얻고자 하는 인간의 모습을 그렸다. 〈벙어리들〉은 파업을 통해 임금 인상을 요구해 보지만 어떤 영향력도 발휘하지 못한 채 침묵 시위밖에 할 수 없는 직공들의 모습이 담겨 있다.

한겨울인데도 찬란한 햇살이 고개를 들고 이미 분주한 도시 위를 비추었다. 부두의 끝자락에는 바다와 하늘이 서로 어우러져 같은 색으로 반짝이고 있었다. 그러나 이바르는 그런 모습들이 눈에 들어오지 않았다. 그는 자전거를 타고 항구까지 쭉 뻗어 있는 길을 힘겹게 달리고 있었다. 한쪽 페달에는 불편한 다리를 올려 움직이지 않도록 고정하고, 반대쪽 다리는 밤중에 내려앉은 이슬에 축축하게 젖은 아스팔트 위를 달리느라 허덕이고 있었다. 고개를 숙이고 맥이 빠진 모습으로 안장에 앉아 전차 선로를 피해 가다가도, 자동차가 추월하려고 달려올 때면 핸들을 고쳐 꽉 움켜쥐었고, 가끔은 팔에 걸고 있던 페르낭드가 챙겨 준 점심 도시락 가방을 허리춤에 걸치기도 했다. 가방 안에 담긴 도시락 생각에 입맛을 다셨다. 하지만 두 조각의 큰 식빵 사이에는 그가 좋아하는 스페인식 오믈렛이나 기름에 튀긴 비프스테이크 대신 치즈만 끼워져 있었다.

공장으로 가는 길이 이토록 멀어 보인 적은 없었다. 그도 늙어 가고 있는 것이다. 마흔이 되었더니 포도 덩굴 가지처럼 비쩍 마른 탓에 더 이상 근육이 쉽게 붙지 않았다. 가끔 스포츠 논평을 읽다가 30세의 운동선수를 노장이라고 표현하는 것을 볼 때면 그는 어깨를 으쓱하며 페르낭드에게 말했다.

"그 나이에 노장이라니, 그럼 나는 이미 송장이겠네."

하지만 그는 기자의 표현이 아주 틀리지는 않았다는 것을 알고 있었다. 서른 살이 되면 어느 순간 벌써 숨이 한풀 꺾인다. 마흔 살이 되면 아직 송장까지는 아니더라도 곧 그렇게 될 마음의 준비를 하게 되는 것 같다. 언젠가부터 도시 반대쪽 끝 나무통 제조 공장으로 가는 길에 더 이상 바다를 바라보지 않게 된 것도 그래서일까? 스무 살 때는 바다만 하염없이 바라보아도 싫증나지 않았다. 바다는 언제나 해변에서의 즐거운 주말을 그에게 약속해 주었기 때문이다. 절름발이가 되었어도 아니, 절름발이가 되었기 때문인지 그는 수영하는 것을 좋아했다. 그러고 나서 몇 년 후, 페르낭드가 아들을 낳았고, 먹여 살리겠다는 마음으로 토요일까지는 나무통 제조 공장에서 일하고 일요일에는 이곳저곳 집수리를 다니며 돈을 벌었다. 그러다 보니 하루하루를 치열하게 즐기며 살던 습관을 조금씩 잃어 갔다. 그가 사는 이 나라에는 깊고 맑은 물, 강렬한 태양, 여인들, 육체적 교감 이외의 다른 행복은 없었다. 그리고 그 행복은 청춘과 함께 사라지고 말았다.

이바르는 지금도 바다가 좋았지만 이제는 해가 저물고 물 색깔이 짙게 변했을 때나 바라볼 뿐이었다. 일을 마치고 집 테라스에 앉아 페르낭드가 말끔하게 다려 놓은 셔츠를 입고 김이 서린 아니스[1] 술잔을 기울일 때야말로 가장 행복한 시간이었다. 밤이 찾아와 하늘에는 고요함이 감돌기 시작했고 이바르와 이야기하는 이웃 사람들의 목소리가 갑자기 나지막해졌다. 그러면 그는 자신이 행복한지 아니면 울고 싶은 건지 알지 못했다. 하지만 적어도 그런 순간에는 너무 알려고 하는 것보다 조용히 받아들이는 것밖에 다른 방법이 없다는 것은 알고 있었다.

아침이 되고 다시 일을 나갈 때면 집에 돌아오던 전날 저녁과는 다르게 그는 바다를 더 이상 바라보고 싶지 않았고, 밤이 되어서야 바다를 바라볼 기분이 들었다. 그날 아침, 그는 고개를 푹 숙이고 여느 때보다 힘들게 페달을 돌리고 있었고 마음도 무거웠다. 지난밤, 회식에서 돌아와서 일을 다시 하게 되었다고 말하자 페르낭드는 기뻐하며 물었다.

"그럼 이제 사장이 월급을 더 올려 주기로 한 거예요?"

오르는 것은 아무것도 없었다. 파업에 실패했기 때문이다. 준비를 제대로 하

---

1 아니스 그리스와 이집트가 원산지이며 유럽, 인도, 멕시코 등에 분포하는 미나리과의 식물. 술이나 약품, 향료 등을 만드는 데에 사용된다.

지 못한 탓이었고, 인정할 수밖에 없었다. 분노로 시작된 파업이라 노동조합이 맥없이 순응하게 된 것도 당연했다. 더군다나 열대여섯 명의 노동자들쯤은 대수도 아니었다. 나무통 제조업도 더 이상 순탄하지만은 않아서 조합 측에서도 다른 대안이 없었다. 원하는 만큼 해 주는 것이 불가능했다. 조선업과 유조차 제조업에 밀려 나무통 제조업의 입지는 갈수록 흔들리고 있었다. 큰 나무통이든 작은 나무통이든 생산량이 줄어 가고, 이미 판매된 큰 나무통들을 수선하는 일이 전부였다. 사장들은 자신들의 사업 전망이 어둡다는 것을 인정하면서도 최소한의 수익은 어떻게 해서든 지키려 했다. 그래서 물가가 오르건 말건 노동자들의 월급만 줄이면 된다고 생각했다. 나무통 제조 사업 자체가 무너져 가고 있는데 기술자인들 무슨 소용이 있을까?

수고를 들여 한 가지 기술을 배운 사람은 오랜 시간 동안 숙련의 과정을 거쳤기 때문에 직업을 바꾸기가 여간 어려운 일이 아니다. 뛰어난 나무통 제조 기술자, 구부러진 통 주둥이를 잘 맞춰 끼우고 나무줄기나 밧줄이 없어도 불로 지져 둥근 쇠틀을 꽉 죄어 만들 수 있는 그런 훌륭한 기술자는 아주 드물었다. 하지만 이바르는 그것을 할 줄 알았고 자부심도 있었다. 직업을 바꾸는 것은 사실 아무것도 아니었지만, 이미 숙달된 자신만의 기술을 포기한다는 것은 그리 쉬운 일이 아니었다. 일자리가 없는 멋진 직업은 우리를 고립시키고 체념하게 만들기 마련이다. 하지만 체념하는 것마저도 쉽지 않다. 입을 굳게 다물고 말 한마디 하지 않은 채 쌓여 가는 피로를 견디며 매일 아침 똑같은 길을 달려와 일해도, 한 주가 끝나면 그저 주는 대로 받아야 하는 급여는 그 액수가 점차 줄어 생활하기에 충분하지 않았다.

그래서 그들이 분노한 것이다. 두세 명이 주저하기도 했지만 맨 처음 사장과 협상 테이블에 앉아 협상을 벌인 뒤부터는 분노가 그들마저 집어삼켜 버렸다. 사실 사장은 무미건조한 말투로 하면 하고 말면 말라는 식이었다. 사람이라면 그렇게 말할 수 있을까?

"말도 안 돼! 그냥 이대로 포기해야 하는 거야?"

에스포지토가 말했다. 물론 사장은 비열한 사람은 아니었다. 아버지의 사업을 물려받아 공장에서 생활하며 이미 몇 년 전부터 공장의 모든 노동자들과 알고 지낸 그런 사람이었다. 가끔 그들을 불러다 간식을 챙겨 먹이기도 하고, 모닥불 위에 석쇠를 올려 청어나 소시지를 구워 같이 먹기도 했으며, 와인을 한잔하고 나면 세상 친절한 사람이 되었다. 새해에는 항상 와인 다섯 병씩을 모든 노동자들에게 나누어 주었고, 병가를 냈거나 자잘한 사고가 있는 직원, 결혼 등 집안 행사가 있는 직원들에게는 언제나 상여금을 챙겨 주었다. 그의 딸이 태어났을 때는 설탕을 입힌 견과류를 모두에게 돌렸다. 이바르는 두세 번 정도 연안에 있는 그의 별장에 초대를 받아 사냥을 나간 적도 있다. 그가 공장 노동자들을 진정으로 아낀 것은 분명하다. 그의 아버지 역시 견습생부터 일을 시작했다는 것을 항상 기억하고 있었기 때문이었을 것이다. 하지만 그가 노동자들의 집을 방문해 본 적은 없었기에 그들의 사정을 전부 이해하지는 못했다. 자기밖에 모르고 자기 생각만 하기 때문에 하든 말든 알아서 하라고 말한 것이었다. 한편으로는 그가 고집을 부리기 시작한 셈이었다. 충분히 감당할 수 있었던 것이다.

그래서 그들은 하는 수 없이 조합을 설립했고, 공장을 멈출 수밖에 없었다.

"파업 팻말 들고 애쓰지들 마쇼. 나야 공장이 문 닫으면 돈도 굳고 좋으니까."

사장이 말했다. 솔직히 틀린 말은 아니었지만, 자신이 자비를 베푼 덕에 일을 할 수 있었던 것 아니냐며 얼굴을 맞대고 말한 탓에 상황은 쉽게 정리되지 않았다. 에스포지토는 화가 치밀어 올랐고, 사장에게 인간도 아니라며 분노했다. 사장이 그 말에 발끈하는 바람에 두 사람을 뜯어말려야 했다. 하지만 그 과정에서 노동자들은 큰 충격을 받았다. 20일 동안 계속된 파업에 가사를 돌보던 아내들은 깊은 근심에 빠졌고, 노동자 두세 명은 결국 굴복했다. 사태를 해결하기 위해 조합은 협상을 통해 파업 일수는 초과 근무 시간으로 채우기로 하고 파업을 철회하기로 했다. 그들은 큰소리치며 아직 끝난 것은 아니며 다시 조정해야 한다고 말했지만 일을 재개했다.

하지만 오늘 아침, 실패의 무게처럼 느껴지는 피로감과 고기 대신 끼워져 있는 치즈 탓에 그런 환상은 더 이상 이루어질 수 없을 것 같았다. 태양이 밝게 빛나고 있었지만 아무런 소용이 없었고, 바다는 더 이상 아무것도 약속해 주지 않았다. 이바르는 한쪽 페달에만 기대어 자전거를 한 바퀴씩 돌릴 때마다 조금씩 늙어 가는 기분이 들었다. 다시 만나게 될 공장과 동료들과 사장을 떠올리니 마음 한편이 묵직해졌다. 페르낭드는 걱정스러운 표정으로 물었다.

"가서 사장에게 뭐라고 말하려고요?"

"아무 말도 하지 않을 거야."

이바르는 그의 자전거에 걸터앉아서 고개를 내흔들었다. 이를 악물었고, 가는 주름이 진 구릿빛 얼굴의 표정은 굳어 있었다.

"일하는 거야. 그거면 됐어."

그는 지금도 이를 악물고 하늘까지 침울하게 만든 씁쓸하고 메마른 분노를 삼키며 자전거 페달을 굴렸다.

큰길과 바다를 등지고 달려 스페인 구시가지의 습한 길로 접어들었다. 거리에는 온통 곳간이라 고철 창고, 차고들이 가득했고 그곳에 공장이 들어서 있었다. 창고 같은 건물이 절반은 돌로 쌓아 올려져 있었고 구불거리는 철판 지붕까지는 유리로 되어 있었다. 그 공장의 맞은편에는 과거에 나무통을 제조하던 공장이 건너다보였고, 낡은 벽으로 둘러싸인 안마당은 사업을 확장할 때를 대비해 남겨 두었던 것인데, 이제는 오래되어 못 쓰는 기계들과 낡은 통을 쌓아 놓는 창고로 쓰이고 있었다. 창고의 반대편으로는 낡은 기왓장들을 깔아 놓은 것 같은 길 가운데로 사장 집의 정원이 나 있었고, 정원의 끝에는 집이 들어서 있었다. 집은 크고 흉한 모습이었지만 싱싱한 포도나무와 바깥 계단을 둘러싼 얇은 인동덩굴 덕에 꽤 멋스러워 보였다.

이바르는 공장의 문이 닫혀 있는 것을 보았다. 노동자들은 말없이 그 앞에 삼

삼오오 모여 있었다. 이곳으로 출근을 시작한 이후 이렇게 문이 닫혀 있었던 것은 처음 있는 일이었다. 사장은 무언가 본때를 보여 줄 속셈이었다. 이바르는 왼쪽으로 방향을 돌려 옆쪽으로 길게 나 있는 창고 지붕 아래에 자전거를 세우고는 문 쪽으로 걸어갔다. 멀리서 그의 옆에서 일했던 구릿빛 털이 수북하고 건장한 에스포지토와 조합의 대표이자 테노리노[2]처럼 머리를 한 마르쿠, 공장 안의 유일한 아랍인 사이드, 그리고 나머지 모든 사람들이 말없이 그가 다가오는 것을 바라보고 있었다. 하지만 그들과 합류하기에 앞서, 그는 몸을 돌려 갑자기 살짝 열려 있는 공장 문 쪽으로 향했다. 문틈 사이로 작업반장 발레스테르가 나타났다. 그는 등 뒤에 동료들을 두고 육중한 문 하나를 연 다음 천천히 쇠로 된 레일을 따라 밀어 열었다.

노동자들 중 가장 나이가 많은 발레스테르는 파업을 반대했지만, 에스포지토가 그에게 사장의 잇속만 챙겨 주는 사람이라며 욕한 이후부터는 입을 다물고 있었다. 그는 문가에 서서 헐렁하지만 길이가 짧은 푸른색의 해군 작업복을 입고 맨발을 한 채(그와 사이드만 맨발로 일했다.) 다른 사람들이 들어오는 것을 보고 있었고, 그의 눈은 너무나 맑아서 햇볕에 탄 늙은 얼굴과 길고 무성한 콧수염 아래로 희미하게 보이는 입이 무색해 보였다. 침묵하고 있자니 화가 치밀고, 굴복한 채 공장으로 들어서는 것이 수치스러웠지만 서로 아무 말도 할 수가 없었고 그 시간이 길어질수록 입을 떼는 것은 더 어려웠다. 이런 식으로 공장에 들어오게 한 것을 보니 뭔가 지시를 받은 것 같은 발레스테르에게 그들은 눈길 한 번 주지 않은 채 지나쳤다. 발레스테르의 씁쓸하고 침통한 얼굴이 그의 속내를 보여 주고 있었다. 하지만 이바르는 그를 바라보았다. 발레스테르는 그를 워낙 좋아했기 때문에 아무 말 없이 고개를 끄덕였다.

그들은 이내 입구 오른쪽에 있는 작은 탈의실로 들어갔다. 흰색 나무 널빤지

---

2 테노리노(tenorino) 팔세토(falsetto)로 내는 고음역의 테너 가수.

로 된 문짝이 없는 여러 칸막이가 나뉘어져 있었고 그 위로 옷을 걸쳐 놓을 수 있었다. 양쪽 널빤지 사이에는 열쇠로 잠글 수 있는 작은 벽장이 있었다. 입구에서 가장 멀리 떨어져 있는 칸은 창고 벽을 나누어 쓰고 있어서 샤워실로 개조했고, 흙바닥에 우스꽝스럽게 뚫린 구멍이 배수구 역할을 하고 있었다. 공장의 중앙에는 작업장을 따라 이미 작업이 다 끝난 작은 나무통들이 놓여 있었지만, 주둥이의 쇠틀이 제대로 조여지지 않아 불을 쬐기만을 기다리고 있었고, 길게 금이 가 움푹 패인 두꺼운 나무 의자들(그것들을 만들기 위해서 뭉툭하게 다듬어 놓은 나무 판들이 대패 작업대에 오르기를 기다리며 거기에 밀어 넣어져 있었다.), 까맣게 타 꺼진 난로가 있었다. 입구 왼쪽으로는 벽을 따라 연장들이 줄지어 늘어져 있었다. 그 연장들 앞에는 대패로 다듬어야 할 나무 조각들이 쌓여 있었다. 탈의실에서 그리 멀지 않은 오른쪽 벽 쪽에는 기름칠이 잘된 성능 좋고 조용한 대형 전기톱 두 대가 번쩍이고 있었다.

오래전부터 공장은 그 안에 사람이 너무 적은 탓에 공간이 넓고 휑해 보였다. 찌는 무더위의 날씨에서는 나름 장점이 되기도 했지만 겨울에는 그렇지 않았다. 하지만 오늘, 이 넓은 공장에서의 작업은 멈춰 있었고, 나무통들은 다리에 줄로 동여매인 채 나무로 만든 커다란 꽃처럼 입을 떡 벌리고 공장 구석에 놓여 있었고, 의자 위에는 톱밥이 잔뜩 뒤덮여 있었다. 연장이 담긴 상자들과 기계들은 모두 버려진 폐공장의 음습한 분위기를 내뿜고 있었다. 그들은 낡아서 닳은 작업복과 물이 빠지고 기워진 바지를 입고서 그 모습을 지켜보았고 한동안 망설이고 있었다. 발레스테르가 그들을 가만히 바라보았다.

"자, 시작해 볼까?"

그가 말했다. 한 사람씩, 그들은 아무 말도 하지 않고 각자의 자리로 돌아갔다. 발레스테르는 작업대 이곳저곳을 다니며 작업의 시작과 끝을 간략하게 설명했다. 대답하는 사람은 아무도 없었다.

이내 곧 첫 망치 소리가 쇠가 씌인 나무 귀퉁이를 내리치는 소리를 내며 나무통의 몸통에 원형의 쇠틀을 박았고, 대패는 나무 매듭을 쓱싹쓱싹 밀어 냈고, 에스포지토가 켠 전기톱 한 대는 금속끼리 부딪치는 시끄러운 소리를 내며 돌아가고 있었다. 사이드는 시키는 대로 나무통 뚜껑을 옮기거나 톱밥을 모아 불을 지펴 나무통에 끼운 쇠틀을 쬐어 부풀리기도 했다. 아무도 그를 찾지 않을 때는 작업대 위에 녹슨 커다란 쇠틀을 올려 힘차게 망치질을 하곤 했다. 톱밥이 타는 냄새가 공장을 가득 채우기 시작했다. 대패질을 하고 에스포지토가 다듬어 놓은 둥근 나무통 뚜껑을 맞춰 끼우던 이바르는 오래된 이 냄새를 맡고는 마음이 조금 가라앉았다. 모두들 아무 말 없이 일하고 있었지만 공장 안에서는 하나의 열기, 하나의 삶이 차츰 싹트기 시작했다. 커다란 창문을 통해서 싱그러운 햇빛이 공장 안을 가득 채웠다. 타오르던 연기는 푸르스름한 색을 띠며 피어올랐다. 이바르는 귓가에서 벌레 한 마리가 윙윙 소리를 내며 날아다니는 것 같았다.

그 순간, 과거에 나무통 공장이 있던 자리로 난 문이 열리고, 문지방 위로 사장인 라살르 씨가 나타났다. 마르고 검붉은 피부의 그는 이제 겨우 서른 살이 넘은 것처럼 보였다. 개버딘[3] 소재의 베이지색 양복 안으로 흰색 셔츠를 헐렁하게 젖혀 입은 모습이 제 몸에 딱 맞는 옷을 입은 것처럼 편안해 보였다. 뼈가 앙상하게 드러나 가늘고 뾰족한 얼굴이었지만 선수 생활을 마치고 자유의 몸이 된 운동선수처럼 마음이 가는 그런 사람이었다. 하지만 문지방을 넘어서는 모습이 어딘가 어색해 보였다. 그의 인사 소리는 평소보다 더 작았고 그 탓에 아무도 대꾸하지 않았다. 머뭇거리는 망치 소리는 잠시 어긋나는 듯했지만 곧 제소리를 다시 내기 시작했다. 라살르 씨는 망설이는 걸음을 몇 발자국 떼더니 공장에서 그들과 일한 지 이제 겨우 1년밖에 되지 않은 소년 발르리에게로 다가갔다. 그는 이바르와 몇 발자국 떨어진 곳에서 전기톱 옆에 서서 나무통의 밑동을 끼우

---

3 개버딘(gaberdine) 날실에 양털을, 씨실에 무명을 사용하여 능직으로 조밀하게 짠 옷감.

고 있었고 사장은 그런 그를 바라보았다. 발르리는 아무 말 없이 계속 일만 할 뿐이었다.

"그래, 일은 할 만하냐?"

라살르 씨가 물었다. 소년은 갑자기 행동이 어눌해졌다. 그는 옆에서 이바르에게 가져다주려고 나무통 조각들을 잔뜩 팔로 감싸 안고 있는 에스포지토를 슬쩍 바라보았다. 에스포지토도 계속 일을 하며 그를 바라보았고 그래서 발르리는 다시 작업 중이던 나무통에 코를 박고 사장에게는 아무 대꾸도 하지 않았다. 라살르는 조금 황당했는지 소년 앞에 잠깐 동안 가만히 서 있다가 어깨를 한 번 으쓱하고는 마르쿠에게로 향했다. 그는 의자 위에 걸터앉아 느리지만 아주 정확한 손놀림으로 나무통의 밑동에 쓸 조각을 다듬고 있었다.

"안녕하시오, 마르쿠."

라살르는 차분한 목소리로 말했다. 하지만 마르쿠는 나무를 아주 얇게 대패질하는 데만 집중하느라 아무 대답도 없었다.

"다들 이게 무슨 일이오? 우리는 분명 합의하지 않았습니다. 한데 이렇게 다 같이 일하고 있다니, 대체 그동안 벌인 일은 다 뭐란 말이오!"

라살르는 목소리를 높여 다른 노동자들을 돌아보며 큰 소리로 말했다. 마르쿠는 자리에서 일어나 밑동 조각을 들어 둥글게 다듬어졌는지 손으로 만져 확인한 다음 만족스러웠는지 주름진 눈가에 웃음을 지으며 나무통을 조립하고 있는 다른 노동자 쪽으로 말없이 다가갔다. 이 넓은 공장 안에 들리는 소리라고는 망치 소리와 전기톱 소리뿐이었다.

"좋소, 일이 다 끝나면 발레스테르 반장에게 말해 주시오."

라살르는 이렇게 말하고는 공장을 조용히 걸어 나갔다.

곧이어 공장의 시끄러운 소음 위로 초인종이 두 번 울렸다. 발레스테르는 막 자리를 잡고 담배를 하나 말려다가 하는 수 없이 자리에서 일어나 안쪽의 작은 문으로 갔다. 그가 자리를 뜨자마자 망치 소리가 조금씩 줄어들기 시작했다. 어떤 노동자는 발레스테르가 돌아올 때까지 망치질을 멈추기도 했다. 문에 선 발레스테르는 이렇게 말했다.

"사장님이 마르쿠와 이바르, 자네들을 부르시는군."

이바르는 우선 손부터 씻고 싶었지만 마르쿠가 길을 막고 팔을 붙드는 탓에 다리를 절뚝거리며 따라갈 수밖에 없었다.

밖으로 나오니 공장 마당으로 내리쬐는 신선하고 반짝이는 햇살이 이바르의 얼굴과 드러난 두 팔에 가득 느껴졌다. 그들은 인동덩굴 아래로 이미 꽃 여러 송이가 피어 있는 바깥 계단을 올라갔다. 서류들로 뒤덮인 복도로 들어섰을 때 아이의 울음소리와 라살르 씨의 목소리가 들렸다.

"점심 먹었으면 애 좀 재워. 도저히 손쓸 방법이 없으면 의사를 부르자고."

사장은 복도로 나와 그들을 작은 사무실로 안내했다. 사무실은 이미 그들이 잘 알고 있는 곳이었고, 가짜 골동품들이 놓여 있고 벽에는 스포츠 경기 우승 트로피가 장식되어 있었다.

"앉으시오."

자신의 책상 앞에 앉으며 라살르가 말했다. 그들은 그냥 서 있었다.

"여기로 부른 이유는 마르쿠 당신은 조합의 대표고, 이바르는 발레스테르 반장 다음으로 이곳에서 가장 오래 일한 사람이기 때문이오. 다 끝난 이야기를 이제 와서 다시 꺼내고 싶지는 않소. 난 당신들의 요구를 결코 들어줄 수 없소. 협상은 끝났고 우리는 다시 일을 하는 것으로 결론을 내렸지 않소. 그런데 모두들 나를 원망하고 있으니 서운할 따름이오. 솔직한 내 심정을 말하고 있는 겁니다. 한마디만 더 하겠소. 지금은 내가 해 줄 수 없는 일이 상황이 나아지면 가능하게 될 수도 있소. 그리고 그렇게 할 수 있을 때가 오면 당신들이 내게 요구하지 않아도 알아서 해 주겠소. 그때까지는 협심해서 일합시다."

그는 말을 멈추고 잠시 생각하더니 이내 눈을 들어 그들을 바라보았다.

"그런데 말이오……."

그가 말했다. 하지만 마르쿠는 밖을 쳐다보고 있었다. 이바르는 무언가 말하고 싶었지만 이를 악물고 참고만 있을 뿐이었다.

"이보시오, 두 사람도 모두 화가 났군. 다 지나가겠지. 하지만 정신이 좀 돌아오거든 지금 내가 두 사람에게 한 말을 절대 잊지 마시오."

그는 자리에서 일어나 마르쿠에게 다가와서는 손을 내밀었다.

"이만 가 보시오!"

그가 말했다. 마르쿠의 얼굴은 금세 허옇게 질려서 매력적인 가수 같은 얼굴이 그대로 굳어 갑자기 심술궂은 표정으로 변했다. 그러더니 발을 휙 돌려 밖으로 나가 버렸다. 라살르도 파리한 얼굴로 손은 내밀지 않은 채 이바르를 바라보았다.

"가서 일이나 보시오!"

라살르가 소리쳤다.

그들이 공장에 다시 돌아왔을 때, 노동자들은 점심을 먹고 있었다. 발레스테르는 자리를 비우고 없었다. 마르쿠는 "쓸데없는 소리였네."라고만 말하며 자기 작업대로 돌아갔다. 에스포지토는 빵을 한 입 베어 물며 뭐라고 말하고 왔냐고 물었다. 이바르는 아무 말도 하지 않았다고 대답했다. 그러고는 도시락을 챙겨와 그가 일하던 의자에 걸터앉았다. 그가 점심을 먹기 시작했을 때 멀지 않은 곳에서 사이드가 톱밥 더미 위에 드러누워 큰 유리창 밖으로 햇빛이 조금 사그라진 푸른 하늘을 멍하니 바라보고 있는 것이 보였다. 그는 사이드에게 벌써 점심을 다 먹은 거냐고 물었다. 사이드는 챙겨 온 무화과만 먹었다고 대답했다. 이바르는 먹는 것을 멈췄다. 라살르를 만나고 온 뒤로 계속 남아 있던 불편한 마음이 갑자기 사라지면서 따뜻한 연민의 감정으로 바뀌었다. 그는 자리에서 일어나 자기 빵을 반으로 잘라서 사이드가 거절하는데도 불구하고 먹으라고 건네주며 다음 주부터는 모든 것이 나아질 것이라고 말했다.

"그때는 자네가 내게 나누어 주게."

그의 말에 사이드가 미소 지었다. 마치 배고프지 않은 사람처럼 이바르의 샌드위치를 조심스럽게 한 입 베어 물었다.

에스포지토는 낡은 냄비를 하나 가지고 와서는 톱밥과 나무를 모아 불을 피웠다. 병에 담아 온 커피를 냄비에 끓여 데웠다. 파업이 실패로 끝나자 그의 단골 식료품점 사장이 공장 노동자들에게 보낸 위로의 선물이라고 했다. 머스터드소스를 담는 유리잔 한 개가 이 손에서 저 손으로 옮겨졌다. 그럴 때마다 에스포지토는 이미 설탕을 넣은 커피를 따라 주었다. 사이드는 빵을 먹을 때보다 더 맛있게 커피를 들이켰다. 에스포지토는 뜨거운 냄비에 남아 있는 커피를 그냥 마시며 입맛을 다셨고 작은 소리로 욕설을 내뱉었다. 그때 마침 발레스테르가 돌아와서는 작업 재개를 알렸다.

그들이 자리에서 일어나 그들의 도시락 가방에 종이와 식기들을 모아 담는 동안 발레스테르는 그들 사이로 와서는 갑자기 그를 포함한 모두에게 힘든 시간이겠지만 그렇다고 어린아이처럼 굴지만 말라고, 불만을 가진다고 해결될 일이 아니라고 말했다. 에스포지토는 냄비를 손에 들고 그를 향해 몸을 돌렸다. 그의 두툼하고 긴 얼굴이 순간 벌겋게 달아올랐다. 이바르는 자신이 할 말이 무엇인지, 모든 사람들이 그와 같은 생각을 하고 있으며 그들이 분노한 것이 아니라 그들의 입을 다물게 만든 것은 할 테면 하고 말 테면 말라는 그 말이었다는 것을, 분노와 무력감이 때로는 너무 아파 비명도 지르지 못한다는 것을 알고 있었다. 그들도 인간이었기에 그저 웃어넘기거나 비위를 맞추는 일은 도저히 할 수 없었다. 하지만 에스포지토는 이 모든 것들에 대해 아무 말도 하지 않은 채 얼굴을 풀고 발레스테르의 어깨를 가볍게 토닥였고 그사이 다른 노동자들은 다시 자신의 자리로 돌아갔다. 망치를 두드리는 소리가 다시 울려 퍼졌고, 익숙한 소음, 땀에 젖은 낡은 작업복과 톱밥 냄새가 넓은 공장을 채워 갔다. 커다란 톱이 윙윙 소리를 내며 에스포지토가 그의 앞으로 천천히 밀어 넣는 신선한 나무토막을 물어뜯었다. 물기를 머금은 자리를 지나갈 때면 축축한 톱밥이 튀어 빵가루처럼 날려 으르렁거리는 톱날 양쪽으로 나무토막을 꽉 붙든, 털이 수북한 그의 손등을 뒤덮었다. 나무가 전부 잘려 나가면 톱의 모터 소리만 시끄럽게 들렸다.

이바르는 대패질을 하느라 몸을 구부리고 서 있던 탓에 등이 결리기 시작했다. 평소라면 이런 피로감은 조금 더 나중에 찾아와야 했다. 몇 주간 작업을 쉬었더니 감을 잊은 게 분명했다. 그는 이 일이 섬세함을 요하는 것도 아닌데 손으로 하는 일이 더 힘들게 느껴지는 이유는 아무래도 나이 때문이라고 생각했다. 등이 결리는 것도 그가 이제 늙었다는 신호인 셈이었다. 근육은 풀어지고, 일이 끝나고 나면 녹초가 되어 죽기 일보 직전의 상태로 그 긴 밤을 맞이하여 잠이 들면 그대로 죽음을 맞이할 것 같았다. 그의 아들은 선생님이 되고 싶어 했는데, 그의 생각이 옳았다. 육체노동에 대해 떠드는 사람들은 그들이 무슨 말을 하는지도 모를 터였다.

이바르가 몸을 세워 숨을 고르며 우울한 생각들을 떨쳐 내려고 했을 때, 초인종이 다시 울렸다. 계속 울리는 것 같더니 희한하게도 소리가 잠깐 끊겼다가 다시 요란하게 울려 댔고 그 소리에 노동자들은 모두 일을 멈추었다. 소리를 듣던 발레스테르는 깜짝 놀라서는 뭔가 결심을 한 모습으로 천천히 문으로 향했다. 그가 사라지고 몇 초 지나지 않아 초인종 소리가 그쳤다. 그들은 다시 일을 시작했다. 이번에는 문이 갑자기 열리더니 발레스테르가 탈의실로 달려갔다. 운동화로 갈아 신고 소매를 걷어 올리며 나오더니 지나가며 이바르에게 말했다.

"사장 딸이 아픈 것 같아. 제르망을 불러와야겠어."

그러면서 큰 문으로 뛰어갔다. 제르망은 공장 주치의로 교외에 살고 있었다. 이바르는 별다른 설명 없이 그 소식을 전했다. 사람들이 그의 주위로 몰려왔고 당황한 얼굴로 서로를 바라보았다. 허공에 돌아가고 있는 전기톱 엔진 소리만 들렸다.

"별일 아니겠지."

그들 중 한 명이 말했다. 그들은 다시 제자리로 돌아갔고 공장은 또다시 작업 소리로 시끌시끌했지만 그들은 마치 무언가를 기다리기라도 하는 것처럼 천천히 일했다.

15분쯤 지나고, 발레스테르가 돌아와 아무 말 없이 웃옷을 벗어 내려놓고는 작은 문으로 다시 나갔다. 큰 유리창으로 햇빛이 반짝이고 있었다. 잠시 후, 전기 톱이 더 이상 물어뜯을 나무가 없어진 사이, 구급차 소리가 희미하게 저 멀리서 들려왔고 점점 가까워지더니 이제는 조용해졌다. 잠시 후 발레스테르가 돌아왔고 모두들 그에게로 다가갔다. 에스포지토는 모터를 껐고, 발레스테르는 아이가 누가 밀어뜨린 것처럼 갑자기 넘어졌다고 말했다.

"그래서 괜찮대?"

마르쿠가 말했다. 발레스테르는 고개를 끄덕이며 공장 쪽을 멍하니 바라보았다. 하지만 그의 모습은 당황한 것처럼 보였다. 다시 구급차 소리가 들려왔다. 모두들 한자리에 모여 공장에는 고요함이 맴돌았고, 유리창으로 쏟아지는 노오란 햇빛 아래에서 톱밥으로 뒤덮인 낡은 바지 위로 기운 없는 거친 손을 늘어뜨리고 서 있었다.

남은 오후 시간은 길게 느껴졌다. 이바르는 피로밖에 느껴지지 않았고 그의 가슴은 여전히 먹먹했다. 그는 말을 하고 싶었다. 하지만 아무 말도 할 수 없었고, 그건 다른 사람들도 마찬가지였다. 표정이 없는 얼굴에서는 슬픔과 고집만 드러날 뿐이었다. 가끔씩 그의 머릿속에 '불행'이라는 단어가 떠올랐지만 부풀어 오르자마자 바로 터져 버리는 비눗방울처럼 사라져 버렸다. 그는 집으로 돌아가 페르낭드와 그의 아들과 테라스를 마주하고 싶었다. 그때, 발레스테르가 작업 종료를 알렸다. 기계들이 모두 멈추었다. 서두르지 않고 사람들은 불을 끄고 자리를 정리하고 한 사람씩 탈의실로 이동하기 시작했다. 사이드는 가장 마지막 순서였고 작업장을 청소하고 먼지가 자욱한 공장 바닥에 물을 뿌려야 했다. 이바르가 탈의실에 도착했을 때, 덩치 큰 털북숭이 에스포지토는 벌써 샤워기 물줄기 아래에 있었다. 그는 다른 사람들을 등지고 서서 요란하게 비누칠을 했다. 예전에는 그렇게 부끄러워하는 순수한 모습을 놀리곤 했었다. 어쨌든, 곰처럼 덩치가 산만 한 사내가 끈질기도록 자기 하체의 은밀한 부위를 가리고 있었다. 그런데 그날은 신경 쓰는 사람이 아무도 없었다. 에스포지토는 뒷걸음질로 샤워실을 나오면서 수건을 허리춤에 둘러싸고 엉덩이를 가렸다. 다른 사람들이 자신의 차례를 기다리고 있자, 마르쿠는 그의 벌거벗은 옆구리를 힘껏 내리쳤고, 그때 쇠로 된 홈을 타고 천천히 문 열리는 소리가 들렸다. 라살르가 들어왔다.

그는 처음 들어왔을 때와 같은 옷차림이었지만 머리는 빗지 않아서 지저분했다. 그는 문턱에 멈춰 서서 사람이 많이 없는 큰 공장 안을 가만히 바라보다가 몇 걸음 옮기고 다시 멈췄다가 탈의실을 바라보았다. 에스포지토는 여전히 허리춤을 수건으로 가린 채 그를 돌아보았다. 벌거벗은 채 당황한 얼굴로 주춤거렸다. 이바르는 마르쿠가 뭔가 말을 꺼내야 한다고 생각했다. 하지만 마르쿠는 가만히 서 있다가 쏟아지는 물줄기 사이로 몸을 숨겨 버렸다. 에스포지토는 셔츠를 하나 집어 재빨리 입었고, 그러는 사이 라살르가 말을 꺼냈다.

"잘 가시오."

맥 빠진 목소리로 인사하고는 작은 문 쪽으로 걸어가기 시작했다. 이바르는 그를 불러야겠다고 생각했지만 문은 이미 닫힌 뒤였다.

이바르는 씻지도 않고 서둘러 옷을 갈아입은 뒤 황급히 사람들에게 인사를 건넸지만 마음만은 진심이었다. 사람들도 그에게 똑같이 온정이 담긴 인사를 했다. 그는 재빠르게 나와 자전거를 찾았고, 안장에 올라타니 허리가 욱신거렸다. 오후가 저물어 가고 있었고 그는 뒤죽박죽한 거리를 헤집고 페달을 밟았다. 속도를 높여 오래된 집의 테라스로 가고 싶었다. 자리를 잡고 앉아서, 비탈길 위로 이미 그를 따라오는 아침보다 짙어진 바다를 바라보기 전에 욕실에서 몸을 먼저 씻을 터였다. 그의 딸도 언제나 그를 따라다녔기에 떠오르는 딸의 생각을 멈출 수가 없었다.

집에 돌아오니 아들은 학교에서 돌아와 그림책을 읽고 있었다. 페르낭드는 이바르에게 모든 게 잘 해결되었냐며 물었다. 그는 아무 말도 하지 않고 몸을 일으켜 욕실로 들어가 씻고는, 테라스에 놓인 의자에 걸터앉았다. 짜깁기한 옷이 그의 머리 위에 널려 있고 하늘이 투명해지고 있었다. 벽 너머로 아름다운 밤바다의 모습이 보였다. 페르낭드는 아니스 술 두 잔과 시원한 물 한 병을 들고 왔다. 그녀는 남편의 곁에 자리를 잡았다. 그는 신혼이었을 때 그랬던 것처럼 그녀의 손을 꼭 잡고 지금까지의 모든 일을 이야기했다. 그는 말을 마치고는 가만히 그녀를 안은 채 수평선 한편에서 저 끝까지 석양이 빠르게 지고 있는 바다를 향해 몸을 돌렸다.

"아, 그의 잘못이야!"

그가 말했다. 만일 그가 젊었더라면, 그리고 페르낭드도 그랬더라면 그들은 떠났을 것이다. 바다 저 멀리로.

(1957년)

번역 손윤지

정부의 친구

지그프리트 렌츠

지그프리트 렌츠 (Siegfried Lenz, 1926~2014)

독일의 소설가 겸 극작가이다. 1943년 해군에 징집되어 제2차 세계 대전에 참전하였다. 그 후 전쟁이 끝날 무렵 독일군에서 탈영하여 영국군의 통역으로 일했다. 제대 후 대학에서 철학·영문학 등을 공부하였으며, 신문사 기자로도 활동하였다. 1951년 첫 소설 《푸른 매가 하늘에 있었다》를 발표했고, 그 고료로 케냐를 여행하였다. 이때 케냐의 독립운동인 '마우마우 운동'에 깊은 감명을 받았고, 후에 이 경험을 반영한 소설들을 썼다. 대표작으로 《독일어 시간》이 있는데, 의무와 양심에 대한 독일인의 독특한 심성을 잘 그려 낸 작품이라는 평을 받았다.

어느 주말 그들은 기자들을 초대했다. 정부가 얼마나 많은 지지자를 확보하고 있는지를 현장에서 직접 보여 주겠다고 했다. 소요[1] 지역과 관련해 알려진 많은 것들, 예컨대 고문, 가난, 무엇보다 독립에 대한 격렬한 요구가 사실이 아니라는 걸 우리에게 증명하려고 했다. 그들은 정중하게 우리를 초대했다.

무척이나 공손해 보이고 나무랄 데 없이 잘 차려입은 공무원이 오페라 극장 뒤편에서 우리를 맞이했다. 그는 우리를 정부에서 제공한 버스로 안내했다. 새 차에서 나는 칠 냄새와 가죽 냄새가 채 가시지 않은 신형 버스였다. 라디오에서는 음악이 나지막하게 흘러나왔다. 버스가 움직이기 시작하자 그 공무원은 보관함에서 마이크를 꺼내 손톱으로 은색 덮개 철망을 긁어 소리가 잘 나오는지 확인했다. 그런 다음 부드러운 목소리로 다시 한번 환영 인사를 했다. 그는 겸손한 태도로 자신의 이름을 소개했다.

"가렉이라고 합니다."

그러고는 수도의 명승지 곳곳을 가리키며 설명해 주었고, 공원의 이름과 숫자를 소개했다. 그는 또 아침 햇살을 받아 눈부시게 빛나는 석회석 언덕 위에 자리 잡은 시범 정착촌의 건축 방식에 대해 설명했다.

길은 도시 외곽에서 두 갈래로 갈라졌다. 우리가 탄 버스는 해안 지역을 벗어나 내륙 쪽으로 향했다. 버스는 좁은 골짜기를 달렸다. 이윽고 골짜기 아래, 바다이 다 말라 버린 강 위를 지나는 다리에 이르렀다. 다리 들머리에는 젊은 군인이

---

1 소요(騷擾) 여러 사람이 모여 폭행이나 협박 또는 파괴 행위를 함으로써 공공질서를 문란하게 함.

한 명 서 있었다. 휴대용 자동 소총을 분방하게[2] 메고 있던 그는 우리가 자신의 옆을 지나 다리 위로 다가가자 우리를 향해 손을 흔들었다. 하얗게 씻긴 조약돌 사이에 놓인, 바싹 말라 버린 강바닥 위에도 두 명의 젊은 군인이 서 있었다. 그 때 가렉이 대단히 유명한 군사 훈련 지역을 통과하고 있다고 말했다.

꼬불꼬불한 산길을 오르고 뜨거운 들판을 지났다. 그러자 열린 창문으로 미세한 석회 먼지가 들어와 눈이 타는 듯 따가웠다. 석회 맛이 입술에 느껴졌다. 우리는 양복 상의를 벗었다. 가렉만 혼자 양복 윗도리를 입고 있었다. 그는 여전히 마이크를 든 채 부드러운 목소리로 정부에 있는 그들이 이 죽음의 땅을 위해 작성하였다는 개발 계획에 대해 설명했다. 내 옆자리에 앉은 남자가 눈을 감고 머리를 뒤로 기댔다. 그의 입술은 말라 있었고 석회처럼 창백했다. 그리고 니켈 도금이 된 금속 손잡이 위에 놓여 있는 양손의 정맥이 푸르스름하게 불거져 나와 있었다. 몇 번인가 가렉의 우울한 시선이 백미러를 통해 우리 쪽을 향했기 때문에 나는 그의 옆구리를 치려고 했다. 하지만 내가 망설이는 동안 가렉이 자리에서 일어나 미소를 지어 보이며 다가왔다. 그는 좁은 통로를 지나 뒤쪽으로 와서는 종이 팩에 든 차가운 음료수와 빨대를 나누어 주었다.

정오쯤 우리는 한 마을을 통과했다. 창문은 상자용 목재로 못질되어 있었다. 마른 나뭇가지로 만든, 구멍이 숭숭 난 초라한 울타리는 평원에서 불어오는 바람에 이리저리 흔들렸다. 평평한 지붕 위에는 빨래 하나 널려 있지 않았고, 우물의 덮개는 벗겨져 있었다. 개 짖는 소리도 들을 수 없었고, 그 어디에서도 사람의 모습을 찾을 수 없었다. 버스는 석회 먼지로 덮인 회색빛 깃발을 나부끼면서 그 마을을 지나쳐 갔다. 그것은 체념의 회색이었다.

다시 가렉이 좁은 통로를 지나 뒤쪽으로 와서는 샌드위치를 나누어 주었다. 그는 우리에게 활기를 불어넣어 주며 목적지에 도달하기까지 그리 오래 걸리지

---

2 분방하다 규칙이나 규범 따위에 구애받지 아니하고 제멋대로이다.

않을 거라고 점잖게 말했다. 땅은 구릉 지형이었고 녹이 슨 것처럼 붉은색을 띠었다. 그곳은 이제 커다란 바위로 뒤덮여 있었는데, 그 바위 사이에 생기 없는 작은 관목들이 자라고 있었다. 길은 내리막이었다. 우리는 터널 같은 절개지[3]를 통과했다. 반원형의 폭파공[4]들이 잘려진 바위 벽면 위로 비스듬한 그림자를 드리웠다. 밝은 빛이 강하게 버스 안으로 밀려들었다. 그다음 순간 길이 열렸다. 그리고 넓은 들판과 그 가운데를 관통하며 흐르는 강, 그 강 옆의 마을이 눈에 들어왔다.

가렉이 우리에게 도착을 알렸다. 우리는 벗어 놓은 양복 윗도리를 입었다. 버스는 속도를 줄여, 점토로 뒤덮인 광장의 깨끗하게 회칠이 된 작은 집 앞에 섰다. 석회 칠이 너무도 강렬하게 빛나 차에서 내릴 때 눈이 아팠다. 우리는 버스 그늘 안으로 들어갔고, 손가락으로 툭툭 담뱃재를 털었다. 그러고는 실눈으로 그 집을 쳐다보면서 그 안으로 사라진 가렉을 기다렸다.

몇 분이 지나 가렉이 돌아왔다. 그는 한 남자를 데리고 왔다. 우리 가운데 그 누구도 본 적이 없는 사람이었다.

"이분은 벨라 본조 씨입니다."

가렉이 남자를 소개했다.

"본조 씨는 지금 집안일을 하는 중이었습니다만, 여러분의 질문에 대답할 준비가 되어 있습니다."

우리는 일제히 본조를 쳐다보았다. 우리의 눈길이 쏟아지자 그는 살짝 고개를 숙였다. 창백한 그의 얼굴은 나이가 들어 보였다. 그의 목덜미에는 검은 주름이 뚜렷했고, 윗입술은 부풀어 있었다. 집안일을 하는 중에 갑작스럽게 손님을 맞이하게 됐다면서도 그의 머리는 말쑥하게 빗질이 되어 있었다. 늙고 여윈 목에 피딱지가 생긴 걸로 보아 그가 다급하게 면도를 했다는 것을 알 수 있었다.

---

3 절개지 새 길을 내기 위해 산을 깎아 놓은 곳.
4 폭파공 폭발시켜 생긴 구멍.

그는 깨끗하게 세탁한 면 셔츠와 길이가 짧아 복사뼈에 겨우 닿을까 말까 한 면 바지를 입고 있었다. 그리고 훈련받는 신병들이 신는 것과 같은 노란색의 거친 새 가죽 장화를 신고 있었다.

우리는 벨라 본조와 한 사람씩 악수를 나누며 인사했다. 그는 고개 숙여 인사하고 우리를 자신의 집 안으로 안내했다. 그는 우리를 앞서가게 했다. 우리는 나이 든 부인이 기다리고 있는 서늘한 거실로 들어갔다. 희미한 조명 탓에 그녀의 얼굴은 잘 보이지 않았고, 단지 그녀의 머릿수건만 두드러져 보였다. 부인은 우리에게 주먹 크기만 한 낯선 과일을 내놓았다. 붉은빛의 즙이 많은 과일이었다. 그것을 먹고 있으니 마치 갓 생긴 상처를 깨무는 것 같은 느낌이 들었다.

우리는 다시 광장으로 나왔다. 버스 옆에는 아이들이 맨발로 서 있었다. 아이들은 강렬한 시선으로 벨라 본조를 지켜보았다. 그들은 미동도 하지 않았고, 서로 말도 하지 않았다. 우리와는 눈길도 마주치지 않았다. 본조는 묘한 만족감을 보이며 미소를 지었다.

"자녀는 없습니까?"

포트기씨가 물었다.

첫 번째 질문이었다. 본조는 미소를 지으며 입을 열었다.

"아니요. 아들이 하나 있었지요. 이제는 그 애를 잊어버리려 애쓰고 있습니다. 정부에 반항했거든요. 게을렀고 아무짝에도 쓸모가 없었어요. 그런데도 뭔가 되어 본답시고 불안만 야기하는 사보타주[5]에 참가했지 뭡니까? 그 사람들은 자기들이 더 잘할 수 있다고 착각하고 정부에 맞서 싸우고 있지요."

본조가 나지막한 목소리로 단호하게 말했다. 그가 말하는 동안 나는 그의 앞니가 빠지고 없다는 것을 알았다.

"어쩌면 그들이 더 잘할 수도 있겠지요."

---

5 사보타주 겉으로는 일을 하지만 의도적으로 일을 게을리함으로써 사용자에게 손해를 주는 노동 쟁의 행위.

포트기써가 말했다. 가렉은 질문을 듣고 만족스럽다는 듯한 미소를 띠었다. 그러자 본조가 대답했다.

"모든 정부는 사람들이 그 정부를 참고 견뎌 내야만 한다는 점에서 비슷합니다. 어떤 정부는 견디기가 좀 쉽고, 또 다른 정부는 좀 어렵다는 게 차이라면 차이지요. 우리는 현 정부에 대해서는 잘 알고 있지만, 다른 정부에 대해서는 그저 그들의 약속만을 알 뿐입니다."

아이들이 한동안 눈길을 주고받았다.

"그래도 독립이라는 훌륭한 약속이 있잖아요."

블라이구트가 말했다.

"독립이 밥 먹여 주지는 않습니다."

본조가 미소를 지으며 말했다.

"나라가 가난해지면 독립이 무슨 소용이 있습니까. 그래도 지금의 정부는 우리의 수출을 보장해 왔습니다. 그리고 도로와 병원과 학교를 짓는 데도 애를 썼습니다. 땅도 개간해 왔고 또 계속해서 그렇게 해 나갈 겁니다. 게다가 우리에게 투표권까지 주었습니다."

아이들은 움직이기 시작했다. 그들은 서로 손을 잡고 무의식적으로 한 걸음 앞으로 나섰다. 본조는 얼굴을 숙이고는 알 수 없는 만족감을 드러내며 미소를 지었다. 얼굴을 다시 든 본조가 눈으로 가렉을 찾았다. 가렉은 우리 뒤에 겸손한 자세로 조용히 서 있었다.

"결론을 말하자면,"

별도의 질문을 받지 않았는데도 본조는 말을 이어 갔다.

"독립을 위해서는 어느 정도의 성숙 과정이 있어야 합니다. 사실 독립으로 우리가 할 수 있는 것은 아무것도 없을 것입니다. 민족도 각각 성숙해지는 나이가 있습니다. 우리는 아직 그 나이에 도달하지 않았어요. 저는 현 정부의 친구입니다. 현 정부는 미성숙 상태에 있는 우리를 그냥 방치하지 않았으니까요. 여러분께서 이 점을 알아주시면 대단히 고맙겠습니다."

가렉은 버스 쪽으로 멀어져 갔다. 본조는 그를 조심스럽게 지켜보았다. 그리고 무거운 버스 문이 닫히고 그 메마른 광장 위에 우리만 서 있게 될 때까지 기다렸다.

드디어 우리만 남게 되었다. 라디오 방송국의 핑케가 본조에게 재빨리 질문을 던졌다.

"실제로는 어떻습니까? 어서 대답해 보세요. 지금은 우리뿐입니다."

본조는 당황하였다. 그는 의아함과 당혹감을 나타내며 핑케를 빤히 쳐다보더니 천천히 말했다.

"저는 선생님의 질문을 이해하지 못하겠습니다."

"이제 우리 솔직한 이야기를 해 봅시다."

핑케가 다급하게 말했다.

"솔직한 이야기라……."

본조는 신중하게 핑케의 말을 반복하면서 이를 드러내며 씩 웃었다. 그러자 그의 빠진 앞니 자리가 눈에 확연히 들어왔다.

"저는 앞서 아주 솔직하게 이야기하였습니다. 우리는 현 정부의 친구들입니다. 제 아내와 저 말입니다. 현재 우리가 이렇게 살아가는 것도, 또 우리가 이만큼 이루고 사는 것도 모두 정부의 덕택이니까요. 그래서 우리는 정부를 고맙게 생각합니다. 여러분은 사람들이 정부에 대해 감사할 수 있다는 게 얼마나 드문 일인지 잘 알고 있을 겁니다. 하지만 우리는 감사하고 있습니다. 그리고 나의 이웃들 역시 감사하고 있으며, 저기에 서 있는 아이들과 마을에 있는 모든 사람들이 마찬가지입니다. 아무 문이라도 두드려 보세요. 그러면 우리가 정부에 얼마나 감사하고 있는지를 어디서나 듣게 될 것입니다."

갑자기 얼굴이 창백한 젊은 기자 굼이 본조에게 다가가 조용히 속삭였다.

"제가 아는 믿을 만한 정보에 의하면 당신 아들이 수도에 있는 감옥에서 고문을 당했다고 합니다. 그 점에 대해 하실 말씀이 없습니까?"

본조는 눈을 감았다. 석회 먼지가 그의 눈썹 위에 쌓여 있었다. 그는 미소를 지으며 대답했다.

"제게는 아들이 없습니다. 그러니 아들이 고문당했을 수가 없지요. 우리는 정부의 친구들입니다. 아시겠습니까? 저는 정부의 친구입니다."

그는 손수 말아 만든 구부정한 궐련에 불을 붙여 거세게 들이마셨다. 그리고 이제 막 열린 버스 문 쪽을 바라보았다. 가렉이 돌아와 이야기가 얼마나 오갔는 지 물었다. 본조는 발을 뒤꿈치에서 발가락 쪽으로 굴리면서 앞뒤로 몸을 흔들었다. 가렉이 다시 우리 쪽으로 다가오자 본조는 안도하는 것만 같았다. 그리고 그는 우리의 다른 질문에 장난기를 섞어 가며 자세히 대답했다. 그는 말을 하는 동안 때때로 빠진 앞니 자리를 통해 쉬쉬 하는 바람 소리를 냈다.

한 남자가 큰 낫을 들고 우리 앞을 지나갔다. 본조가 그를 불렀다. 그 남자는 온전하지 못한 걸음으로 가까이 걸어와 어깨 위의 낫을 내려놓고는 본조의 질문에 귀를 기울였다. 그것은 우리가 맨 처음 본조에게 던진 바로 그 질문이었다. 남자는 마지못해 머리를 끄덕였다. 그는 정부의 열정적인 친구였다. 그리고 그가 한 마디 한 마디 할 때마다 본조의 얼굴에는 승리의 빛이 나타났다. 마침내 두 남자는 마치 정부와의 공통된 연대감을 확인하려는 듯 우리 앞에서 악수를 주고받았다.

우리도 작별 인사를 했다. 우리 일행은 한 사람씩 본조와 악수를 하였는데, 나는 그와 마지막으로 악수를 나누었다. 내가 그의 거칠고 갈라진 손을 잡았을 때, 나는 우리 둘의 손바닥 사이에 돌돌 말린 종이 뭉치가 있는 것을 느꼈다. 나는 손가락을 구부려 그것을 천천히 빼냈고, 뒤로 물러나 그 종이 뭉치를 주머니에 넣었다. 벨라 본조는 그 자리에 서서 연방 빠르게 담배 연기를 내뿜었다. 그는 자신의 부인을 집 밖으로 불러냈다. 그녀와 본조 그리고 낫을 든 남자는 버스가 떠나는 것을 지켜보았다. 그동안 아이들은 생기 없는 관목과 바위로 뒤덮인 언덕 위로 올라갔다.

　우리는 왔던 길로 되돌아가지 않고, 철둑과 마주 칠 때까지 뜨거운 들판을 가로질렀다. 철둑 옆 으로 모래와 자갈이 깔린 길이 이어졌다. 차 가 달리는 동안 나는 주머니에 손을 넣고 있 었고, 손에는 작은 종이 뭉치가 있었다. 그것은 딱딱한 알맹이를 싸고 있었는데, 내가 아무리 힘을 가해도 손톱이 그 속으로 파 고들어 갈 수가 없었다. 나는 감히 그 종이 뭉치를 꺼낼 수 없었다. 때때로 가렉 의 우울한 눈길이 백미러를 통해 보였기 때문이었다. 섬뜩한 그림자가 우리 머 리 위를 지나 죽음의 땅 위를 질주하였다. 그 후 곧 프로펠러 소리가 들렸고, 비 행기가 나타났다. 비행기는 철둑 위를 수도 방향으로 낮게 날아가다 지평선에 서 선회하더니 다시 우리 머리 위로 굉음을 내며 날아와서는 우리를 그냥 내버 려 두지 않았다.

　나는 벨라 본조를 생각하면서 딱딱한 알맹이를 싸고 있는 종이 뭉치를 손에 꼭 쥐었다. 손바닥이 촉촉해진 것을 느낄 수 있었다. 그때 철둑길 끝에서 어떤 물체가 보였다. 그것이 우리 쪽으로 점점 가까이 다가오자 궤도차[6]라는 것을 알 수 있었다. 궤도차에는 젊은 군인들이 타고 있었다. 그들은 친절하게도 자신들 의 자동 소총을 들어 우리를 향해 흔들었다. 나는 조심스럽게 종이 뭉치를 꺼냈 다. 하지만 그것을 펴 보지 않고 재빨리 작은 회중시계용 주머니 안으로 넣었다. 그것은 단추가 있는 유일한 주머니였다. 그리고 다시 벨라 본조, 그 정부의 친구 를 생각했다. 다시 한번 그의 가공되지 않은 노란색 가죽 장화와 얼굴에 나타난 몽롱한 만족과 이가 빠져 말할 때마다 그 자리가 검게 보이던 그의 얼굴을 생각 했다. 우리 가운데 그의 모습에서 진정한 정부의 친구를 보았다는 사실을 의심

---

6 궤도차 기차나 전차 따위와 같이 궤도 위를 달리는 차.

하는 사람은 아무도 없는 것 같았다.

　우리는 해안을 따라 수도로 되돌아왔다. 바닷물이 해안 절벽에 부딪쳤다 밀려가는 소리가 들려왔다. 우리는 오페라 극장 근처에서 내려 가렉과 정중하게 인사를 나누고 헤어졌다. 나는 혼자 호텔로 돌아가 엘리베이터를 타고 내 방으로 갔다. 그리고 화장실에서 정부의 친구가 내게 몰래 맡겼던 그 종이 뭉치를 펼쳐 보았다. 그것은 백지였다. 어떤 표시나 글자도 없었다. 그 종이에는 니코틴으로 노랗게 변색된 앞니가 싸여 있을 뿐이었다. 그것은 부러진 사람 이빨이었다. 나는 그것이 누구의 것이었는지 알았다.

(1960년)

《국어시간에 세계단편소설읽기 2》(휴머니스트, 2020)

아버지의 결혼 승낙

치누아 아체베

치누아 아체베 (Chinua Achebe, 1930~2013)

나이지리아 동남부의 이보족 마을인 오기디에서 태어나 대학 시절부터 소설을 쓰기 시작했다. 졸업 후 방송국에서 일하며 아프리카 제2의 도시인 라고스에 정착했다. 첫 소설 《모든 것이 산산이 부서지다》는 현대 아프리카 문학에서 가장 대중적인 작품으로 손꼽힌다. 그는 세계의 여러 종교와 아프리카의 전통문화에 관심이 많았으며, 서아프리카의 미래를 위해서는 아프리카인 스스로 역사와 유산의 가치를 이해하고, 부정부패를 추방할 수 있는 도덕규범을 지녀야 한다고 생각했다. 대표작으로 《신의 화살》 《더 이상 평안은 없다》 등이 있으며, 이보족 사회의 전통과 기독교의 영향, 그리고 식민지 시대와 그 후의 가치 충돌 등을 주제로 한 작품을 주로 썼다. '아프리카 현대 문학의 아버지'로 불린다.

"아버님한테 편지 썼어요?"

네네가 은나에메카에게 물었다. 어느 날 오후 라고스의 카상가 16가에 있는 그녀의 방에서였다.

"아니, 지금 생각 중이야. 휴가 때 집에 가서 이야기하는 게 낫지 않을까 생각하고 있어!"

"왜요? 당신 휴가는 아직 많이 남았는데. 6주나 남았잖아요. 하루빨리 아버님을 기쁘게 해 드려야지요."

은나에메카는 잠시 침묵했다. 그리고 단어를 하나하나 떠올리며 천천히 말을 이어 갔다.

"나도 이 일이 아버지에게 기쁨이 된다고 확신할 수 있으면 좋겠어."

"당연히 그래야죠. 왜 그러지 못할 거라고 생각해요?"

네네가 조금 놀라면서 대답했다.

"당신은 평생 라고스에 살았잖아. 그래서 멀리 시골에 사는 사람들을 잘 몰라."

"그거야 당신이 늘 하던 이야기잖아요. 어쨌든 아들이 결혼을 약속했다는데 행복해하지 않을 만큼 사람이 다를 수는 없다고 생각해요."

"그렇지 않아. 어른들은 대개 자신이 주선하지 않은 약혼을 달가워하지 않아. 게다가 우리 경우엔 당신이 이보족이 아니라 더 나쁘다고 할 수 있어."

그의 말이 무척 진지했기 때문에 네네는 바로 대답할 수가 없었다. 그녀는 도시의 국제적인 분위기 속에 살다 보니 출신 부족에 따라 어떤 사람의 결혼 상대가 결정될 수 있다는 이야기를 늘 우스갯소리로 받아들여 왔다.

"아버님께서 바로 그런 이유만으로 당신과 내가 결혼하는 것을 반대할 것이라고 생각한다는 건 아니죠? 내 생각으로는 당신네 이보족은 늘 다른 사람들에게 친절했거든요."

"그랬지. 그렇지만 결혼에 대해서는 글쎄, 일이 그렇게 간단치가 않아."

그가 덧붙여 말했다.

"그리고 이런 것은 특별히 이보족만 그러는 것도 아니야. 당신 아버지가 돌아가시지 않고 이비비오 지역의 중심지에 살고 계시다면, 그분도 우리 아버지와 꼭 같으실 거야."

"모르겠어요. 아무튼 당신 아버지는 당신을 좋아하잖아요. 그러니 당신을 너그럽게 봐줄 거예요. 이리 와서 착한 아들이 되어 멋지고 사랑스러운 편지를 보내세요."

"아무래도 편지로 소식을 전하는 것은 현명한 일이 아닌 것 같아. 편지로 알게 되면 충격을 받으실 거야. 분명히 그래."

"좋아요, 마음대로 하세요. 당신이 당신 아버지를 더 잘 알겠지요."

그날 저녁 은나에메카는 집으로 걸어오면서 마음속으로 아버지의 반대를 극복하는 여러 방법을 생각해 보았다. 더구나 아버지가 아들을 위해 직접 아가씨를 구했다지 않은가. 사실 은나에메카는 네네에게 아버지의 편지를 보여 줄까 생각하기도 했다. 하지만 생각을 바꾸어 그러지 않기로 했다. 최소한 당장은 보여 주지 않기로 했던 것이다. 은나에메카는 집에 도착해서 다시 아버지의 편지를 읽으며 혼자 미소 짓지 않을 수 없었다. 그는 우고예를 기억했다. 그 애는 자신을 포함한 남자아이들을 때리고 다니던 난폭한 여자아이였다.

너한테 잘 어울리는 아가씨를 찾았단다. 우리 이웃 야콥 은웨케의 맏딸인 우고예 은웨케 말이다. 기독교 교육도 적당히 받았더구나. 몇 년 전 학교를 중퇴했을 때,

그 아이의 아버지가(생각이 건전한 사람이지.) 어떤 목사의 집에서 살도록 했는데, 거기서 얘가 결혼을 앞둔 여자한테 필요한 교육을 모두 받았어. 주일 학교 선생님 말로는 성경도 아주 유창하게 읽는단다. 12월에 네가 집에 오거든 상의를 하면 좋겠다.

라고스에서 돌아온 이튿날 저녁 은나에메카는 아버지와 함께 계피나무 그늘에 앉았다. 그곳은 12월의 따가운 태양이 지고, 나무 잎사귀들 사이로 신선한 바람이 불어오면 아버지가 성경을 읽으러 가던 아버지의 은둔처 같은 곳이었다.

"아버지."

은나에메카가 아버지에게 다가가 말했다.

"저는 용서를 빌러 왔습니다."

"용서라고? 무엇에 대해서 말이냐?"

아버지가 놀라 물었다.

"결혼 문제에 대한 것입니다."

"결혼 문제?"

"저는 아버지 말씀을 따를 수가 없어요. 그러니까 제 이야기는 우고예와 결혼하는 게 불가능하다는 것입니다."

"불가능하다? 왜지?"

아버지가 물었다.

"저는 그 애를 사랑하지 않아요."

"아무도 네가 그 애를 사랑한다고 말하지 않았어. 왜 그래야 되는 거야?"

"요즘 결혼은 다릅니다."

"내 말 좀 들어 봐라."

아버지가 말을 가로챘다.

"다를 것 없다. 아내감으로 살펴야 되는 것은 성격이 좋은지 기독교인인지 하는 것이면 되는 거야."

은나에메카는 아버지와 계속 이야기해 봤자 별 희망이 없다고 생각했다.

"사실 저는 우고예가 지닌 자질을 두루 갖춘 다른 아가씨와 약혼을 했습니다."

아버지는 자신의 귀를 믿을 수가 없었다.

"뭐라고 말했느냐?"

아버지가 당황스러워하며 물었다.

"착한 기독교인이에요."

은나에메카는 말을 이었다.

"그리고 라고스에 있는 여학교의 교사입니다."

"교사라고 했느냐? 얘야, 네가 좋은 아내의 자질을 잘 모르는구나. 기독교인 여성은 가르치지 않아야 한다는 것을 말이야. 사도 바울도 고린도서에서 여자는 과묵해야 한다고 했거든."

아버지는 자리에서 일어나 앞으로 뒤로 천천히 왔다 갔다 했다. 이것은 아버지가 좋아하는 주제였다. 그는 여자들에게 학교 교육을 받도록 하는 교회 지도자들을 격렬하게 비난했다. 아버지는 장황한 설교에 힘을 다 쏟은 다음에야 아들의 약혼 문제로 돌아왔다.

"아무튼 그 아가씨는 누구의 딸이냐?"

겉으로는 부드러운 목소리였다.

"네네 아탕입니다."

"뭐라고?"

아버지의 부드러운 말투는 다시 완전히 사라졌다.

"네네 아탕이라고 했느냐? 그게 누구지?"

"칼라바르의 네네 아탕입니다. 제가 결혼하고 싶은 유일한 아가씨입니다."

은나에메카는 재빨리 대답하고 천둥이 내리치기를 기다렸다. 하지만 천둥은

치지 않았다. 아버지는 그냥 자신의 방으로 걸어가 버렸다. 가장 피하고 싶었던 일이 벌어졌고, 은나에메카는 당황했다. 아버지의 침묵은 말씀의 홍수보다도 훨씬 위협적이었던 것이다. 그날 밤 아버지는 아무것도 먹지 않았다.

다음 날 아버지는 은나에메카를 불러서는 온갖 수단을 동원해 아들의 마음을 돌리려고 했다. 하지만 은나에메카의 마음은 굳건했고, 아버지는 결국 포기하고 말았다.

"아들아, 나는 네게 무엇이 옳고 그른지를 보여 줄 의무가 있다. 누구든 네 머릿속에 그런 생각을 집어넣은 자는 네 목을 자른 사람이나 마찬가지야. 그건 사탄의 소행이란 말이다."

아버지는 아들을 몰아붙였다.

"아버지, 네네를 보시면 마음이 바뀌실 거예요."

"나는 결코 그 아이를 보지 않겠다."

그날 밤 이후 아버지는 아들에게 말을 걸지 않았다. 하지만 그는 아들이 자신이 나아가고 있는 곳이 얼마나 위험한 곳인지 깨닫기 바라는 마음만은 버리지 않았다. 그는 낮이나 밤이나 아들을 위해 기도했다.

은나에메카도 아버지의 슬픔 때문에 깊이 상처를 받았다. 그는 아버지의 슬픔이 빨리 사라져 버리기를 희망했다. 자기 부족의 역사에서 지금까지 다른 언어를 말하는 여인과 결혼한 남자가 없었다는 것을 생각했더라면 희망을 덜 가졌을지 모를 일이었다.

"그런 일은 없었어."

몇 주 후의 일을 예언하는 원로가 의견을 내놓았다. 그 원로는 말 한 마디로 자기 부족의 모든 것을 이야기했다. 이따금 오케케의 아들 소식이 나돌 때면 다른 사람들과 함께 나타나서 오케케를 위로하기도 했다. 그 무렵 은나에메카는 이미 라고스로 돌아가고 없었다.

"그런 일은 들은 바가 없어."

원로는 다시 한번 애석한 듯 고개를 흔들며 말했다.

"주님께서는 뭐라고 말씀하셨나요? 아이들은 아버지에 맞서면서 크는 법이라고 성경에 있기는 하지요."

다른 어른이 물었다.

"그것은 종말의 시작이지요."

또 다른 어른이 말했다.

이렇게 토론이 신학적으로 흘러가자, 굉장히 현실적인 사람인 마두보그우가 다시 대화를 일상으로 돌려 분위기를 진정시켰다.

"아들에 대해 토박이 의원에게 자문을 구할 생각은 해 보셨나요?"

마두보그우가 은나에메카의 아버지에게 물었다.

"그 아이는 아픈 게 아니에요."

아버지가 대답했다.

"그러면 왜 그런 거죠? 아들의 마음에 병이 든 거예요. 좋은 약초 전문가만이 제정신으로 돌릴 수 있습니다. 아들에게 필요한 약은 아말릴레입니다. 여인들이 남편의 바람기를 바로잡으려 할 때 효과를 보는 바로 그 약이지요."

"마두보그우 말이 맞습니다. 이번 일에는 약이 필요해요."

다른 어른이 말했다.

"의원을 부르지는 않을 거요."

은나에메카의 아버지는 이런 일에 있어서는 미신을 믿는 이웃들보다는 생각이 훨씬 앞서 있었다.

"오추바 부인처럼 하지는 않을 겁니다. 내 아들이 자살하겠다면, 그러라고 할 거예요. 나는 그 아이를 어쩌지 않을 거요."

"하지만 그건 그녀의 실수였어요. 제대로 된 약초 전문가에게 가야 했지요. 똑똑한 여자였는데, 그런 실수를 하게 된 거예요."

마두보그우가 말했다.

"그 여자는 못된 살인자였어요."

이웃 사람들과는 말이 통하지 않는다며, 좀처럼 입을 열지 않던 조나단이 말했다.

"그 약은 남편을 위해 준비했던 거예요. 준비할 때 남편의 이름을 말했거든요. 그녀의 남편이 그 약을 먹었으면 바람기가 사라졌을 거라고 확신해요. 하지만 그녀는 그 약의 효험을 확인하려고 그것을 약초 전문가의 음식에 넣었던 거지요. 약의 원리도 모르고 남편에게 먹일 약을 엉뚱한 사람에게 먹여 죽게 한 거죠. 그러니 약을 써 보겠다고 하세요."

여섯 달 후 은나에메카는 아버지가 보낸 편지를 자신의 젊은 아내에게 보여 주었다.

나한테 네 결혼사진을 보낼 정도로 냉정할 수 있다는 게 놀랍구나. 사진을 그대로 되돌려 보내야겠다 싶었지만 생각을 바꾸어 네 아내만 잘라 돌려보낸다. 그 아이와 나는 아무 관계가 없으니까 말이다. 내가 어떻게 너와도 인연이 없기를 바라겠느냐.

네네는 편지를 읽고 토막 난 사진을 보았다. 그녀의 눈에 눈물이 가득했다. 마침내 그녀가 흐느끼기 시작했다.

"울지 마, 여보. 아버지는 원래 성품이 좋은 분이야. 언젠가 친절하게 우리 결혼사진을 바라보실 날이 있을 거야."

하지만 세월이 흘러도 그런 날은 오지 않았다.

8년 동안 오케케는 아들 은나에메카를 만나지 않았다. 꼭 세 번 (은나에메카가 집으로 가서 휴가를 보내겠다고 했을 때) 편지를 썼을 뿐이다.

나는 너를 내 집에 받아들일 수가 없다. 네가 언제, 어디서 휴가를 보내는지는 내 관심사가 아니다. 네 인생에 대해서도 마찬가지이다.

은나에메카의 결혼에 대한 선입견은 작은 고향 마을에 국한된 것이 아니었다. 하지만 라고스, 특히 그곳에 살고 있는 같은 부족들 사이에서 그 선입견은 좀 다른 모습으로 나타났다. 여인들은 이따금 마을 모임 같은 데서 만나면 네네에게 마냥 적대적이지만은 않았다. 그들은 오히려 그녀 스스로 그들과는 다른 사람으로 느끼게 하려는 듯 과도한 존경을 보였다. 하지만 세월이 흐르면서 네네는 점차 이런 선입견을 허물어 갔다. 사람들은 이제 내키지 않아도 그녀가 다른 사람들보다 더 나은 가정을 꾸리고 있다고 인정하기 시작했다.

이렇게 해서 은나에메카와 그의 아내가 가장 행복한 부부라는 이야기는 이보족의 작은 마을까지 전해졌다. 하지만 그의 아버지는 그런 이야기에 대해 아무것도 모르는 몇 사람 중 한 명이었다. 아들 이름만 나오면 바로 화를 냈기 때문에 사람들은 그가 있을 때면 이야기를 피했다. 그는 엄청난 노력으로 마침내 아들을 마음 밖으로 밀어내는 데에 성공했던 것이다. 그의 가문에서 아들은 죽은 것이나 다름없었고, 그는 굳건히 지켜 냈다. 그리고 이겼다.

그러던 어느 날 아버지는 네네가 보낸 한 통의 편지를 받았다. 그는 건성으로 편지를 읽어 갔다. 그러다 갑자기 얼굴 표정이 바뀌더니 아주 주의 깊게 편지를 읽기 시작했다.

저희의 두 아들이 할아버지가 계시다는 것을 안 뒤로 데려가 달라고 떼를 쓰고 있어요. 할아버지께서 너희를 보려 하지 않는다고 말할 수가 없어요. 제발 다음 달에 있는 은나에메카의 휴가 때 잠시 아이들을 데리고 가도록 허락해 주세요. 저는 여기 라고스에 남아 있겠습니다.

늙은이는 순간 자신이 여러 해 동안 쌓아 온 결의가 무너져 내리는 것을 느꼈다. 그는 절대로 항복해서는 안 된다고 되뇌었다. 감상적인 호소에 맞서 마음을 다잡으려 했다. 하지만 그것은 또 다른 마음의 갈등을 만들 뿐이었다. 그는 창문에 몸을 기대고 밖을 내다보았다. 하늘은 짙은 먹구름으로 뒤덮여 있었고, 먼지와 낙엽을 실은 강한 바람이 불어왔다. 인간의 삶에 자연이 끼어드는 드문 경우였다. 금방 비가 내리기 시작했다. 올해 처음 내리는 비였다. 빗방울은 따가울 정도로 굵게 떨어졌고, 계절의 변화를 알리는 번개와 천둥을 동반했다. 오케케는 두 손자를 생각하지 않으려고 애썼다. 하지만 그는 지금 자신이 이기지 못할 싸움을 하고 있다는 것을 알고 있었다. 즐겨 부르는 찬송가를 흥얼거려 보았지만, 지붕 위에 떨어지는 빗방울 소리에 음정이 흩어져 버렸다. 마음은 바로 아이들에게 돌아왔다. 어떻게 아이들을 향한 생각의 문을 닫을 수 있을까? 호기심 어린 마음의 변화로 그는 어느새 손자들이 자신의 집 밖으로 내쫓겨 거센 비바람 속에 슬픈 표정으로 서 있는 모습을 상상했다.

그날 밤 그는 거의 잠을 이루지 못했다. 손자들을 받아들이지 못하고 죽을지도 모른다는 막연한 두려움과 후회 때문이었다.

(1972년)

《국어시간에 세계단편소설읽기 2》(휴머니스트, 2020)

월급 45루피

R. K. 나라얀

R. K. 나라얀
(Rasipuram Krishnaswami Narayan, 1906~2001)

인도의 동남부 마드라스(현재의 첸나이)에서 태어났다. 인도의 신화와 전설에 각별한 관심을 가졌으며, 주로 비극과 희극이 혼합된 작품을 썼다. 영국 소설가 그레이엄 그린의 주선으로 1935년에 발표한 첫 장편 소설 《스와미와 친구들》을 비롯해 대부분의 작품에서 인도인의 독특한 기질을 잘 보여 주고 있다. 《문학사(文學士)》《영어 교사》《재정 전문가》《여행 가이드》 등의 장편 소설, 《말 한 마리와 염소 두 마리》《말구디 시절》《벵골 보리수 아래에서》 등의 단편집을 썼다. 여러 여행기, 수필집, 회고록 등을 출간했고 인도의 2대 서사시를 편저한 《라마야나》와 《마하바라타》를 출간했다.

샨타는 더는 교실에 앉아 있을 수가 없었다. 진흙 빚기, 음악, 체육, 그리고 알파벳과 숫자 공부를 했고, 지금은 염색한 종이를 오려 내는 중이었다. 종이 울리고, 선생님이 "자, 이제 집으로 가도 좋아."라거나 "가위를 치우고 오려 낸 글자들을 집어 들어."라고 말할 때까지는 계속 가위질을 해야 할 것이다. 샨타는 지금이 몇 시인지 알고 싶어 안달이 났다.

"지금 5시야?"

샨타는 옆에 앉아 있는 친구에게 물었다.

"아마."

친구가 대답했다.

"아니면 6시?"

"그렇지는 않을 거야. 6시면 밤이 되거든."

친구가 다시 대답했다.

"그러면 5시라고 생각해?"

"응."

"아, 가야 되겠네. 아빠가 지금 집에 와 계실 거야. 5시까지 준비하고 있으라고 하셨단 말이야. 오늘 저녁에 아빠랑 함께 영화 보러 가기로 했거든."

그때 선생님이 말했다.

"왜 그러니, 샨타 바이?"

"지금 5시가 되었으니까요."

"누가 네게 지금이 5시라고 그래?"

"카말라가요."

"아직 5시가 안 되었어. 저기 시계 보이지? 몇 시인지 말해 봐. 지난번에 시계 보는 법을 가르쳐 줬잖아."

샨타는 일어서서 교실의 시계를 쳐다보고 어렵사리 숫자를 세어 본 뒤 큰 소리로 말했다.

"9시입니다."

선생님은 다른 아이들을 향해 말했다.

"누가 저 시계를 보고 지금 몇 시인지 말해 보겠니?"

몇몇 아이들은 샨타의 말에 동의하면서 9시라고 말했다. 그러자 선생님이 말했다.

"너희들은 긴바늘만 보고 있구나. 짧은바늘도 보아야지. 짧은바늘이 어디에 있지?"

"2와 2분의 1을 지났어요."

"그러면 몇 시일까?"

"2와 2분의 1시요."

"지금은 2시 45분이야. 알았지? 자 이제 모두 자리로 돌아가."

10분쯤 지나자 샨타는 다시 선생님에게 가서 물었다.

"5시죠? 선생님, 저는 5시 전에 집으로 가야 해요. 그렇지 않으면 아빠가 몹시 화를 낼 거예요. 아빠가 일찍 집으로 오라고 했거든요."

"몇 시에 오라고 했다고?"

"지금이요."

선생님은 집으로 가도 좋다고 허락했고, 샨타는 기뻐하며 교실을 나섰다. 그리고 집으로 달려와 마루에 책가방을 팽개치며 소리쳤다.

"엄마, 엄마."

옆집에서 친구들과 수다를 떨고 있던 엄마가 달려와 물었다.

"왜 이렇게 일찍 왔니?"

"아빠 아직 안 오셨어?"

샨타는 음료수와 간식도 먹지 않고, 외출복부터 입혀 달라고 고집을 부렸다. 그러고는 옷장을 열더니 얇은 드레스와 반바지를 입겠다고 했다. 엄마는 저녁이니까 긴치마와 두꺼운 외투를 입히고 싶어 했다. 샨타는 판지로 만들어진 비누 상자에서 알록달록한 리본을 하나 꺼냈다. 샨타는 평소에 연필, 리본, 분필 조각 등을 비누 상자에 넣어 두었다. 어떤 옷을 입을지 모녀가 열띠게 언쟁을 벌인 끝에, 결국 엄마가 지고 말았다. 샨타는 가장 좋아하는 분홍빛 드레스를 입고 머리를 땋은 후에 녹색 리본으로 묶었다. 얼굴에 곱게 화장을 한 뒤, 이마에 주홍색 표식을 찍었다.

"이제 준비를 다 했으니 아빠가 착한 아이라고 칭찬하시겠지. 엄마도 같이 갈 거야?"

"오늘은 안 갈 거야."

샨타는 쪽문 옆에 서서 큰길 쪽을 내려다보았다.

"아빠는 5시가 지나야 오시니까, 햇볕에 그렇게 서 있지 마. 아직 4시밖에 안 됐어."

엄마가 말했다.

맞은편 거리에 있는 집 뒤로 해가 넘어가고 있었다. 샨타는 곧 날이 어두워지리라는 것을 알고 있었다. 그래서 엄마에게 달려가 물어보았다.

"왜 아직도 아빠가 안 오시는 거야, 엄마?"

"내가 어떻게 알겠니? 아마 회사에서 늦어지는 모양이지."

샨타는 얼굴을 찌푸렸다.

"나는 회사 사람들이 싫어. 나쁜 사람들이야!"

샨타는 다시 쪽문 옆에 서서 밖을 내다보며 서 있었다. 엄마가 안에서 소리쳤다.

"들어와, 샨타. 어두워지는데, 거기 서 있지 마."

하지만 샨타는 안으로 들어가지 않고, 계속 문 옆에 서 있었다. 그때 샨타의 머릿속에 엉뚱한 생각이 들었다.

'회사로 가서 아빠를 불러내 극장으로 가면 안 될까?'

샨타는 아빠의 회사가 어디에 있는지 몰랐다. 하지만 아빠가 날마다 길 끝 모퉁이를 돌아간다는 것은 알았다. 거기만 돌면 바로 아빠의 회사가 나올 것 같았다. 샨타는 엄마가 어디에 있는지 살펴본 다음 밖으로 나갔다.

땅거미가 지고 있었다. 사람들은 거인처럼 보였고, 건물의 벽은 아주 높았으며 자전거와 마차들은 금방이라도 샨타의 머리 위에 짐을 쏟아 버릴 것만 같았다. 샨타는 길의 가장자리를 따라 걸어갔다. 곧 거리에 조명등이 켜졌다. 지나가는 사람들이 그림자처럼 보이기 시작했다. 샨타는 거리를 두어 번 돌고 나서 길을 잃고 말았다. 겁에 질린 샨타는 손톱을 깨물며 길가에 주저앉았다. 집에 어떻게 가야 할지 걱정이 되었다. 그때 마침 옆집 하인이 샨타 앞을 지나갔다. 샨타는 얼른 일어나 그 하인에게로 달려갔다.

"아니, 여기서 혼자 뭐 하고 있는 거야?"

하인이 물었다.

"모르겠어요. 집으로 좀 데려다줄래요?"

샨타는 그를 따라 집으로 돌아왔다.

그날 아침, 샨타의 아버지 벤카트 라오는 회사로 출근할 준비를 하고 있었다. 그때 마차 한 대가 영화 광고지를 나눠 주면서 거리를 지나갔다. 샨타가 거리로 뛰어가서 광고지를 하나 들고 오더니, 그것을 내보이며 물었다.

"아빠, 오늘 함께 영화 보러 갈래요?"

그는 그 말에 마음이 편하지 않았다. 딸이 살면서 느끼는 소박한 즐거움도 누리지 못한 채 자라고 있다는 생각이 들었기 때문이었다. 지금까지 샨타와 함께 영화를 본 건 겨우 두 번뿐이었다. 아이와 놀 시간이 없었던 것이다. 같은 또래의 다른 집 아이들은 인형이며 옷을 원하는 대로 가졌고, 가끔 소풍을 가기도 했다. 자신의 딸만 아무것도 못 하고 살아가는 것 같았다. 그는 회사 때문에 몹시 화가 났다. 회사는 월급 40루피[1]로 자신을 몽땅 산 것처럼 굴었다.

그는 아내와 딸에게 소홀했던 것을 떠올리니 마음이 아팠다. 아내는 어른이고 친구들과 어울리기라도 하니까 그렇다 치더라도, 딸에게는 너무한 일이 아닌가 싶었다. 얼마나 단조롭고 칙칙하게 살아가고 있는지! 그는 매일같이 7시나 8시까지 회사에서 일을 해야 했고, 집에 오면 딸아이는 잠들어 있었다. 일요일에도 회사에 출근해야 했다. 회사는 왜 그에게 개인적인 생활을 주지 않는 것일까? 회사는 그가 딸을 공원이나 극장에 데리고 갈 시간을 주지 않았다. 그는 회사가 자신을 마음대로 부릴 수 없다는 것을 보여 주고 싶었다. 그는 필요하면 상사와도 싸우리라고 다짐했다.

"오늘 저녁에 영화 보러 가자. 5시쯤 올 테니 준비하고 있어라."

그는 딸에게 단호하게 말했다.

"정말로? 엄마!"

샨타가 소리쳤다. 엄마가 부엌에서 나왔다.

"아빠가 오늘 저녁에 영화를 보여 주신대."

아내는 믿기지 않는다는 표정을 지어 보였다.

"아이한테 지키지도 못할 약속은 하지 마세요."

벤카트 라오는 아내를 노려보았다.

"그런 소리 마. 당신은 당신만 약속을 지킨다고 생각하지."

그는 샨타에게 말했다.

"5시까지 준비하고 있으면, 아빠가 와서 꼭 데리고 갈게. 준비 안 되어 있으면 아빠가 많이 화낼 거야."

---

1 루피(rupee) 인도의 화폐 단위.

그는 굳게 결심하고 회사로 갔다. 정상 근무를 하고 퇴근할
생각이었다. 회사에서 또 방해를 하면 이렇게 말할 생각이
었다.

'사표 여기 있습니다. 여기 당신네들의 끔찍한 서류보다는
내 딸아이의 행복이 훨씬 중요하지요.'

하루 종일 서류가 그의 책상으로 밀려오고 떠나갔다. 꼼꼼히 검토하고 결재
를 올렸지만 잘못을 지적받기도 하고, 모욕을 당하기도 했다. 오후에 겨우 5분
동안 커피를 마실 수 있었다.

회사 시계가 5시를 알리고 다른 직원들이 퇴근하자 그도 자리에서 일어났다.

"과장님, 퇴근해도 될까요?"

서류를 보던 과장이 고개를 들었다.

"당신이!"

경리과가 5시에 마감하는 것은 생각할 수 없는 일이었다.

"당신이 어떻게 지금 퇴근할 수 있어?"

"좀 급한 개인적인 일이 있습니다, 과장님."

아침부터 연습했던 '사표 여기 있습니다.'라는 대사는 숨긴 채 말했다. 그는
샨타가 문 앞에 기다리는 것을 상상하며 옷을 입었다. 가슴이 두근거렸다.

"회사 일보다 더 급한 것은 없지. 자리로 돌아가. 내가 몇 시간이나 일하는지
알아?"

과장은 세 시간이나 일찍 출근하고 세 시간이나 늦게 퇴근했다. 그는 일요일
에도 일했다. 그래서 직원들 사이에서 이러쿵저러쿵 말이 많았다.

"과장이 집에 가면 부인이 매질을 해 대는 게 분명해. 그러니까 저 올빼미 같
은 사람이 회사를 좋아하는 것처럼 굴지."

"자네 18루피 차액의 이유를 찾았나?"

과장이 물었다.

"영수증 200장을 살펴봐야 할 겁니다. 그 일은 내일 하는 게 좋을 것 같습니다."

"아니, 아니, 그러면 안 돼. 당장 바로잡도록 해."

벤카트 라오는 우물우물 대답했다.

"그러지요, 과장님."

그러고는 살금살금 자리로 돌아왔다. 시계는 5시 30분을 가리키고 있었다. 이제 두 시간 동안 지루한 영수증 검사를 해야 한다. 동료들은 모두 갔고, 그와 같은 과 직원 한 사람만 남아 있었다. 물론 과장도 함께 있었다. 벤카트 라오는 몹시 화가 났다. 그는 마음을 다잡았다.

'나는 40루피에 자신을 깡그리 팔아 버린 노예가 아니다. 그 정도 돈쯤은 쉽게 벌 수 있을 거야. 그럴 수 없다면 차라리 굶어 죽는 편이 명예롭겠지.'

그는 종이를 한 장 꺼내 다음과 같이 썼다.

사직하고자 합니다.

당신들이 40루피로 나의 육신과 영혼을 샀다고 생각한다면 그건 오산입니다.

나는 당신네들이 몇 년 동안 나에게 책정해 놓은 그 보잘것없는 40루피를 받는 노예가 되기보다는, 차라리 굶어 죽는 것이 나와 내 가족을 위해 훨씬 나을 거라고 생각합니다.

당신네들은 내 월급을 올려 줄 생각은 눈곱만큼도 하지 않는 것 같습니다. 당신네들끼리는 몫을 잘 나눠 가지면서 왜 우리는 조금도 생각해 주지 않는지 알 수가 없습니다.

아무튼 이제는 관심 없습니다.

이것은 나의 사직서입니다. 나와 내 가족이 굶어 죽게 되면, 우리의 혼령이 당신들을 평생 괴롭힐지도 모르겠습니다.

그는 서류를 접어 봉투에 넣었다. 그리고 자리에서 일어나 과장 앞에 섰다. 과장은 기계적으로 벤카트 라오가 내민 봉투를 받아 책상 위에 놓았다.

"벤카트 라오, 나는 자네가 이 소식을 듣고 기뻐할 거라고 확신하네. 회사에서 오늘 임금 인상 이야기가 나왔는데, 내가 자네 월급을 5루피 인상하자고 했네. 아직 최종 결정이 된 것은 아니니 혼자만 알고 있게."

벤카트 라오는 재빨리 손을 뻗어 봉투를 낚아챈 다음 주머니에 넣었다.

"그 봉투는 뭐야?"

"짧은 임시 휴가를 신청했습니다. 하지만 지금 생각해 보니……."

"자네는 최소한 앞으로 2주 동안은 휴가를 갈 수가 없네."

"예, 과장님. 그렇게 알고 있습니다. 그래서 지금 취소하려는 겁니다."

"좋아. 그 실수는 찾아냈나?"

"지금 영수증을 조사하고 있으니 앞으로 한 시간 안에 찾아낼 겁니다……."

그는 9시가 되어서야 집으로 돌아왔다. 샨타는 벌써 잠이 들어 있었다. 아내가 말했다.

"당신이 와서 영화관에 데리고 갈 거라며 옷도 갈아입지 않고, 밥도 먹지 않고, 옷이 구겨진다고 눕지도 않으려 하고……."

그는 딸아이가 분홍빛 드레스를 입고 잠들어 있는 모습을 보자 마음이 아팠다. 아이는 머리를 곱게 빗고, 얼굴에 화장을 하고, 드레스도 차려입어 외출 준비를 마친 모습이었다.

'내가 왜 이 아이를 영화관에 데려가지 못했을까?'

그는 딸아이를 부드럽게 어루만지며 아이의 이름을 불렀다.

"샨타, 샨타."

샨타는 다리를 차고 칭얼대면서 깨우지 말라고 짜증을 냈다. 아내가 나직이 말했다.

"깨우지 말아요."

그녀는 아이가 다시 잠들도록 아이의 등을 토닥였다. 벤카트 라오는 잠시 아이를 내려다보았다.

"내가 이 아이를 데리고 외출해 보는 게 가능할지 모르겠어. 오늘 회사에서 월급을 올려 주겠다는 거야……."

그는 흐느끼며 말했다.

(1972년)

《국어시간에 세계단편소설읽기 1》(휴머니스트, 2020)